El signo del miedo

El signo del miedo

MARGERY ALLINGHAM

Traducción del inglés a cargo de
Guillermo López Gallego

IMPEDIMENTA

Primera edición en Impedimenta: octubre de 2016

© 1933 by Margery Allingham
Copyright de la presente edición © Editorial Impedimenta, 2016
Juan Álvarez Mendizábal, 34. 28008 Madrid

http://www.impedimenta.es

La traducción de este libro se rige por el contrato tipo propuesto por ACE Traductores.

Diseño de colección y dirección editorial: Enrique Redel
Maquetación: José Martínez
Corrección: Susana Rodríguez

ISBN: 978-84-16542-49-9
Depósito Legal: M-35064-2016
IBIC: FA

Impresión y encuadernación: Kadmos
Impresión de la sobrecubierta: Artes Gráficas Frampa

Impreso en España

Impreso en papel 100% procedente de bosques gestionados de acuerdo con criterios de
sostenibilidad.

Dramatis Personæ

∽

Sr. Randall, Sr. Eager-Wright, Sr. Farquharson, *asistentes y camaradas de armas del*

Sr. Albert Campion, *persona importante.*

Magersfontein Lugg, *hombre vulgar al servicio del Sr. Campion.*

Srta. Mary Fitton, *hermana mayor de la*

Srta. Amanda Fitton, *molinera de Pontisbright.*

Señorito Hal Fitton, *hermano de Mary y Amanda y heredero del título perdido.*

Srta. Harriet Huntingforest, *señora estadounidense; tía de Mary, Hal y Amanda.*

Brett Savanake, *bellaco.*

Sr. Parrott, Piquito Doyle, *empleados de Savanake.*

Doctor Edmund Galley, *médico de Pontisbright.*

Despistado Williams, *molinero ayudante.*

Vecinos del pueblo, propietarios de hoteles y personas con aviesas intenciones.

Los personajes e incidentes de esta historia han sido inventados por la autora y no aluden a personas vivas ni a sus asuntos.

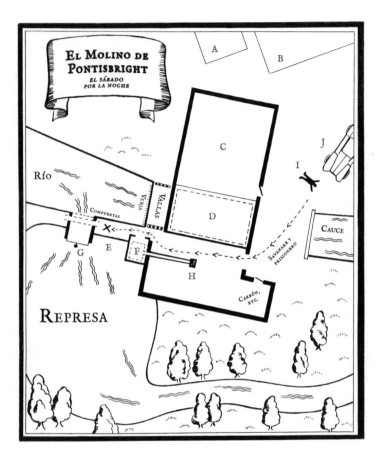

EL MOLINO DE PONTISBRIGHT

EL SÁBADO POR LA NOCHE

A

B

RÍO

C

J

I

VEDA

VALLAS

COMPUERTAS

D

CAUCE

G

E

F

SAVANAKE Y PRISIONERO

H

CARBÓN, ETC.

REPRESA

LEYENDA

A · Cochera

B · Casa del molino

C · Molino

D · Turbina

E · Escaramuza

F · Rotor pequeño

G · Campion atrapado bajo el agua

H · Dinamo

I · Hombre sin conocimiento

J · Rolls

Capítulo i

En confianza

En la fachada luminosa y amarilla del Hôtel Beauregard, Menton, se abrió despacio un ventanuco por el que salió una mano, que, tras depositar una pequeña maleta marrón sobre el alféizar, desapareció rápidamente.

Guffy Randall, que en ese momento dejaba que su coche descendiese con lentitud la suave pendiente que le conduciría hasta la pronunciada curva que lo llevaría a la fachada principal del hotel, donde le aguardaba el almuerzo, se detuvo y observó la ventana ahora cerrada y la bolsa con ese aire de interés cortés pero negligente que le caracterizaba.

No le parecía muy sensato eso de dejar una maletita marrón sobre el alféizar de una ventana cerrada de un primer piso. El Sr. Randall era rígido, nórdico y lógico, pero también estaba bendecido por el don de la curiosidad, de manera que aún se encontraba contemplando distraídamente la pared del hotel, cuando se produjo un nuevo incidente.

Un hombrecillo con un traje marrón abandonaba el edificio por una ventana de la planta baja que se había abierto con sumo cuidado. Era una ventana muy pequeña, y el inusual prófugo parecía más ansioso por observar lo que dejaba atrás que por ver por dónde iba, de manera que salió sacando primero los pies y apoyando después las rodillas en el alféizar. Se movía con notable agilidad, y cuál no sería la sorpresa del Sr. Randall cuando descubrió que una mano introducía lo que sin duda alguna era un revólver en un bolsillo trasero ya de por sí tirante.

Tan solo un instante después, el recién llegado ya había cerrado la ventana, se había puesto en pie con cuidado y, con la ayuda de la abrazadera de una cañería, había trepado hasta el primer piso para recuperar la maleta. Acto seguido, se dejó caer silenciosamente sobre el camino polvoriento y salió corriendo.

El joven alcanzó a avistar un rostro pequeño, rosado y ratonil en el que destacaban unos ojos asustados e inyectados en sangre.

Naturalmente, se le pasó por la cabeza la explicación evidente, pero no podía evitar sentir la habitual desconfianza que todo inglés que se encuentra en el extranjero experimenta ante los sistemas judiciales que no entiende, unida además a un enorme pavor a verse involucrado en ellos de alguna manera. Para colmo, estaba muerto de hambre. El día era caluroso e invitaba a la pereza como solo puede hacerlo un día en la Costa Azul en temporada baja, y, además, él no sentía especial animadversión hacia los huéspedes insolventes que se ven obligados a recurrir a métodos de salida poco dignos mientras ello no le supusiese molestia alguna.

Así pues, tomó despacio la curva de la calle flanqueada por palmeras que rodeaba la bahía con su Lagonda y atravesó lentamente las floridas puertas de hierro de la entrada del hotel.

Cuando al fin detuvo el coche en el amplio aparcamiento de grava, observó con alivio que el hotel no estaba ni mucho menos al completo. Rugby, Oxford y la vida en el campo habían hecho de Guffy Randall, a sus veintiocho años, un ejemplar casi perfecto del joven apasionado por la vida. Era amigable, educado y elitista hasta rozar lo cómico, pero, a pesar de sus defectos, resultaba una persona bastante encantadora. Su alegre cara redonda no era particularmente distinguida, pero tenía los ojos muy azules, francos y amables, y una sonrisa irresistible.

Acababa de regresar a Inglaterra tras un arduo viaje. Se había visto obligado a llevar a una tía viuda e inválida a un balneario italiano, pero, habiéndola depositado ya sana y salva en su destino, en esos momentos se dirigía tranquilamente hacia su hogar siguiendo la ruta de la costa.

Nada más poner un pie en el fresco y florido vestíbulo del Beauregard, comenzó a sentir remordimientos de conciencia. Recordaba bien el sitio, y no podía quitarse de la cabeza el bonachón rostro del pequeño M. Étienne Fleury, el director del hotel.

Y es que uno de los encantos de Guffy era que hacía amistades allá por donde pasara, y con toda suerte de personas. M. Fleury, recordó entonces, siempre había sido el más amable y servicial de los anfitriones. En una ocasión anterior, incluso había llegado a ofrecer desinteresadamente su pequeña reserva de coñac Napoleón para un brindis en una reunión de despedida, al final de una temporada frenética. Dadas las circunstancias, reflexionó, lo menos que podía haber hecho por él cuando descubrió al desconocido que abandonaba el edificio misteriosamente era haber dado la voz de alarma, o, mejor aún, haberlo perseguido y aprehendido.

Arrepentido y molesto consigo mismo, el joven decidió poner remedio a su omisión de alguna manera, y le entregó su tarjeta al recepcionista pidiéndole que se la hiciera llegar inmediatamente al director.

M. Fleury era toda una personalidad en el pequeño mundo que circunscribían las paredes del Beauregard. La mayoría de los huéspedes pasaban quincenas enteras en el hotel sin siquiera llegar a ver al augusto querubín, que prefería dirigir a sus subalternos desde bambalinas.

No obstante, el joven Sr. Randall tardó escasos minutos en acceder al pequeño santuario recubierto de caoba que se encontraba en el lado del patio delantero donde daba el sol y encontrarse en compañía del mismísimo M. Fleury. Este le estrechó la mano vigorosamente mientras emitía una especie de trinos como muestra de bienvenida y aprecio.

M. Fleury tenía un tipo definitivamente ovoide. Desde lo alto de su brillante cabeza, su silueta descendía ensanchándose con suavidad alcanzando su diámetro máximo al nivel de los bolsillos, punto en el cual comenzaba a menguar paulatinamente con elegancia hasta llegar a los tacones de sus inmaculados zapatos.

Guffy recordó entonces que en la anterior ocasión en que se alojó en el hotel alguien había bromeado diciendo que para que M. Fleury se sostuviera en pie tenían que haberle dado un ligero golpe en la base, como al huevo de Colón.

Por lo demás, era un hombre prudente y afable que entendía de vinos y profesaba una devoción incondicional a la santidad de la *noblesse*.

Guffy se percató al instante de que M. Fleury se alegraba más de verlo de lo habitual. Había parte de alivio en su bienvenida, como si el joven fuera más un libertador que un futuro huésped. De hecho, lo que le relató a continuación consiguió apartar de su mente todo recuerdo de la inusual salida de la que acababa de ser testigo.

—Nombre de un nombre de un buen hombre —dijo el gerente en su idioma—… Es para mí más que evidente que usted, mi querido monsieur Randall, ha aparecido aquí por intervención expresa de la mismísima Providencia.

—¿De verdad? —dijo Guffy, cuyo francés dejaba mucho que desear, y que solo había entendido la última parte de la frase—. ¿Es que ocurre algo?

M. Fleury movió las manos con desaprobación y, durante un instante, una arruga alteró la tranquilidad de su frente.

—No sé —respondió—. Cuando ha entrado, estaba en un brete… Totalmente desconcertado, como diría usted. Y, entonces, me he topado con su nombre en la tarjeta de visita y me he dicho:

«¡He aquí mi libertador! ¡He aquí el hombre entre los hombres que me ha de ayudar». La *noblesse* no tiene secretos para usted, M. Randall. No existe en el mundo ningún aspirante a ostentar un título nobiliario a quien usted no conozca.

—Oiga, yo no estaría tan seguro de eso… —repuso Guffy, rápidamente.

—Bueno, dejémoslo en nadie realmente importante.

Entonces M. Fleury se volvió hacia su escritorio. Solo en ese momento su visitante reparó en que ese reluciente despacho, normalmente inmaculado, estaba sembrado de libros de consulta, casi todos ellos volúmenes antiguos, pringosos por el uso frecuente, entre los que distinguió dos ejemplares de *Burke* y *Dod*.[1] Un gran pañuelo de bolsillo con un escudo bordado se extendía sobre un cuadrado de papel de seda que se encontraba encima de una guía de teléfonos de Londres.

—¡Puede hacerse una idea de mi absoluto desconcierto…! —exclamó M. Fleury—. Pero deje que le explique…

Con el aire de quien está ansioso por relatar sus problemas, pero no sin ofrecer la debida compensación a la sensibilidad de su oyente, el gerente sacó dos vasos y una licorera de un pequeño aparador empotrado. Unos segundos más tarde, Guffy se encontró paladeando un amontillado excepcional mientras escuchaba las palabras de su anfitrión.

M. Fleury, que tenía un sexto sentido para la farsa, abrió un enorme libro de registro y le señaló tres nombres en mitad de la última página.

—El Sr. Jones, el Sr. Robinson y el Sr. Brown, de Londres —leyó—. ¿No le resulta sospechoso? Yo no nací ayer… Y tampoco me chupo el dedo. En cuanto Léon me enseñó el libro de registros, me dije: «¡Ah, aquí hay gato encerrado!».

---

1. Publicaciones que informan sobre la aristocracia británica. *(Todas las notas de esta edición son del traductor, salvo que se indique lo contrario.)*

A pesar de que Guffy estaba deseando felicitar a M. Fleury por sus dotes detectivescas, aunque solo fuera en agradecimiento por el jerez, lo cierto es que no estaba demasiado impresionado.

—No he oído hablar de ellos en mi vida —dijo.

—Espere… —M. Fleury levantó un dedo hacia el cielo—. He estado observando a estos visitantes. Los tres son jóvenes y, sin ninguna duda, pertenecen a la *noblesse*… Uno de ellos, en concreto, tiene…, cómo decirlo…, esa actitud… Los otros lo atienden con esmero y la deferencia típica de unos cortesanos. En cuanto al criado, es misterioso… —El francés se detuvo—. Aunque eso… —prosiguió, alzando la voz y adoptando el murmullo ronco del *diseur* de moda— tampoco resulta especialmente extraño. Pero, esta mañana, Léon, mi *maître d'hôtel*, ha recibido una queja de un cuarto huésped, que ocupa la habitación contigua a la *suite* del Sr. Brown, de Londres. Este visitante, un sujeto insignificante, noventa francos al día y *vin du pays*, nos ha notificado que su habitación ha sido registrada… ¿Cómo se dice…? La han puesto patas arriba, aunque no han robado nada, no se crea.

M. Fleury bajó la voz al llegar al participio, como si estuviera disculpándose por usar tal verbo en presencia de su invitado.

Guffy asintió, dando a entender, de hombre de mundo a hombre de mundo, que estaba al corriente de que esas cosas eran hasta cierto punto habituales.

—Yo mismo he subido a la habitación —admitió el gerente, como quien confiesa un acto servil—. Y era un caos, se lo puedo asegurar. El desdichado inquilino, aunque no ha llegado a acusar a nadie en firme, ha dado a entender que sospecha del criado, un tal W. Smith. Bien, amigo mío —el gerente soltó el vaso—, ya ve usted en qué situación me encuentro. Nada me complace más que los miembros de la realeza que se alojan de incógnito en mi hotel, pero nada me agrada menos que los estafadores, los ladrones listos o el vulgo husmeando. Ahora bien, esto último me parece imposible… Esta gente pertenece a la *noblesse*. Ya me he topado con muchos de ellos. Son demasiados años ocupando este puesto… Simplemente, lo sé. Pero, de las otras alternativas, ¿cuál es la correcta? Tengo aquí el pañuelo del Sr. Brown. Vea el escudo. Solo he encontrado uno igual en todos estos libros de heráldica.

Cogió un volumen pequeño y baqueteado, encuadernado en cuero y, pasando las páginas amarillentas, señaló un dibujo tosco debajo del cual podía leerse una sola palabra: «Averna».

—Este libro no explica nada sobre los dueños de ese blasón, y eso que me lo ha prestado el bibliotecario municipal. Pero, mire, ahí está. El escudo, usurpado o no, es auténtico. ¿Qué hago? Si me excedo en mis pesquisas, mis visitantes se marcharán. Si son unos simples estafadores, habré tenido suerte, pero, si no lo son, mi reputación, la reputación de mi hermosísimo hotel, famoso por su atención, su cordialidad y su, por así decir, buen hacer, se acabará, se esfumará, explotará, ¡puf!, como un globo de feria.

—Me gustaría verlos —dijo Guffy—. ¿Sería posible echarles un vistazo sin que ellos me vieran a mi?

—Mi encantador amigo, nada más fácil. Venga por aquí.

El rollizo director atravesó de puntillas la habitación profusamente alfombrada, como si temiera que el suelo no fuera un terreno seguro.

Guffy tragó la última gota de jerez de su vaso y lo siguió.

M. Fleury se acercó a una pequeña compuerta que se encontraba en el revestimiento de madera de la estancia y la corrió hacia un lado. Para su completo asombro, Guffy se halló mirando por un ventanuco redondo que se encontraba en lo alto de la pared norte del salón. Al otro lado, una florida moldura escondía con éxito la mirilla, y el salón al completo se extendía a sus pies como una fotografía que se hubiera tomado desde una perspectiva novedosa.

—Este —señaló con orgullo M. Fleury— es mi alcázar particular. Desde aquí puedo contemplar a mis pasajeros, a mi tripulación…, ¡la vida de todo mi establecimiento! No se acerque mucho… Le ruego me perdone, pero estos subterfugios a veces son necesarios.

Guffy, obediente, se acercó y, ahora que su sorpresa inicial había remitido, contempló la escena que estaba desarrollándose abajo. La enorme habitación *beige* y blanca estaba parcamente salpicada de personas, pero incluso estas habrían bastado para complicarle la tarea si el gerentillo excitado que lo acompañaba no le hubiera prestado su ayuda.

—Mire, amigo mío —dijo—. Ahí, en el rincón de la ventana. Ah, la palmera oculta la cabeza del Sr. Brown… No obstante, espere un momento. Ya se ve a los demás.

El joven escrutó atentamente al elegante grupito que se había congregado alrededor de la mesa de la esquina. Vio una acicalada cabeza marrón y otra negra, pero el tercer tipo, como había advertido M. Fleury, permanecía escondido tras las palmas.

Mientras trataba de distinguir algo más, uno de los hombres se volvió y, cuando al fin pudo verle la cara, a Guffy se le escapó una exclamación.

M. Fleury le tiró de la manga con impaciencia.

—¿Lo reconoce usted? —inquirió—. ¿Puedo olvidar mis miedos? ¡Se lo ruego, amigo mío, dígame algo!

—Deme un segundo… —Guffy aplastó la cara contra el cristal de la mirilla, esforzándose por divisar al hombre que permanecía oculto.

El joven no había tardado en reconocer en el «caballerizo» de cabellos castaños a Jonathan Eager-Wright, miembro de una de las familias más antiguas de Inglaterra y probablemente el alpinista aficionado más osado de Europa. Era una persona tímida y retraída que rara vez pasaba largas estancias en Inglaterra, y que despreciaba su posición en la sociedad con un desdén completamente injustificable.

Guffy sentía cada vez más curiosidad. Tenía la impresión de que reconocería al segundo hombre en cuanto volviera la cabeza.

¿Acaso había duda de que esos hombros tremendamente cuadrados y esos densos rizos entre negros y marrones, que hacían que su cabeza se asemejara al lomo de un cordero esquilado, podían pertenecer a otro que no fuera Dicky Farquharson, el brillante y joven hijo de sir Joshua Farquharson, presidente de Farquharson y Cía., la compañía de ingenieros de minas anglo-estadounidenses?

Habiendo reconocido a dos viejos amigos, el primer impulso de Guffy fue tranquilizar a M. Fleury de inmediato y bajar al salón a toda prisa, pero un no sé qué extraño en el comportamiento de la pareja captó su atención y despertó su curiosidad. A juzgar por lo que veía desde su observatorio, los Sres. Farquharson y Eager-Wright estaban mucho más apagados que de costumbre. Había una extraña formalidad en sus ropas y su actitud.

El misterioso hombre de la esquina parecía estar absorbiéndolos, por no decir dominándolos.

Aunque, claro está, no alcanzaba a oír la conversación, Guffy tuvo la impresión de que ambos estaban escuchando con suma deferencia lo que decía el tercero, de que su risa era tan cortés que resultaba afectada y de que, en realidad, se comportaban como si se encontraran en presencia de un miembro de la realeza.

La capacidad de conjetura de Guffy no alcanzaba a concebir el motivo por el cual dos personas tan dispares podían haber coincidido en semejante situación. Mientras reflexionaba sobre esto, ambos jóvenes sacaron de pronto sendos encendedores de bolsillo y, simultáneamente, ofrecieron sus llamas al tercero del trío, que aún permanecía oculto.

Al parecer, Eager-Wright fue quien se llevó el gato al agua, y el tercer hombre se inclinó hacia él para encender su cigarrillo.

Guffy no podía quitar los ojos de la escena, y entonces se hizo visible una cara pálida carente de expresión. El hombre llevaba su lustroso pelo rubio peinado hacia atrás desde una frente alta, y sus ojos azul pálido se escondían tras unas enormes gafas con montura de cuerno. Sus rasgos solo sugerían languidez, y tal vez un poco de aburrimiento. Un segundo después, se enderezó y volvió a quedar oculto.

—¡Recórcholis! —exclamó el Sr. Randall—. ¡Pero si es Albert Campion!

Y en ese mismo instante los hombros del joven empezaron a estremecerse y su cara, carmesí y desencajada, se volvió hacia el sorprendido gerente.

—¡Está usted llorando! —exclamó el hombrecillo—. ¿Es de miedo…? ¿De alegría, tal vez…? ¿Sí, no?

Guffy se apoyó en el escritorio para sostenerse, mientras el diminuto gerente no dejaba de bailar a su alrededor como un pequinés excitado.

—¡Amigo mío —protestó—, me tiene usted en ascuas! Estoy desconcertado… ¿Tengo que reírme o me han tomado el pelo? ¿Mi hotel se honra o se degrada con la presencia de esa gente? ¿Se trata de la *noblesse* o de un chanchullo de unos simples malhechores?

Guffy, no sin esfuerzo, consiguió contenerse.

—¡Sabe Dios! —dijo. Y, a continuación, mientras al hombrecillo se le demudaba el rostro, le propinó unas vigorosas palmadas en el hombro—. Pero no pasa nada, Fleury, no pasa nada. ¿Sabe…? *Au fait…*, nada preocupante, en principio. No tiene ningún motivo para estar *distrait*.

Y, a continuación, antes de que el gerente tuviera tiempo de pedirle una explicación, el joven se abalanzó hacia la puerta y corrió escaleras abajo, sin dejar de reír, hacia el salón.

De camino, Guffy iba reflexionando sobre la belleza de la situación. El bueno de Fleury había tomado a Albert Campion, nada menos, por un miembro menor de la realeza, y esa historia era demasiado magnífica para descartarla a la ligera. Al fin y al cabo, casi no andaba tan desencaminado… Esa era la magia de Campion: uno nunca sabía dónde iba a aparecer a continuación, si en la Tercera Levée[2] o colgado de una lámpara, como alguien apuntó una vez.

Mientras cruzaba el vestíbulo, Guffy tuvo tiempo de pensar en Campion. Después de todo, incluso él mismo, probablemente uno de los más antiguos amigos de aquel joven, sabía muy poco de él. En realidad, no se apellidaba Campion, pero, claro, no habría estado bien visto que el benjamín de una familia de tal alcurnia ejerciera un oficio tan peculiar sin esconder su propio linaje.

En cuanto a la naturaleza exacta de dicho oficio, Guffy estaba un poco desorientado. Campion se había descrito a sí mismo en una ocasión como un «tío universal y viceaventurero». Bien mirado, no era un mal resumen.

Pero lo que pudiera andar haciendo Campion en el Beauregard jugando a los príncipes con ayuda de dos individuos como Farquharson y Eager-Wright sobrepasaba el alcance de la exigua imaginación de Guffy.

Así que cruzó el salón a buen paso, con la redonda cara resplandeciente y lo impagable de la gracia del equívoco aún en la primera línea de sus pensamientos. Puso una mano sobre el hombro de Farquharson y sonrió a Campion.

—¿Qué se le ofrece, Alteza? —dijo, y soltó una risotada ahogada.

Sin embargo, su risa murió al instante. El rostro pálido y anodino que le miraba fijamente no se alteró ni un ápice, y la mano de hierro de Eager-Wright se cerró sobre su muñeca como un cepo.

Farquharson se puso en pie apresuradamente. Su cara no dejaba ver más que consternación. Eager-Wright también se había levantado, aunque no había dejado de apretarle la muñeca a modo de advertencia.

---

2. Recepción que ofrecían los reyes de Inglaterra con motivo de la cual eran frecuentes los desfiles de Estado con carrozas, generalmente entre los palacios de Buckingham y St. James.

Farquharson se inclinó ligeramente ante Campion.

—Señor —dijo—, permita que le presente al Honorable Augustus Randall, de Monedown, en Suffolk, Inglaterra.

El Sr. Campion, sin que un solo músculo de su cara traicionase emoción alguna, salvo cortés indiferencia, asintió.

—El Sr. Randall y yo ya nos conocemos, creo —dijo—. ¿Le importaría sentarse aquí, junto al Sr. Robinson? El Sr. Jones debería haberlos presentado. —Sonrió con menosprecio—. Por el momento, le bastará con saber que soy el Sr. Brown, de Londres.

Guffy miró perplejo a su alrededor. Sospechaba que la explosión de carcajadas debía de estar a punto de llegar. Pero, aunque las sometió a un minucioso examen, no descubrió más que una profunda seriedad en cada una de las tres caras. Y, tras sus gafas, los pálidos ojos del Sr. Campion solo expresaban alarma y severidad.

Capítulo II
S. A. R. Campion

—Ahora que las puertas de mis aposentos palaciegos están cerradas a cal y canto —dijo el Sr. Campion, unos sesenta minutos más tarde—, retirémonos con la debida pompa a la alcoba de Estado. Permíteme, además, hacerte una regia confidencia: «Inquieta vive la cabeza que porta una corona».[3]

Dicho esto, entrelazó su brazo con el de Guffy y, cruzando la sala de estar, llegaron al dormitorio contiguo, donde les esperaban Eager-Wright y Farquharson.

—Nos reunimos aquí porque las paredes están prácticamente insonorizadas —le explicó con ligereza Campion mientras apartaba la mosquitera y se sentaba sobre la gran cama dorada de estilo rococó.

Guffy Randall, perplejo y malhumorado, permanecía de pie ante él. Dicky Farquharson, en cambio, se había apoltronado sobre el taburete del tocador con un vaso de cerveza en la mano; la botella vacía se encontraba a sus pies. A su vez, Eager-Wright estaba de pie junto a la ventana, sonriendo de oreja a oreja.

3. Referencia a Shakespeare, *Enrique IV*, segunda parte, acto III, escena I.

Guffy estaba francamente enfadado. Creía que lo habían hecho quedar como un zoquete y un maleducado, y solo había accedido a acudir a la reunión para aceptar sus más humildes disculpas.

Farquharson, con una sonrisa que arrugaba su frente de tal manera que sus cortos rizos parecían a punto de tocar sus cejas, se inclinó hacia delante.

—Es una bendición del cielo que Guffy se haya presentado en este preciso instante —dijo—. No habría soportado representar el papel de cortesano durante mucho más tiempo. Es un trabajo agotador, camarada —añadió, sonriendo a su amigo—, y más con lo tiquismiquis que es Su Majestad con respecto a la etiqueta. Tú, si no te molesta que te lo diga, no sirves para esto. Junta los talones con elegancia y haz una reverencia…, ¡dobla la cintura!

Guffy se pasó una mano por la frente.

—Perdona —dijo—, pero no me estoy enterando de nada en absoluto. Entiendo que si vas por ahí corriendo y comportándote de esta extraordinaria manera, es porque tienes algo entre manos. No quiero entrometerme, claro está, pero, si pudieras darme alguna pista que me ayudara a salir de este estado de confusión…

El Sr. Campion, sentado sobre la cama con las piernas cruzadas y los pálidos ojos divertidos tras sus enormes gafas, asintió afablemente.

—En realidad, tendrías que haber andado metido en esto desde el primer momento —dijo—. El ejército de espías que me informa a diario peinó Londres en tu busca hará cosa de tres semanas.

—¿De verdad? —Guffy alzó la mirada con interés—. Estaba con el jefe en Oslo evaluando no sé qué raza nueva de perro que están criando. Lo siento. Sinceramente, Campion, me parece que esto va a requerir una buena explicación por tu parte. Esta mañana, nada más llegar, me he encontrado al bueno de Fleury echando humo porque pensaba que se le habían colado un hatajo de estafadores en el hotel. Me pidió que le hiciera el favor de echarles un vistazo a los sospechosos, y entonces he descubierto que erais vosotros.

—¡Estafadores! —exclamó horrorizado Eager-Wright—. Repámpanos, eso nos deja en bastante mal lugar, Farquharson.

—Bueno, también sospechaba que podíais ser unos aristócratas de poca monta —dijo Guffy con ecuanimidad—. De hecho, cree que tú, Campion, eres el monarca de no sé qué paisucho balcánico de tres al cuarto.

Farquharson y Eager-Wright cruzaron miradas, y una vaga sonrisa recorrió la cara anodina y pálida de Campion.

—El bueno de Fleury es un hombre muy perspicaz —dijo—. No hay quien engañe al propietario de un hotel, Guffy. Está en lo cierto. ¡Tienes ante ti al Paladín Hereditario de Averna y a toda su corte! Puede que no resulte muy impresionante, pero es auténtico. Eso es lo principal de todo este asunto: nuestra absoluta buena fe.

Los ojos azules de Guffy se volvieron oscuros, mostrando su incredulidad. El Sr. Campion le sostuvo la mirada con seriedad. A continuación, extendió la mano.

—Te presento a Albert, Paladín Hereditario de Averna.

—No he escuchado hablar de ese país en mi vida —repuso Guffy, impasible.

—Pues a partir de ahora lo oirás —dijo el Sr. Campion—. Es un lugar tremendo, y yo soy su rey. Farquharson gobierna el país y Eager-Wright representa a la oposición. Supongo que no te apetece que te condecore con una o dos medallas… La Triple Estrella, por ejemplo, es bastante apañada, sin ser demasiado burguesa.

—Todo esto me parece una locura —dijo Guffy—. Pero, si puedo ayudar en algo, me pongo a tu disposición, por supuesto. Sin ánimo de ofender, da la impresión de que andáis de colecta para un hospital.

La pálida mirada del Sr. Campion se tornó grave momentáneamente.

—Sí…, bueno, qué le vamos a hacer —se lamentó—. Y, antes de que decidas si te unes a nosotros, me parece que debo advertirte que existen posibilidades reales de que yo, y todos mis amigos íntimos, tengamos que morir luchando por mi país. Por cierto, Farquharson, ¿y el abrigo?

Dicky se inclinó sobre el respaldo del taburete y sacó una maleta de debajo del tocador. Tras extraer un ligero abrigo de viaje de sus profundidades, exhibió un desgarrón de unos quince centímetros que la prenda tenía justo debajo del hombro.

—¿Una bala? —preguntó con interés Guffy.

—Al subir al tren en Bríndisi —convino el Sr. Campion—. ¡Los averneses vivimos peligrosamente!

—Contad conmigo —dijo Guffy con convicción—. Pero, dime, ¿dónde queda Averna? ¿Debería saberlo?

—Bueno, no necesariamente. Su principal activo es que la conoce muy poca gente.

El tono desenfadado del Sr. Campion seguía siendo ligero, pero Guffy, que lo conocía bien, se dio cuenta de que se estaba acercando a la parte más delicada del asunto.

—Si te soy sincero —prosiguió—, para tratarse de un reino, no es gran cosa. Para empezar, cuenta con una superficie de unos ochocientos…

—¿Ochocientos kilómetros cuadrados? —interrumpió Guffy, impresionado.

—Acres —aclaró el Sr. Campion, con modestia—. Incluido el castillo, por supuesto, pero no la rocalla. También tengo autoridad sobre la mitad izquierda de una preciosa montaña de mil y pico metros de altura y sobre la mitad derecha de otro montículo mucho más elevado. Mis dominios, que no son especialmente valiosos, incluyen también agua corriente (fría), quinientos metros de costa marítima, una plantación de trufas y media docena de súbditos, todos los cuales han sido agasajados ya con un retrato mío, con traje de ceremonia, dedicado y quinientos cigarrillos. Di una recepción, que fue algo controvertida. En realidad, solo conservo el trono gracias a mi encanto personal, aunque, sin duda alguna, los uniformes también ayudaron. Los rojos y los dorados están bastante bien; tienes que verlos.

Guffy se sentó.

—Lo siento muchísimo —se disculpó—, pero la verdad es que resulta increíble. ¿Por qué no me lo explicas desde el principio, como si fuera un cuento para niños?

—No es una historia sencilla —dijo el Sr. Campion—. Pero, si prometes que abrirás tu mente, que confiarás en mí y que intentarás entender los hechos de uno en uno, trataré de explicártelo. Antes de nada, he de ponerte al tanto de la historia de Averna. Todo empezó en 1090, cuando un hombre llamado Pedro el Ermitaño abandonó su país para emprender su propia cruzada. Se llevó consigo a un amigo, Walter Sin Blanca, que, al parecer, era tan inútil como sugiere su nombre... Acabaron juntándose con gente de la peor calaña, y lo pasaron mal para cruzar Dalmacia. Esperaban comer a base de milagros..., cuervos y cosas de ese tipo, ya te puedes imaginar... Pero el plan era un disparate desde el principio, y tuvieron un final difícil en las llanuras de Asia Menor. Y hasta aquí lo que puedes encontrar en cualquier libro de historia, aunque probablemente no tan lúcidamente explicado.

»Pero ahora llegamos al meollo del asunto. A estos dos pájaros les acompañaba un tipo terriblemente duro llamado Lamberto de Vincennes, que, no sin razón, se hartó y emprendió el camino de regreso. Se separó de los otros dos entusiasmados aventureros en las montañas de la costa dálmata, y al principio pasó algunos apuros... Pero no le faltaba espíritu pionero y acabó haciéndose con una esposa..., una joven belleza húngara, sin duda..., y se refugió con ella en las montañas, en un agradable valle repleto de árboles y cruzado por un río protegido por anchos muros de roca. Mi reino actual, para resumir.

Guffy asintió compresivamente.

—Hasta aquí, queda todo claro —dijo.

El Sr. Campion prosiguió, con dignidad.

—Esta pareja y sus fieles se asentaron en aquel lugar durante una temporada, pero luego el hombre decidió regresar a su casa. La única pega del valle era, y sigue siendo, ya que estamos, que es un sitio del que cuesta mucho salir. Si entras, es para quedarte, pero, si hay una mala cosecha o el río se seca, la situación puede llegar a ponerse realmente fea para sus habitantes. Además, carece de vida social.

»Lamberto y un par de amigos pusieron rumbo a casa, dejando a su mujer y a casi todos los demás en el valle. Lo extraordinario es que consiguieron llegar. Pero, dado que en aquella época la política nacional era como era, una vez allí Lamberto descubrió que su patrimonio había sido confiscado, y el pobre tipo no pudo recaudar dinero suficiente para volver a su valle. Y entonces se presentó en Inglaterra, donde fue recibido generosamente como una especie de santón. En aquellos tiempos, a nadie le apetecía hacer de explorador, y, finalmente, sin esperanza de regresar junto a los suyos, murió, encomendando su reino, en el que nadie creía, a la Corona inglesa.

»Esta historia se contaba como una especie de anécdota famosa hasta 1190, cuando Ricardo I decidió emprender su particular cruzada y el destacamento que marchaba a las órdenes de Eduardo el Fiel, un hombre de espíritu delicado, abandonó el cuerpo principal de la expedición en Tuscia, atravesó por Romandiola hasta Ancona y cruzó el Adriático, o como se llamara entonces, hasta un sitio llamado Ragusa, donde los Alpes Dináricos llegan hasta el mar.

En ese momento Campion se detuvo para mirar a su amigo con aire de disculpa.

—Siento machacarte con tanta lección de Historia —dijo—, pero es absolutamente necesario que la conozcas para que te hagas una idea exacta de lo que nos proponemos. En fin, sigo con Eduardo el Fiel: el caso es que, a la postre, descubrió el reino de Lamberto, que, en honor a la verdad, no le impresionó demasiado. Cuando él llegó, ya no quedaba allí ningún miembro del grupo de colonos original y, al parecer, a Eduardo tampoco le entusiasmó el paisaje.

Pero, aun así, clavó la bandera real y lo reivindicó formalmente para su país frente a dos lagartos y un oso, según tengo entendido. Para colmo, cuando alguien difundió un bulo, basado en cálculos abstrusos y erróneos, según el cual el valle había sido el escenario del incidente entre Abel y Caín, su recién descubierto territorio le resultó aún más intolerable. ¡Hasta ahí podía llegar Eduardo! Lo bautizó con el nombre de Averna y, con las mismas, se volvió a Inglaterra. Más adelante, Ricardo se divirtió una barbaridad leyendo el informe de la expedición que le entregó Eduardo. Aunque este obtuvo su merecida recompensa, Ricardo, en una especie de desplante real, decidió regalar el reino de Averna a los Huntingforest, una familia de locos que son los antepasados de los condes de Pontisbright. Dos muchachos de esta familia murieron tratando de llegar a su reino, y me imagino que Ricardo se hartó de reír…, o si este ya había fallecido lo harían sus herederos, dado que el humor de la época tenía esa extraña tendencia.

»Al final Averna solo salía a colación cuando algún miembro de la familia se veía aquejado por un ataque de altivez… En tales ocasiones, el rey de turno sugería al enfermo que emprendiese un viajecito para visitar los terrenos de la vieja posesión familiar.

En ese momento a Guffy se le escapó una sonrisa, y el Sr. Campion se animó y prosiguió con su discurso.

—Nadie sacó gran cosa de Averna —dijo— hasta el año 1400 aproximadamente, cuando Gil, el quinto conde, logró llegar hasta allí, adoptó para sí el título de Paladín Hereditario y construyó un castillo. Se puede afirmar que él es, de algún modo, el responsable de todo este jaleo… Mandó confeccionar una corona, esbozó unos artículos…, una especie de código legal que regiría el lugar, y consiguió que Enrique IV lo firmara y lo ratificara. Tras aquello, se inició un período de calma. Casi todos los miembros de los Pontisbright prefirieron quedarse en casa, y como sus posesiones en las Midlands se habían visto notablemente reducidas, recibieron otras en East Anglia y acabaron convirtiéndose en una familia influyente, bien relacionada con el Gobierno. Aunque los más intrépidos de la estirpe se pasaron por Averna en su *grand tour* por sus dominios y el título de Paladín Hereditario se mencionaba entre los de su casa en las ceremonias de Estado, como el sitio no tenía ningún atractivo ni valor, nadie le prestó mucha atención.

»La última vez que destacó por algo fue en 1814, cuando las grandes potencias reordenaron Europa. En aquel momento, el décimo quinto conde de Pontisbright recibió una discreta financiación del Gobierno británico a fin de que pudiera adquirir sus tierras en secreto a Metternich, el gran buhonero inmobiliario de la época, de manera que una disputa por ese trocito de tierra no llevara a una pelea en la que pudiéramos acabar involucrados.

»Finalmente, con la muerte del último conde en Crimea, la estirpe se extinguió. Muy resumido, eso es todo, o casi todo.

Cuando terminó su discurso se levantó de la cama y se puso a pasear por la habitación. Por alguna extraña razón, tras su relato, su figura larga y delgada se tornó en esos instantes muy moderna y prosaica.

Guffy seguía perplejo.

—He seguido tu relato de principio a fin —dijo—, y puede que sea un tonto integral, pero sigo sin comprender qué tienes que ver tú con todo eso. Pensaba que te apellidabas...

Vaciló. El verdadero apellido del Sr. Campion era una de las pocas cosas que constituían un tabú en su presencia.

—Vaya, llegamos a la parte complicada... —Campion miró afectuosamente a su amigo desde detrás de sus gafas—. Quizá recuerdes que hace ocho o nueve meses se produjo un pequeño seísmo en esa parte del mundo. No sucedió nada terrible, pero lo cierto es que zarandeó parte de Italia y llegó a romper varias ventanas en Belgrado. Durante un tiempo, nadie sospechó que hubiera tenido alguna consecuencia grave, hasta que Eager-Wright, que se encontraba en esos momentos de vacaciones en los Alpes Bosnios, descubrió que sí se habían producido ciertos daños:

pequeñas avalanchas de roca y cosas de ese tipo. Pues bien, esto es terriblemente importante porque nos lleva al quid de la cuestión: en representación del Gobierno británico, descubrió que con una ayuda mínima de un hombre como Farquharson, Averna podía convertirse en un rincón de lo más útil. Te explico: hasta el año pasado, Averna era solo un pequeño óvalo de tierra rodeada de roca, salvo por un estrecho túnel que lleva hasta el mar. Creo que uno de los primeros Pontisbright intentó seguir el curso del túnel, por el cual discurre un río subterráneo, y no llegó a salir por el otro lado. Pero, ahora, desde los movimientos sísmicos del año pasado, el túnel ha dejado de ser tal, y se ha transformado en una grieta abierta en las rocas. El mar ha subido y Averna tiene una costa diminuta… Unos quinientos o seiscientos metros, diría yo. Farquharson, un experto en estos asuntos, le ha echado un vistazo y piensa que sería relativamente sencillo continuar la labor que hizo el seísmo y convertir el lugar en una maravillosa bahía natural por un coste aproximado de dos chelines y medio…Pensando como un político…

Guffy tenía los ojos como platos. Estaba empezando a comprender el verdadero alcance de la cuestión.

Farquharson se inclinó hacia delante.

—Eso no es todo, Randall —continuó—. Hemos encontrado bastantes evidencias de que en la tierra que hay detrás del castillo se oculta un campo petrolífero sin explotar. Imagino que fue descubierto hace años, pero, por supuesto, dadas las increíbles dificultades para transportar el crudo en aquellos tiempos, no valía nada. No creo que ni siquiera ahora la exportación tenga demasiado sentido, desde el punto de vista comercial, pero ¿quién quiere exportar, si los barcos pueden coger el petróleo que necesiten allí mismo? Entiendes la situación, ¿no?

—¡Dios mío! —exclamó Guffy—. Una bahía natural con su propio combustible natural.

—Parece que esa es la opinión general —convino Farquharson.

Campion tomó la palabra. Su voz tranquila y bobalicona sonaba rara cuando hablaba de cosas de verdad importantes.

—Solo que nadie quiere que alguien se haga con una bahía natural en el Adriático así sin más —añadió—. Probablemente la cuestión de la propiedad conducirá a un montón de conflictos a nivel internacional. La litigación siempre es un asunto irritante, pero, ahora mismo, y tal como está la situación en Europa, si la bronca o la bulla trascendieran las cosas podrían ponerse bastante feas.

—Comprendo —dijo Guffy, lentamente—. Supongo que no hay ninguna duda de que el lugar pertenecía de verdad a los condes de Pontisbright.

—¡Oh, no, en absoluto! Primero la obtuvieron por derecho de conquista y, luego, por si las moscas, le compraron la propiedad a Metternich. Conservan, o por lo menos antaño tuvieron, las escrituras, el estatuto, los uniformes de gala, todos los recibos… En realidad, si la familia no hubiera abandonado Crimea, la cosa habría resultado de lo más sencilla. Sin embargo, por lo visto, cuando se marcharon de allí, estaban pasando un mal momento y parece que entre el caos generalizado todo lo relacionado con Averna se perdió. Y aquí es donde entramos nosotros. Nos hemos sumergido en una especie de fantástica búsqueda del tesoro en la que nos jugamos mucho. Primero en boca de Eager-Wright, y luego por la de su propio experto, el asunto llegó a oídos de los Poderes Fácticos y, como se dieron cuenta enseguida de que se trataba de uno de esas operaciones complicadas y ligeramente artificiosas que tan bien van con mi personalidad, me hicieron el honor de llamarme y de dejarme vía libre para resolver la situación. Y en ese punto estamos. ¿Qué te parece?

Guffy Randall permaneció sentado en silencio durante unos minutos, reflexionando acerca de lo que acababa de oír. Su lenta mente metódica repasó la historia milímetro a milímetro, hasta que por fin levantó la vista. Un atisbo de alarma podía distinguirse en su mirada.

—Todo un reto, ¿no? —dijo—. Me refiero a que las susodichas pruebas que certifiquen la propiedad pueden encontrarse en cualquier parte.

—¡Ahí está el problema! —dijo Eager-Wright, desde su esquina—. Pero lo cierto es que desde que alguien se molestó en dispararnos somos bastante más optimistas.

Campion asintió.

—Las excelentes personas que ostentan la autoridad, basándose en ciertas investigaciones, han llegado a la conclusión de que los papeles, los documentos, las coronas y todo lo demás pueden estar a punto de caer en manos de un agente privado con pocos escrúpulos que los retendrá en su poder hasta que llegue el momento adecuado para cerrar un trato. Dado que en Londres tienen la impresión de que ese momento ha pasado, ahora están ansiosos por hacerlo salir a la luz, si es que en verdad ese individuo existe. Nuestro más o menos espectacular descenso a Averna y nuestro ostentoso regreso atravesando Europa no son más que una mera artimaña para darnos algo de publicidad. Al principio, nuestra única intención era esperar a recibir una oferta de compra y pegarnos al vendedor con la tenacidad de unos cachorros de bulldog. Tengo entendido que actualmente están considerando la posibilidad de darle nueva vida al título de Pontisbright, si fuera necesario. Aun así, si no pueden presentar documentos que les avalen, nuestros patronos no van a llegar muy lejos en el Tribunal de La Haya. Por ahora, nadie ha tratado de vendernos nada. Pero alguien ha intentado matarnos y, además, han estado siguiendo concienzudamente nuestros pasos desde que dejamos el reino, así que parece que nuestro excelente trabajo no ha debido de ser una completa pérdida de tiempo. Solo me preocupa el retraso, porque, como puedes suponer, el asunto es bastante grave. Hasta donde se me alcanza, si cierta Potencia considerase que merece la pena pelear por Averna, podríamos estar ante un conflicto que involucraría a todo el continente europeo. Es la clásica disputa que acaba convirtiéndose en una buena excusa para provocar un enfrentamiento de magnitudes desproporcionadas.

—Ya veo. ¿Y alcanzasteis a ver al hombre que os disparó?

—Solo de pasada —contestó Farquharson—. En realidad, había dos individuos. Uno de ellos, un tipo con una pinta de lo más extraña, con un pico de pelo que casi le llegaba al puente de la nariz, llevaba tiempo siguiéndonos y, justo cuando nos disponíamos a subir al tren en Bríndisi, nos disparó a tontas y a locas. Por desgracia, enseguida nos rodeó una multitud y, aunque salimos corriendo detrás de aquellos pájaros, no conseguimos darles alcance. No hemos visto a «Pico de Viuda» desde entonces, pero su camarada, un sujeto con cara de rata que se sorbe los mocos constantemente, se aloja aquí, en este hotel, en esta misma planta.

—¿En serio? —preguntó Guffy con interés—. ¿No será el hombre cuya habitación ha sido registrada?

Esta inocente pregunta tuvo un efecto instantáneo sobre su público. Eager-Wright se puso en pie de un salto y el Sr. Campion dejó de dar zancadas para mirar fijamente al responsable de la pregunta.

—Me lo ha contado Fleury —se apresuró a aclarar Guffy—. Por eso estaba tratando de saber quiénes erais. Por lo que parece, un fulano que se aloja en esta planta se ha quejado de que tu criado, el Sr. Smith, ha andado hurgando en sus cosas. Naturalmente, Fleury no quería echar las campanas al vuelo sin estar antes seguro de que no erais miembros de la realeza de incógnito. Ahora me acuerdo de que nada más llegar, antes del almuerzo, vi a un hombre saliendo a hurtadillas por una ventana de este piso… Un tipo con cara de rata que vestía un traje marrón.

—¡Es él! —exclamó Eager-Wright—. Lugg ha debido de asustarlo.

El Sr. Campion, que de repente se había puesto serio, se volvió hacia Eager-Wright.

—Perdona, ¿te importaría ir a buscar a Lugg? —dijo—. Sí, es el Lugg de siempre, Guffy. Está de incógnito, como nosotros, haciéndose pasar por un tal Smith. Hay que investigarlo. A saber qué ha hecho ahora el muy cretino…

Eager-Wright, con los ojos brillantes de curiosidad, tardó menos de cinco minutos en regresar. Tras él, moviéndose con pesadez, sin aliento pero con ademán indignado, hizo su aparición en la habitación el criado personal, y factótum general del Sr. Campion, Magersfontein Lugg.

En tiempos mejores, Magersfontein Lugg había sido un individuo enorme con un rostro siempre sombrío. La mitad inferior de su larga cara blanca se escondía tras un lacio bigote negro, pero su mirada veloz, pese a su habitual expresión lúgubre, era sin lugar a dudas la de un *cockney*. El hecho de que, antes de que se le estropeara la figura, hubiera sido ladrón hacía de él un aliado de incalculable valor para el amo del que era devoto sirviente. En el conocimiento de los bajos fondos, el Sr. Lugg no tenía rival.

La típica ropa negra de ayuda de cámara parecía fuera de lugar en la percha desgarbada en la que se había convertido con el paso de los años el Sr. Lugg, y más porque no había en él rastro del servilismo que suele acompañar a tales prendas. Sin esforzarse en ocultar su mal humor, miró a su señor:

—¿Qué pasa, que ya no puede uno echar un sueñecito por la tarde? —preguntó—. «Sí, señor», por aquí; «no, señor» por allá… Estoy más que harto.

Campion, con un gesto impaciente, no prestó atención a sus quejas.

—Sorbitos Edwards ha salido del hotel por una ventana. Antes de irse, se ha quejado a la gerencia de que sus habitaciones habían sido registradas por una persona que, curiosamente, se parecía mucho a usted.

El Sr. Lugg no daba la impresión de estar en absoluto avergonzado.

—Ah, así que me ha visto, ¿eh? —preguntó—. Ya decía yo…

—Mire, Lugg, esto es intolerable. Será mejor que recoja sus cosas inmediatamente y vuelva directo a Bottle Street. —El Sr. Campion hablaba con más pena que cólera.

—¡Vaya, con que esas tenemos…! —dijo su enfadado ayudante—. Ahora nos ocupamos por guardar las formas, ¿no? No me gusta hablar así delante de tus amigos, pero no sabía que en privado teníamos que darnos tanto pisto. Puede que seas rey, pero yo, no. Muy bien, me largo. Eso sí, lo vas a lamentar. No he registrado las maletas que estaban en la habitación de Sorbitos, no te creas. Solo me he llevado el correo de la mañana. Podía haber sido cualquiera. Me he colado en su cuarto cuando estaba en el baño y he leído las dichosas cartas justo después de que las leyera él. Y, por si te interesa saberlo, he encontrado algo. La clave de la situación. Iba a enseñártela, en cuanto estuvieras solo. Pero ahora no te la enseñaré ni por lo más sagrado… ¡Me vuelvo a Londres!

—Abandonado como un pañuelo usado, supongo —dijo el Sr. Campion, con sarcasmo—. Un juguete del destino, otra vez. Si lo que ha averiguado es interesante, Lugg, suéltelo ya.

El Sr. Lugg pareció ablandarse, pero fingió no haber escuchado las últimas palabras de su amo.

—Así que Sorbitos se ha esfumado, ¿eh? —dijo—. Justo lo que yo pensaba. Le he dejado una nota en el tocador, diciendo que le iba a enseñar lo que tiene su cabeza por dentro si volvía a oír su asqueroso sorbidito. No he firmado, ¿sabes?, pero, si me ha visto, no me extraña que se haya largado como alma que lleva el diablo.

—¿Y la clave de la situación? —preguntó de nuevo Campion.

Con un gesto de resignación, el Sr. Lugg se quitó la chaqueta, se desabotonó el chaleco y sacó media hoja de papel arrugada de un pequeño bolsillo del forro.

—Toma —dijo—. Tú pelea como los señoritos, venga. Di «Usted perdone» y «Si no es mucha molestia». Pero, si quieres resultados, hay que recurrir al juego sucio, con naturalidad, como Dios manda. Y, si te parece que leer la correspondencia de un fulano está mal, no te preocupes, que la devolveré a su sitio.

—Lugg, a veces se pone usted absolutamente insoportable —dijo el Sr. Campion, con repugnancia, al coger el papel.

Capítulo III

El hombre de arriba

Campion sostenía, y los demás miraban por encima de su hombro, un fragmento de papel sucio y manoseado. A pesar de todo, el mensaje aún era legible.

Gwen's, Londres. Querido S.: Por la presente, te paso notificación. He sabido por P. que el viejo se ha enfadado. Ambos estábamos equivocados, como yo pensaba. Me pondré en camino hacia Postergais esta misma noche. El viejo ha oído hablar de cierto asunto que puede darnos ventaja en lo nuestro. Se supone que hay algo grabado en un árbol del jardín que nos mostrará la luz. Me parece que verdes las han segado. Ven conmigo y cuidado. Puedes dejar a esa banda, saben aún menos que nosotros. Tuyo, D.

—Ahí lo llevas —dijo el Sr. Lugg—. A eso lo llamo yo una prueba. Más claro, agua.

—¡Que me aspen si entiendo una sola palabra! —exclamo Guffy, que seguía mirando el documento con el ceño fruncido—. ¿Tú te has enterado de algo, Campion?

—Bueno, sí… más o menos. Es extremadamente interesante.

El joven pálido con las gafas de montura de cuerno siguió observando la misiva con aire pensativo.

—A ver, el corresponsal de Sorbitos se inclina por mantenerse fiel a su jerga. Lugg también puede traducírnoslo, pero creo que más o menos quiere decir esto: «Querido Sorbitos: Te pongo al tanto de lo sucedido. He sabido por P. que el hombre para el que trabajamos se ha enfadado. Hemos estado siguiendo una pista equivocada, como yo pensaba. Me marcho a Pontisbright esta misma noche. Nuestro patrón ha oído ciertas cosas que pueden proporcionarnos información sobre el paradero de las pruebas. Se supone que algo que hay grabado en un árbol del jardín (entiendo que se refiere al de la vieja casa de los Pontisbright...) puede darnos una pista. No soy muy optimista al respecto. Reúnete conmigo en Pontisbright, pero lleva cuidado. Puedes dejar al Sr. Campion y a sus colegas. Saben aún menos que nosotros. Tuyo, Doyle».

—¿De dónde te has sacado lo de Pontisbright? —quiso saber Farquharson.

—Argot rimado. Aún se usa bastante, sobre todo para los nombres propios. No es más que una suposición, ya lo sé, pero no me parece una conjetura demasiado descabellada.

—Claro que no —confirmó la sepulcral voz del Sr. Lugg, desde un segundo plano.

—¿Cómo sabes que la «D» es de Doyle? —prosiguió Guffy, obstinado.

—Bueno, sabemos que Piquito Doyle ha estado trabajando con Sorbitos Edwards en este golpe, y me parece el mejor candidato para haber escrito esa carta. Además, pasa mucho tiempo en Gwen's, una pensión bastante turbia de Waterloo Road.

—Supongo que Piquito Doyle es el hombre al que hemos llamado Pico de Viuda, el que nos disparó en Bríndisi, ¿no? —dijo Eager-Wright—. Y, dime, Campion, esto es importante, ¿verdad? ¿Qué conclusión sacas tú al respecto?

El Sr. Campion reflexionó. Su pálida cara era tan anodina como de costumbre, pero su mirada revelaba que estaba sumido en profundos pensamientos.

—Creo que esta nota nos va a resultar muy útil —dijo al final—. No veo motivo alguno para dudar de su autenticidad, y, en ese caso, nos pone tras una pista totalmente nueva. Para empezar, si Piquito Doyle se dirige a Pontisbright, supongo que haríamos bien en ir tras sus pasos. Así se llama, por cierto, el pueblo de Suffolk donde estaba antaño la mansión de los Pontisbright. Vaya, vaya, vaya… A lo mejor ha llegado el momento de que las cosas se pongan interesantes…

Campion, de pie, sin dejar de observar el papel, volvió a guardar silencio.

—Sé lo que estás pensando —dijo de pronto el Sr. Lugg—. Estás pensando justo lo que estoy pensando yo desde hace rato, o séase: ¿quién es exactamente el viejo de Piquito Doyle?

El Sr. Campion echó una mirada de reojo a su ayudante y, durante un instante, ambos se miraron con solemnidad el uno al otro.

—Bueno, ¿y por qué no? —preguntó el Sr. Lugg—. Podría ser. Y, si es, o tiras la toalla o yo dimito.

—¿Es que vuelven a molestarle los nervios? —le preguntó su patrón amablemente.

—No —contestó el Sr. Lugg con rotundidad—. Pero sé muy bien lo que me conviene. Todavía no poseo el don de hacer milagros, y no quiero tener que aprender ahora.

En ese instante el Sr. Campion pareció darse cuenta de que aquella críptica conversación debía de resultar frustrante a sus amigos, y se volvió hacia ellos.

—Antaño, al principio de su nada elogiable carrera, Piquito Doyle estuvo al servicio de una persona que debería calificar de extraordinaria —explicó—, y tanto a Lugg como a mí se nos ha pasado por la cabeza que tal vez haya vuelto a su antiguo puesto. Supongo que todos habéis oído hablar de Brett Savanake.

—¿El financiero? —preguntó Farquharson. Eager-Wright y Guffy parecían perplejos.

Campion asintió.

—Un tipo extraordinario, uno de esos genios de los negocios que se dan de cuando en cuando. Preside una docena de compañías de relevancia internacional… Cómo llegó hasta ahí es uno de esos misterios que la gente ha renunciado a tratar de explicar. Al principio de su carrera, circulaban historias rarísimas sobre él, y, justo después del éxito de Winterton Textile Trust, incluso llegó a rodearse de una guardia de matones. Piquito Doyle era uno de los integrantes de aquella panda. Desde aquello, Savanake ha ido encadenando un triunfo tras otro. Nunca lo fotografían, nunca lo entrevistan… Evita ser el foco de atención siempre que puede.

—Pero —dijo Farquharson con espanto— ¿crees que esto está a su altura? ¡Piensa en los riesgos que conlleva!

El Sr. Campion sonrió.

—No creo que a un individuo como él los riesgos le quiten el sueño. En cuanto a si esto está a su altura, eso es otro cantar… La cosa cambia si al final tenemos que acabar viéndonoslas con él… Pero no sé cómo averiguar si está metido en esto… En fin, si surge, surge. Ahora lo único que importa es esa historia de la pista grabada en el tronco del árbol. No podemos permitirnos ignorar algo así, ¿no creéis? Ay, ya veo que mis días de asueto llegan a su fin. Tengo que volver a la faena.

—Pero —intervino Guffy— ¿qué es lo que andamos buscando exactamente? A lo mejor te parece una trivialidad, pero a mí me preocupa no saberlo.

Campion pidió disculpas.

—Perdón —dijo con auténtica contrición—. Tendría que habértelo explicado antes. Hay tres cosas que los Poderes Fácticos necesitan para obtener una decisión favorable en el Tribunal de La Haya. La primera… ¿A que parece un cuento de hadas…? La primera es la corona que Gil Pontisbright mandó confeccionar durante el reinado de Enrique IV. Se la tallaron unos artesanos italianos, y la única descripción, bastante ostentosa, por cierto, que conservamos de ella se encuentra en un manuscrito del Museo Británico. Y dice así…

Volvió a sentarse sobre la cama y sacó una cuartilla de su maletín. Cuando comenzó a leer, las arcaicas palabras sonaron aún más extrañas en su precisa voz.

—Tres gotas de sangre de una herida real, tres estrellas apagadas como un huevo de paloma, unidas y entrelazadas por una cadena florida. Pero, cuando la lleve un Pontisbright, nadie la verá sino a la luz de las estrellas…

Cuando terminó con la descripción, observó a Guffy con seriedad a través de sus enormes gafas.

—¿A que suena muy extraño? —preguntó—. Por ejemplo, eso de que no sea visible cuando uno la lleva puesta. Además, las coronas antiguas no se parecían nada a esos sombreros de felpa roja con festones de joyas a los que nosotros estamos habituados. Por entonces, los artesanos les daban las formas más dispares. Bueno, eso por un lado. El siguiente problemilla que se nos presenta es el estatuto. Se escribió sobre una especie de pergamino, que, según los inventarios de la época, debe de haber sido la mitad o un cuarto de una piel de oveja entera. Está en latín, claro está, y lleva el sello y la marca de Enrique IV. Creo que el tipo no sabía escribir. Y el tercer tesoro, el más importante de todos, como debe ser, consiste sencillamente en el recibo que Metternich extendió cuando recibió el dinero de la compra en 1814. Sabe Dios qué aspecto tendrá… Así que, ya ves, todo indica que vamos a pasárnoslo en grande.

La agradable cara redonda de Guffy se sonrojó.

—Parece bastante divertido, ¿no? —dijo—. Este asunto empieza a entusiasmarme. ¿Quién es ahora el propietario de la casa señorial de los Pontisbright? Aunque conozco bastante esa región, ni siquiera recuerdo haber oído antes ese nombre.

El Sr. Campion buscó con la mirada a Farquharson y le hizo una mueca.

—Ahí nos topamos con un nuevo inconveniente —le explicó—. La casa ya no existe. Cuando el título expiró, la vieja condesa, que era el único miembro vivo de la familia, se deshizo de todo, sin más contemplaciones. La propiedad fue desmantelada y vendida pieza a pieza, hasta que en el lugar donde se alzaba no quedó más que el agujero donde se alojaban los cimientos. Fue uno más de los grandes actos de vandalismo de la época victoriana... —Se detuvo—. La verdad es que todo esto no resulta de gran ayuda...

—¿Y el jardín? —porfió Guffy—. El tal Piquito Doyle menciona el jardín expresamente.

—Oh, las tierras no se han movido de su sitio... —intervino Farquharson—. Ya nadie cuida el jardín, pero sigue ahí.

—Pero ¿no queda nadie relacionado con la familia, por remotamente que sea, que viva allí? ¿En la casa de la viuda o en algún otro lugar?

—Bueno, hay un molino —aventuró Eager-Wright—. Está habitado por la familia de un tipo que reivindicó sin éxito el título justo antes de la guerra. Murió en Francia años más tarde. Creo que en el molino solo quedan unos cuantos críos, por lo visto, pero no estoy seguro. ¿Cómo lo ves, Campion? ¿Vamos?

El joven alto y rubio con las gafas de montura de cuerno asintió.

—Sí. A fin de cuentas, por lo que sabemos, Piquito Doyle y sus amigos son los únicos interesados en este asunto, además de nosotros. En nuestra situación actual, sin nada concreto a lo que agarrarnos, bien podemos ir y tratar de descubrir qué tienen los otros.

—¡Por fin un poco de sensatez! —exclamó el Sr. Lugg con la sublime seguridad del hombre que no puede concebir situación alguna en que su opinión no resulte útil—. Ahora bien, yo nada más digo una cosa: primero entérate de a quién te estás enfrentando. Y si es ya sabes quién, déjalo estar.

El Sr. Campion no le prestó atención.

—Vamos a ver, Farquharson —dijo—, como Caballerizo Mayor que eres, ¿te importaría ocuparte de los preparativos para la partida? Avisa de nuestra marcha, paga las facturas y procura que salgamos esta misma noche.

—¿Esta noche? —protestó Lugg—. ¡Esta noche tengo una cita! No quiero causar mala impresión en este sitio. Luego la gente habla y, además, podría parecer raro.

Sus protestas fueron interrumpidas por unos discretos golpes en la puerta. Sin dejar de quejarse, Lugg se dirigió sin prisa a abrirla y regresó un instante después para anunciar que monsieur Étienne Fleury sentía muchísimo interrumpir, pero que le gustaría hablar un momento a solas con el señor Randall.

Un tanto sorprendido, Guffy salió de la habitación. Su asombro fue mayor aún cuando descubrió que el hombrecillo le estaba esperando en el umbral. Estaba ruborizado, y se deshacía en disculpas. Guffy, consciente del golpe que tenía que haber sufrido su dignidad al haberse visto obligado a hacer algo personalmente, lo miró con interés. El gerente apenas si podía articular palabra.

—Monsieur Randall, estoy postrado por el arrepentimiento. ¿Le importaría acompañarme?

Llevó al joven a una *suite* vacía del mismo pasillo y cerró la puerta con ostentosas muestras de cautela. Cuando al fin estuvo seguro de que nadie podía oírlos, volvió hacia su visitante una cara resplandeciente, adornada con tal expresión de congoja que consiguió despertar tanto la simpatía de Guffy como su curiosidad.

—Monsieur, la situación en que me hallo es, por decirlo de algún modo, pútrida. Estoy aniquilado. ¡Mi mundo se ha acabado! Más me valdría estar muerto.

—No pasa nada… —dijo Guffy, que no sabía bien qué más decir—. ¿Qué le ocurre?

—El cretino que vino a quejarse —prosiguió monsieur Fleury con lágrimas en los ojos— se ha marchado. Ha salido, se ha escapado del hotel como un verdadero rufián, pero eso no es todo. Ciertas circunstancias, que no me parece conveniente divulgar, circunstancias que usted, mi querido monsieur Randall, como hombre de honor que es, entenderá y respetará, maquinaciones del destino que escapan a mi control, me compelen a insistir en que el criado Smith devuelva todo aquello que pudiera haber sustraído (sin duda alguna, por un error perfectamente excusable) de la habitación de esa *canaille* a quien todos detestamos de forma tan justificada.

—Oiga —dijo Guffy, vacilando entre la sensación de culpa y el deseo de ayudar—, ¿y eso no resultará un poco raro?

—¿Raro? ¡En toda mi carrera, jamás había experimentado una sensación de bochorno como la que me embarga en estos instantes! Pero ¿qué puedo hacer yo? Sepa que mi vida entera, el prestigio de mi hotel, que es para lo que vivo, depende de la recuperación de cierta... —Monsieur Fleury tragó saliva— carta, que, por supuesto, el criado Smith debió de confundir con una suya.

Guffy tomó una decisión. Además del hecho de que el pequeño gerente parecía a punto de arrojarse llorando a sus pies, el Sr. Randall tenía sus propias ideas respecto al carácter ético de la incursión de Lugg.

—Mire —dijo—, imagino que debe de haberse producido alguna clase de error. Pongamos que, dentro de unos quince minutos, registra usted la habitación que ocupaba Sorbi..., es decir, su cliente hasta hace poco. Con las cartas, nunca se sabe... Se caen detrás de las camas, se meten debajo de las alfombras..., ¿verdad?

Los ojillos marrones de monsieur Fleury se fijaron en los del inglés durante un segundo. A continuación, el gerente asió la mano de Guffy y la apretó con fuerza.

—Monsieur Randall —dijo con un sollozo que no pudo reprimir del todo—, es usted un auténtico héroe. Es usted... ¡Cómo decirlo...! El *pináculo* de su raza.

Guffy regresó a la *suite* regia, y trasladó el ultimátum a los demás. El Sr. Lugg se inclinaba por la hostilidad, pero Campion accedió al instante.

—En conjunto, se trata de una gran idea… —observó—. Salga discretamente y deposite la carta detrás de la cama, Lugg. Al fin y al cabo, ya la hemos leído. No sea tonto.

Cuando el gran hombre hubo salido a regañadientes para cumplir con su recado, Campion se volvió de nuevo hacia Guffy.

—Me imagino que pocas cosas son capaces de perturbar de esa manera a nuestro amigo Étienne, ¿tú, no? —dijo, con lentitud.

—Eso creo. El pobre parecía estar al borde del suicidio. —Guffy no salía de su asombro.

El Sr. Campion se acercó al teléfono.

—El pequeño Albert acaba de tener una de sus escasas y esclarecedoras ideas —dijo, y a continuación hizo una llamada a París.

Después de una rápida conversación en francés con algún oráculo de la capital francesa, colgó el auricular y contempló al trío. Por la expresión de sus ojos, se diría que sentía curiosidad por saber en qué acababa todo aquel asunto y, por vez primera ese día, un vago matiz de color tiñó sus altos pómulos.

—Era mi buen amigo Daudet de la Sûreté —explicó—. Está al tanto de todo, aunque para él este asunto es bastante sencillo. Se me ha ocurrido que lo único que podía producir semejante estado de histeria en el bueno de Fleury era el miedo a perder su empleo, a renunciar a la posición eminente que tanto ha trabajado para alcanzar. Entonces decidí llamar a Daudet para que me dijese quiénes eran los propietarios de este hotel, y me ha contado que este, el Mirifique de Niza y el Mirabeau de Marsella son propiedad de la Société Anonyme de Winterhouse Incorporated. Y, queridos, el dueño de ese interesante grupito, que además ejerce de presidente, ¡es ni más ni menos un espíritu hermoso llamado Brett Savanake! Me da la sensación de que la diversión no ha hecho más que empezar…

Capítulo IV
Aquí hay misterio

—La mano del Destino, que nunca deja de moverse, ha escrito esta vez en la portada del *Correo de East Suffolk y Centinela de Hadleigh*, y no con demasiada corrección, por cierto —le estaba diciendo el Sr. Campion alegremente a Guffy. Habían pasado treinta y seis horas desde que salieron del hotel, y Guffy y Campion iban charlando en la parte trasera del venerable Bentley.

Lugg conducía y, a su lado, Eager-Wright echaba una cabezadita tranquilamente.

Campion observaba el párrafo del periódico local que habían comprado en el camino y que había ocasionado su anterior comentario. El titular, «Misterioso ataque en pueblo de Suffolk», le había llamado la atención, y en ese momento estaba releyendo las pocas palabras que había debajo por cuarta o quinta vez durante aquel viaje.

La Srta. Harriet Huntingforest, residente en Pontisbright, cerca de Hadleigh, Suffolk, fue ayer víctima de un increíble ataque por parte de un desconocido, que entró en su casa y la registró sin llevarse nada de valor. La valiente Srta. Huntingforest, que sorprendió al intruso, le ordenó que se marchara inmediatamente de su casa, pero fue derribada con brusquedad y quedó inconsciente. La única descripción que la Srta. Huntingforest ha podido proporcionar de su asaltante a la policía local es que era desacostumbradamente alto y que su pelo le dibujaba un pronunciado pico en la frente.

—Bonito, ¿no? —dijo, alcanzándole el periódico a Guffy—. Es una especie de presagio, un mensaje que me dirige la Providencia para decirme: «Albert, vas por buen camino».

—¡Es extraordinario! —dijo Guffy—. Me alegro de haber venido contigo. Como Farquharson ha tenido que quedarse para entregar su informe, me parece que la corte de Averna estaría un poco mermada sin mí. Me veo a mí mismo como una especie de Watson con garrote.

El Sr. Campion se encogió de hombros.

—Por desgracia, no sé si nos vamos a encontrar con una fiesta —dijo—. Aunque no tengo ni la más remota idea de qué es lo que ha podido pasar por la cabeza de Piquito Doyle para que acabase atizando a una anciana. Pero, bueno, no lo averiguaremos hasta que lleguemos allí…, si es que llegamos.

Mientras hablaba, iba recorriendo con la mirada la región inhóspita que estaban atravesando.

Según se adentraban en aquellas tierras, el paisaje se volvía más hermoso y rural. Cuando pasaron Framlingham, la calma que reinaba a su alrededor fue extraordinaria. Tenían la sensación de que recorrían kilómetros y kilómetros sin cruzarse con nadie en su camino. Las casitas achaparradas se escondían entre grandes árboles casi marchitos. Incluso los campos de cultivo parecían cada vez más pequeños. Los caminos de pedernal estaban polvorientos y, en algunos lugares, eran extraordinariamente difíciles de transitar.

En cuanto terminó de hablar, en una quíntuple intersección bastante confusa, Lugg detuvo el coche y miró a su patrón con rostro exasperado.

—Y, ahora, ¿dónde estamos? —preguntó.

—¿Cuánto tiempo lleva conduciendo sin saber por dónde va? —repuso su patrón, amablemente.

El Sr. Lugg tuvo el detalle de simular un ligero sobresalto.

—Y yo que contaba contigo… —dijo con amargura—. Pensaba que si me equivocaba, me avisarías. No imaginé que ibas a ir sentado como un muñeco dedicándote a contemplar el paisaje de la campiña inglesa. Cada vez que me han entrado dudas, he tirado por la izquierda… Y llevan entrándome dudas desde que salimos de Ipswich.

—A ese paso —dijo Campion, cariñosamente—, debemos estar a punto de dar una vuelta completa. En ese compartimento que tienes a tu lado hay un mapa, Guffy. Y usted, Lugg, salga un momento y échele un vistazo a ese letrero.

Refunfuñando todavía, Lugg obedeció y, un instante después, regresó con la información de que los dos caminos de la derecha parecían llevar a un lugar llamado Sweethearting, se dirigían hacia Little Dunning y, por lo visto, venían de Little Sweffling.

—Para saber dónde lleva ese otro camino no hay más que una señal de *boy scout* —añadió, señalando a la vía restante—. Seguro que el pobre fulano que escribió el letrero no lo sabía, y no le quedaban fuerzas ni para ir a mirar. ¿Nos acercamos a echar un vistazo?

—¿Una señal de un *boy scout*? —preguntó Campion. Y, al tiempo que el mayal que Lugg tenía por mano indicaba una puerta que llevaba a un campo arado a su derecha, el joven se puso en pie lentamente y, saliendo del coche, se acercó a examinar el signo escrito con tiza en la superficie de aquella.

Tardó tanto en volver que Guffy, cuya curiosidad había despertado Lugg, fue a reunirse con él, y lo encontró observando una mancha redonda en la madera donde la superficie vieja y sucia había sido raspada. En el centro de la zona blanca que había quedado al descubierto había una marca hecha con tiza roja. Era una cruz coronada por una cedilla que alguien había trazado con sumo cuidado.

El Sr. Campion tenía el ceño fruncido.

—¡Qué extraordinario! —dijo—. Debe de ser casualidad, claro está. ¿Habías visto antes esa marca, Guffy? Puede que se trate del símbolo más antiguo del mundo.

Eager-Wright, que entretanto se había unido al grupo, parecía perplejo.

—Creo que lo he visto en algún sitio —dijo—. ¿Qué es? ¿Una señal de un vagabundo?

Campion negó con la cabeza.

—No. Mucho más extraño.

Había una inflexión nueva en su voz, y todos lo miraron con interés. Alargó la mano y frotó la tiza con suavidad.

—Es un ejemplo perfecto de una antiquísima marca que significa «Dios nos ayude» —dijo despacio—. Sinceramente, queridos colegas, no tenéis ni idea de lo antigua que es. Es incluso probable que fuera la señal que los Hijos de Israel pintaban en sus puertas en épocas de persecuciones. Los antiguos britanos también la usaban cuando les invadían los piratas nórdicos. En la época de la peste negra, la marca podía encontrarse en prácticamente todas las puertas y muros. No hace mucho la descubrí garabateada sobre una pieza de chapa ondulada en un área devastada de Francia, tras la guerra. Nunca se sabe dónde va a aparecer. Ni siquiera es una llamada a un Dios cristiano. El símbolo de la cruz es mucho más viejo que el cristianismo… Normalmente, esta señal aparece en lugares donde impera el terror, no en sitios donde el miedo ha pasado. Es una especie de… Bueno, un signo de advertencia. Me sorprende mucho haberme topado con él aquí.

—Si encontrásemos una fonda —dijo el Sr. Lugg, en quien el fenómeno había dejado escasa o nula huella—, podríamos preguntar cómo se llega a ese maldito sitio. Así sabríamos si avanzamos o si estamos perdiendo el tiempo…

No podía negarse la sabiduría de su observación, así que, pensativos, se encaminaron de vuelta al coche. El sol del final de la tarde hacía que el verde campo brillara con una belleza extraordinaria, pero no había manera de saber qué nube acabaría flotando sobre aquel paisaje dulce y puro ni qué secreto se ocultaría en sus exuberantes prados o tras las ramas de sus frondosos árboles.

Eran las ocho de la tarde cuando Lugg, que tenía el don de detectar los lugares donde se vendía cerveza, condujo despacio el Bentley colina abajo hacia el ancho valle en que se alzaba Pontisbright. El pueblo se había construido en torno a dos lados de un páramo cuadrado que comprendía unos veinte acres de tojo y brezo, entremezclados con hierba corta. El camino principal, por el que iban en ese momento, recorría un lado del páramo y bajaba de pronto, para cambiar de dirección en ángulo recto en la base del valle y salir por el norte con dificultad, dejando a su izquierda un revuelto riachuelo, en cuya orilla se alzaba un viejo molino blanco con una casa adosada bastante grande.

Los ocupantes del coche repararon en el molino. Se encontraban, por tanto, en el hogar de los Fitton, los hijos del aspirante al título de Pontisbright.

Al otro lado del camino, frente al molino, se extendía una considerable franja de bosque. Los terrenos donde se encontraba la antigua Pontisbright Hall debían de andar cerca.

Y entonces, en la esquina más alejada del bosque, divisaron una casa cuyas paredes blancas y tejado de pizarra parecían curiosamente fuera de lugar en comparación con el resto de las construcciones que la rodeaban.

Lugg giró en ángulo recto y abandonó el camino principal. Sin poder ocultar su satisfacción, condujo el Bentley hasta la entrada de una de las más deliciosas posadas de un condado famoso ya de por sí por la calidad de sus hospedajes.

El Guantelete, que así se llamaba el local, tenía la forma de una E sin el trazo del medio, y en el hueco protegido por sus paredes amarillas se abría un limpio patio adoquinado muy tranquilo. Una fila de bancos circundaba el patio y un gran letrero colgaba de un poste clavado entre los adoquines. La rojiza tabla pintada estaba muy desvaída, pero el contorno de un gran puño de malla aún podía distinguirse sobre el fondo azul.

El tejado del edificio era de paja, y las ventanas enrejadas aparecían de forma aleatoria entre las enredaderas que cubrían las paredes.

La puerta del bar permanecía abierta, y dos hombres ancianos estaban sentados bebiendo cerveza bajo los últimos rayos de sol. Cuando apareció el enorme coche, levantaron sus ojos acuosos de sus jarras de cerveza. La llegada de visitantes siempre causaba una ligera conmoción. Por las ventanas más bajas se asomaron caras sorprendidas, y el murmullo de voces que salía del interior murió.

El Sr. Lugg abandonó el vehículo con cierta dificultad, olfateó el ambiente y abrió la puerta para que sus pasajeros bajasen.

—Un lugar bonito donde los haya —dijo—. Seguro que se pone precioso cubierto de nieve. Esperemos —añadió solemnemente— que la cerveza esté a la altura.

El Sr. Campion, ignorando el deseo de su sirviente, encabezó la marcha hasta el bar con intención de interrogar a su propietario. Este, que se sorprendió bastante al verles entrar, resultó ser un tipo corpulento que andaba en mangas de camisa y llevaba una gorra de tela. Parecía reacio a ofrecerles alojamiento, y a todos les invadió la impresión de que su inesperada llegada le había molestado de verdad. Al final, sin embargo, cayó víctima de los poderes de persuasión de Guffy, y su esposa, una mujer grande con la cara colorada que compartía la expresión vagamente asustada de su marido, los condujo a las grandes habitaciones inmaculadas de estilo Tudor del piso de arriba.

Dado que se había hecho demasiado tarde para ir de visita, el personal de la corte de Averna se conformó con la perspectiva de una noche dedicada a la investigación deliberadamente informal. Eager-Wright y Guffy se unieron a unos los jugadores de dardos, mientras el Sr. Campion convencía al Sr. Bull, el propietario, para echar una partida de *shove-ha'penny*[4] en la barra del bar, tan pulida por los largos años de juego entusiasta que parecía de cristal.

El propietario, todo un maestro en el arte de las monedas, estaba encantado con la idea de derrotar, a seis peniques la partida, a aquel joven londinense de aspecto inofensivo. Tenía hasta la hora del cierre para desplumarle, e incluso más.

El *shove-ha'penny* saca lo mejor de cada cual y, a medida que la noche avanzaba, el Sr. Bull y el Sr. Campion pasaron de una simpatía creciente a una amistad que no tenía nada que envidiar de la de mucha gente que se conoce desde hace muchos años. Dulcificado, el Sr. Bull se reveló como un buen hombre. Aunque lo cierto es que hacía tanto hincapié en su propia bondad que esta quedaba desacreditada a los ojos de los demás.

—Yo nunca le haría trampas —le confesó al Sr. Campion fijando en el joven una mirada tierna—. Y no lo haría porque no estaría bien. Soy capaz de meter una moneda en la cama con la manga sin que se dé cuenta... —Ilustró este extremo con notable destreza—. Pero no lo haría jamás. Nunca lo haría porque eso sería hacer trampas, y no estaría bien.

—Tampoco yo lo haría —repuso el Sr. Campion con la sensación de que se esperaba de él algún eco de esa importante revelación.

El propietario hundió la barbilla hasta que esta desapareció entre los pliegues de su cuello.

—Probablemente, no —dijo—. Probablemente, no lo haría. Y tampoco podría. Hace falta mucha práctica. Ahora mismo, hay en esta casa individuos —señaló a un anciano de aspecto inocente que bebía cerveza en un rincón— que llevan cincuenta años intentándolo y no lo han conseguido, o no sin que los descubran. Pero le contaré algo —prosiguió, exhalando lúpulo y seguridad en sí mismo en el oído del Sr. Campion—, hay un hombre con el que

---

4. Juego de habilidad en que dos oponentes compiten empujando monedas sobre un tablero liso dividido en pequeñas casillas o *camas*.

tiene que llevar cuidado jugando al *shove-ha'penny*, y dicho hombre es Despistado Williams. Despistado Williams es un tío listo.

El Sr. Campion pareció momentáneamente fuera de juego.

—Parece un pájaro de lo más atractivo —aventuró.

—¿Pájaro? —dijo el propietario, y escupió—. No es más que un viejo normal y corriente. Ahora que lo menciona, puede que sí tenga pinta de pájaro... Se parece a un pato, más bien. Calvo y con una larga nariz amarilla. No de un amarillo brillante, ¿sabe?, sino más o menos como el de estas paredes.

Cuando el Sr. Campion reparó en la suave pintura de las paredes, su imagen mental de Despistado Williams pasó de meramente interesante a absolutamente fantástica.

—Trabaja allá arriba, en el molino —prosiguió el propietario—. La Srta. Amanda y él se las apañan para llevar el negocio.

El Sr. Campion adoptó una expresión tan estúpida que llegaba a rozar la imbecilidad, y el propietario se echó hacia atrás para concentrarse en su próxima jugada.

—Mano para las radios —observó el Sr. Bull sin más explicación—. Últimamente, es para lo que más se usa el molino. Disponen de luz eléctrica.

Hasta ese momento, al Sr. Campion no se le había ocurrido que el molino pudiera estar operativo, y su interés en la familia Fitton aumentó exponencialmente.

—Jamás se me habría ocurrido que hubiese suficiente grano por aquí para dar trabajo a un molino —comentó como de pasada.

—¡Oh, no lo hay! —exclamó el Sr. Bull—. No, casi no queda maíz. No creo que la Srta. Amanda muela más de veinte sacos al año. Pero tiene una dinamo y se dedica a recargar baterías de radio. Me dijo que incluso me podía instalar un cartel luminoso en el que escribiría mi nombre con luces, si yo quería. Tiene su gracia, eso sí. Y trato hecho...

Su oponente se abstuvo de señalar que, dado que, al parecer, todos los habitantes de Pontisbright se reunían ya en El Guantelete, una estrategia tan ambiciosa como aquella no tendría demasiado sentido, pero su interés en Amanda Fitton aumentó.

—Es bastante lista para su edad —fue la siguiente observación del Sr. Bull—, y no es que esté intentando engañarle. Aunque tuviera motivos para hacerlo, no lo haría. Pero calculo que debe de ganar sus buenas treinta libras al año, y eso que ni siquiera ha cumplido los dieciocho. Claro que, Despistado y ella se matan a trabajar, pero se ganan sus buenas libras.

—¿No ha cumplido dieciocho? —dijo el Sr. Campion, que se estaba formando una extraordinaria imagen de los dos molineros de Pontisbright—. Y esa sorprendente joven, ¿vive sola en el molino?

—¡No, qué va! Son tres en total. Tres Fitton. Está la Srta. Mary, la mayor, que tiene veintitrés años. Luego viene la Srta. Amanda. Y el joven Sr. Hal. Solo tiene dieciséis años. Sería el señor de estas tierras si la ley fuese de verdad justa… Es todo un Pontisbright, ya lo creo. Espere a verlo. Parece una zarza ardiendo… ¡Sí, sí, se lo digo yo…!

Al Sr. Campion no le dio tiempo a averiguar más sobre ese sorprendente símil porque el propietario no paraba de hablar.

—La Srta. Huntingforest, una anciana respetable, está pasando unos días con ellos. Ayer mismo un ladrón la atacó, por cierto… —Se quedó pensativo un momento y luego se volvió hacia Campion con la expresión de quien acaba de tener una visión—. Se me acaba de ocurrir una cosa —dijo—: si pretenden ustedes pasar una temporada por aquí, caballeros, lo mejor sería que se alojasen en el molino como huéspedes de pago. Me parece que los Fitton les recibirían encantados… Despistado me pidió el periódico el otro día para ver si había alguien buscando habitaciones.

—No sería mala idea, la verdad —dijo el Sr. Campion—. Es más, sería muy buena idea. Pero pensaba que ya nos habíamos comprometido con usted.

—No pasa nada —dijo el Sr. Bull con vehemencia—. Usted no se preocupe. Más de uno se quejaría y armaría un escándalo por la molestia, pero yo, desde luego, no. No me molesta, así que no voy a hacerme ahora el ofendido. Soy un hombre honrado, aunque esté feo que sea yo quien lo diga.

—Por supuesto —dijo tontamente el Sr. Campion—. Claro. Aquí no les gustan mucho las visitas, ¿verdad que no? Me pareció que nos recibían de una manera un tanto extraña…

—¡Ah! —dijo el Sr. Bull—, es cierto, y no sería honrado por mi parte no admitirlo.

Siguieron jugando hasta bien pasada la hora de cerrar, la legal y la real. Eager-Wright y Guffy se retiraron a sus habitaciones, y Campion se quedó a solas con el propietario en el bar vacío. Alguien había encendido una lámpara de aceite y las sombras temblorosas que esta proyectaba sobre la mesa daban al propietario tanta ventaja sobre su contrincante que acabar la partida en ese momento debía de parecerle tirar el dinero.

El Sr. Campion seguía hablando de cosas en apariencia sin importancia y tratando de hacerse el tonto, pero se percató de que, a medida que las sombras se hacían más profundas, la expresión asustada que había detectado en la mirada de su anfitrión regresaba. Hacia las once, la Sra. Bull apareció en la puerta con un abrigo sobre el camisón. Tenía la cara muy pálida y, cuando su marido se le acercó, el Sr. Campion captó una frase ahogada. No había nada extraño en lo que dijo, pero el tono con el que pronunció aquellas palabras lo sobrecogió.

—¡Otra vez está ahí fuera!

Disimulando, Campion se acercó a la ventana, y, retirando la escueta cortina roja, contempló una de las más perfectas noches iluminadas por la luna que jamás había visto. La luna, casi llena, bañaba la habitación como si se tratara de un foco. La claridad era tal que casi podían distinguirse los colores.

Campion permanecía de pie, mirando por la ventana, cuando escuchó el sonido de unos pasos rápidos a sus espaldas y, un instante después, alguien le arrancó la cortina de la mano y volvió a correrla tapando el cristal. Cuando, sorprendido, se volvió, vio tras él al propietario de la posada.

El hombre estaba muy pálido. El miedo se reflejaba en sus ojos y sus labios no paraban de temblar.

—¡No le deje entrar! —advirtió con voz ronca—. Haga lo que haga, no le deje entrar.

Después fue hasta la barra, y ya estaba sirviéndose una copa, cuando Campion se acercó a él. El joven se detuvo en la entrada con aire distraído e inocente, como era habitual en él.

—¿Pasa algo raro? —preguntó con amabilidad.

El Sr. Bull echó un trago de su bebida antes de responder. Después, bajó la voz y dijo, vacilante:

—Los poderes de la oscuridad, señor mío… ¡Que Dios nos ayude!

Mientras hablaba, dibujó algo con el índice en la barra, pero lo borró a toda prisa con un trapo inmediatamente después. Campion apenas tuvo tiempo de vislumbrar una cruz coronada por un pequeño signo en forma de gancho antes de que esta desapareciera bajo la bayeta.

El joven subió despacio a su cuarto. Sin desvestirse, se quedó largo rato junto a la ventana de su habitación, contemplando el jardín de la fonda iluminado por la luna. Dado que su habitación se encontraba en la parte de atrás de la casa, desde allí no alcanzaba a ver el páramo. El jardín se extendía por la parte alta de la colina que habían bajado para llegar al pueblo. Bajo aquella luz, todo parecía tranquilo, y el aire era cálido y olía a flores. Se le antojaba increíble que algo pudiera ir mal en un valle tan bonito, que algo terrible pudiese andar por ahí y aterrorizar a espíritus tan inocentes como la buena gente de aquella posada.

El Sr. Campion seguía de pie, inmóvil, con los pálidos ojos pensativos tras las gafas, cuando el pestillo de su puerta hizo un ruido suave. Al volverse, descubrió a la enorme masa de Lugg y su gran cara blanca entrando en la habitación.

El Sr. Campion lo miró con frialdad.

—¿Es que ha venido a por una vela? —preguntó al fin.

—¡Shhh! —dijo el Sr. Lugg, levantando una mano en señal de aviso—. ¡Shhh! Algo pasa. Creo que he visto algo raro. Me tiemblan tanto las piernas que no soy capaz de articular palabra…

El Sr. Campion se le acercó, caminando con cuidado para evitar los crujidos de las tablas de roble.

—Se está volviendo usted un poco excéntrico, Lugg —murmuró—. ¿Es que ha oído voces?

El Sr. Lugg se dejó caer pesadamente en la cama.

—Había salido a dar una vuelta —le explicó—. Me sentía un poco pesado después de comer y se me ha ocurrido que me vendría bien un paseo. Hacía buena noche. —Se pasó una mano por la frente y miró a su amo fijamente—. Pensé que podría conseguir un poco de información de este sitio, y eso he hecho. Aquí está pasando algo bien raro. Para empezar, he encontrado un cadáver.

—¿Un qué? —dijo Campion, momentáneamente atónito.

—Un cadáver —dijo Lugg con complacencia—. Ya sabía yo que te ibas a quedar de piedra. Estaba ahí, a la luz de la luna, envuelto en una sábana. ¡Menudo susto me ha dado! He vaciado la petaca de un trago.

—Sí, bueno, lo que le hace falta es descansar —dijo Campion, con suavidad.

—Está ahí tirado, en el páramo —insistió Lugg—. Vente a echarle un vistazo. Ya verás qué bien duermes. Estaba yo paseando tranquilamente, con las manos en los bolsillos y silbando por lo bajini, cuando me encuentro un tojal enorme. No me quedaba otra que rodearlo, pero entonces voy y descubro un resplandor blanco tirado en el medio. La luna brillaba un montón, era como si estuviéramos a plena luz del día. Di mil vueltas antes de encontrar un camino, y al final topé de narices con un cadáver. Lo habían amortajado, solo se le veía la cara. Tenía peniques sobre los ojos, y la mandíbula, desencajada. Era un varón… Diría que más bien viejo…, y estaba tieso como un palo. Le he echado un vistazo y me he venido corriendo a toda prisa.

El Sr. Campion se quitó las gafas.

—Creo que merece la pena que me acerque a verlo con mis propios ojos —dijo amablemente—. Vamos.

Salieron en silencio de la posada y cruzaron el patio adoquinado de puntillas. Cuando sus pies se hundieron en el suave manto del páramo, ambos suspiraron aliviados.

—Por aquí —dijo Lugg, señalando una zona oscura del tojal en la parte donde no había casas—. Parece raro, ¿verdad? Un cadáver es una cosa, pero un cadáver amortajado en un puñetero páramo es otra. De lo más perturbador…

Campion caminaba en silencio pero con paso rápido, así que no tardaron mucho en llegar al aulagar. Cuando estuvieron a unos pocos metros del borde exterior, una nube solitaria tapó la luna y los sumió en la oscuridad momentáneamente.

—Hemos llegado. —La voz de Lugg estaba inusualmente ronca—. Aquí tiene el camino.

Se trataba de un sendero tan angosto que se veían obligados a ir apartando a su paso las ramas de las espinosas flores amarillas que lo bordeaban. La nube se retiró justo cuando entraban en el claro y la luna lo iluminó todo con una luz turbadora.

En aquel claro no había nada más que ellos mismos.

El Sr. Campion se volvió hacia el enmudecido Lugg.

—Si hubiéramos traído una trampa, podríamos intentar atrapar un conejo —dijo, bromeando.

—¡Te juro que lo he visto! —gritó histérico el Sr. Lugg—. Mira aquí, míralo tú mismo. ¡Estaba justo aquí!

Señaló una tosca yacija de helechos secos y heno que se encontraba en el centro del claro iluminado por la luz de la luna.

Campion dio un paso al frente y recogió algo que yacía medio escondido bajo un arbusto de tojo. Era un trozo de sábana del tamaño de un pañuelo de bolsillo. Lo sacudió con cautela, y Lugg emitió un gruñido.

Garabateada sobre la tela estaba de nuevo aquella señal: una cruz con una cedilla encima.

—¡Vaya! —exclamó el Sr. Lugg, que se había quedado literalmente sin palabras—. Vaya, ¿qué me dices de eso?

El Sr. Campion dejó caer el jirón y se limpió con sumo cuidado los largos y pálidos dedos con su pañuelo.

—No sé qué decirte, mi querido compadre —dijo—. No. Francamente, no lo sé.

Capítulo V

La molinera

—Ayer todavía era rey[5] —observó el Sr. Campion a la mañana siguiente mientras cruzaba el páramo en dirección al molino acompañado por Guffy y Eager-Wright—, y hoy es solo un pobre caballero por lo del problema. Creo que todo este asunto se ha convertido en una especie de lección de filosofía barata.

—Entonces, ¿dejamos correr eso del Paladín Hereditario? —dijo Eager-Wright, sin poder disimular cierto alivio.

Campion asintió.

—A partir de ahora —dijo con un tono algo afectado—, no recibiré más respeto que el que naturalmente merece mi superior intelecto.

Guffy, que iba inspeccionando el terreno y no había seguido la conversación, se volvió. En su propio país, ya no era el espíritu afable y apocado que había sido en el Viejo Continente. Allí era un hombre con recursos.

—¡Qué pena que demolieran la antigua casa! —exclamó—. Tenía que ser preciosa… —Señaló un montículo de tierra que se

---

5. Primer verso de la «Oda por Napoleón», de lord Byron.

alzaba en un tramo arbolado a su derecha—. Seguro que hay aves por algún lugar —prosiguió—. Zorros, no… Aunque ahí, en la rectoría, al lado de la iglesia, lo mismo sí que queda alguno…

Los tres jóvenes miraron hacia el tejado de pizarra de la casa moderna que habían visto desde el coche, y entonces Eager-Wright dijo en voz alta lo que todos pensaban.

—¡Puede que no sea tan fácil registrar ese bosque! —exclamó—. Pero, bueno, imagino que al menos no nos toparemos con ninguna compañía poco grata. No creo que Pico de Viuda, después de su colosal metedura de pata con la Srta. Huntingforest o como se llame, ande rondando por aquí.

Guffy, que iba recuperando a cada paso su aire de antiguo terrateniente, estaba radiante.

—Ahora que de verdad estamos aquí —dijo—, tengo la sensación de que no existe en el mundo magnate londinense, por muy terrible que sea, que pueda hacernos frente con sus sucios bandiduchos.

Eager-Wright sonrió, pero el Sr. Campion permaneció impasible.

—No sé si se te ha pasado por la cabeza —intervino con timidez— que nuestro gran colega de negocios, Savanake, ha contratado a Pico de Viuda y a Sorbitos Edwards temporalmente porque en los últimos dos o tres años ha llevado una vida más o menos honrada y no está al tanto de las nuevas incorporaciones en el terreno de las malas artes. Pero en cualquier momento puede cambiar de idea y tratar de aumentar la sección de bandidos con miembros de más categoría. Por eso tenemos que apresurarnos. Ya sabes: la rapidez es fundamental. A quien madruga, Dios le ayuda. El primero que llega se la queda. Todos estáis al tanto de cómo gané la Cruz Victoria en Rorke's Drift,[6] pero, a pesar

6. Batalla de la guerra anglo-zulú, librada en 1879. La Cruz Victoria es la condecoración militar británica de más alto rango, concedida por actos de valor ante el enemigo.

de mi archiconocida intrepidez, que tanto admiráis, yo preferiría tener bajo llave por los regalos del Club de Madres antes de que Savanake se ponga manos a la obra. En fin, aquí estamos…

Tras dejar atrás el páramo, tomaron el estrecho camino que conducía hacia el molino. Allí, ante sus ojos, la auténtica belleza de Suffolk se desplegaba en todo su esplendor. A pesar de los esfuerzos de la Srta. Amanda y de su ayudante, resultaba obvio que no atraían a muchos clientes, pues en el sendero, que culminaba en una áspera zona verde que caía en suave pendiente hacia un canal moteado de blanco, había crecido la hierba. El molino, un gran edificio de madera y ladrillo, se había erigido sobre el río y alcanzaba el prado de la orilla opuesta; a su lado, se alzaba la casa.

Si les hubiera quedado alguna duda de que los molineros de Pontisbright habían sido gente próspera en otro tiempo, debió de disiparse al instante. La casa era un ejemplo casi perfecto de la arquitectura de finales del siglo xv. El enlucido de las paredes de quincha estaba adornado con finas molduras. Grandes ventanas batientes con dibujos de rombos sobresalían bajo las tejas rojas, y, sin que uno supiera razonar el porqué, el desordenado conjunto recordaba al esbelto desaliño de un galeón español.

Las cortinas de cretona descolorida que se hinchaban en las ventanas abiertas y el brillo de la madera pulida que se veía desde el exterior acrecentaban el encanto del lugar. Incluso la antena sin hilo, notablemente compleja, que festoneaba el tejado tenía un aspecto rústico e incluso arcaico.

No obstante, se toparon con un anacronismo sorprendente: ante la puerta había una berlina extremadamente antigua, pero sin duda dotada de un motor eléctrico. Aquel notable vehículo había sido pintado por una mano inexperta, y ahora permanecía aparcado, achaparrado y cohibido, dando la sensación de que su color carmesí fuese fruto de un violento sonrojo producido porque había caído en la cuenta de su edad.

Cuando se acercaron, pudieron comprobar que la tapicería original, difunta tiempo ha, había sido reemplazada por la misma variedad de cretona descolorida que adornaba el resto de la casa.

Guffy contempló la aparición con respetuoso asombro.

—El jefe le pagó diez libras a un señor de Ipswich para que se llevara una cosa parecida el año de la guerra —dijo—. ¡Qué cosa tan extraordinaria! —Se detuvo y miró dubitativo a su alrededor—. Somos demasiados... —aventuró—. ¿Por qué no vais vosotros dos solos? Yo os espero aquí.

—Guffy, mi pobre amigo anciano aquejado de rechazo social —dijo Eager-Wright—. Vamos, Campion.

Una vez se encontraron ante la puerta delantera, un aire de irrealidad, que no dejaba de tener un punto cómico, se cernió sobre ellos. Eager-Wright llamó, y un hombrecillo, que gracias a la descripción del propietario, enseguida reconocieron como Despistado Williams, abrió la puerta casi inmediatamente.

El hombre, efectivamente, guardaba un asombroso parecido con un pato. Su cabeza era muy pelona y muy blanca, no así su cara, que tenía un tono amarillento. Justo encima de las orejas, un redondel mostraba con toda claridad el punto exacto en el que solía colocarse el sombrero, y en qué lugares su cara y su cuello quedaban expuestos a los elementos. Sus ojillos, de un azul muy brillante, casi ocultos por unas espesas cejas grises, se apiñaban a ambos lados del estrecho puente de una nariz enorme, que se extendía en la punta y que recordaba tantísimo al pico de un pato, que uno casi esperaba que se pusiera a parpar de un momento a otro. Para redondear lo incongruente de su aspecto, llevaba puesto un chaleco blanco de vestir de corte anticuado al que le habían cosido unas mangas blancas, de manera que recordaba vagamente a un esmoquin. El resto de su atuendo, sin embargo, se limitaba a unos sencillos pantalones de pana, unas botas enormes y una camisa sin cuello de un azul muy brillante.

Cuando sonrió a los visitantes, estos se percataron de inmediato de que se encontraban ante una de esas personas cuyos rasgos exageran todas las emociones que sienten. Su sonrisa de bienvenida, por lo tanto, se había transformado en una terrorífica mueca de puro júbilo.

—¡Pasen, pasen! —dijo, antes de que pudiesen articular palabra. Acto seguido, recobrando la compostura, añadió con una seriedad que resultaba tan siniestra como vívida había sido su alegría—: ¿Son ustedes los señores que buscan alojamiento? ¿Qué nombre anuncio a la señora?

Eager-Wright miró con curiosidad a su compañero.

—Sr. Wright y Sr. Campion —dijo con firmeza el pálido joven.

Su cicerone, mascullando una y otra vez los nombres para sí mismo, a fin de no olvidarlos, condujo a los visitantes por un recibidor con el suelo de piedra donde se percibía un aroma dulce hasta una habitación baja y apenas iluminada en la que oscuras masas de muebles acechaban de forma imprecisa.

En verdad, la habitación estaba tan oscura, sin que pudiesen entender el porqué, que Eager-Wright tropezó con una silla nada más entrar. Cuando se incorporó, mascullando una disculpa, se dio de bruces con una mano que se extendía ante él.

—¡Buenas! —dijo una voz femenina, clara e inesperadamente vibrante—. Hmm, ¿qué tal están? Soy Amanda Fitton. Ya se habrán dado cuenta de que la casa es extraordinariamente vieja, y muy pintoresca también. Ofrece notables fac…, fac…, bueno, aquí encontrarán divertimentos como los baños en el río, la navegación, la pesca, el paseo, y…, eh…, las excursiones en coche.

En ese momento hizo una pausa para tomar aliento y, tratando de llegar junto a su compañero, Campion tiró una mesita de una patada provocando un enorme estrépito.

—¿Han visto el coche que está aparcado en la entrada? —prosiguió la voz sin poder ocultar su orgullo—. ¡Ah, la comida es buena…! —se apresuró a añadir—. Casera y…, eh…, las raciones, generosas. Si son de estómago delicado, nuestra agua les hará bien. Además, pueden tomar toda la leche, la mantequilla y los huevos que quieran.

Como los visitantes no emitían ningún ruido, salvo el que producía la trabajosa respiración de Eager-Wright, la voz prosiguió, esta vez con un atisbo de desesperación en el tono:

—En otoño se practica la caza al salto por estos parajes y, por supuesto, podrán jugar al golf en el páramo. La comida es buena —repitió con poca convicción—, y, ¿qué les parecen cinco guineas?[7] ¿Es mucho? Son ustedes tres, ¿verdad? ¿Tres y un criado?

—¿Cinco guineas cada uno? —preguntó Eager-Wright.

—¡Oh, no! Cinco guineas en total. O podríamos dejarlo en libras. Pueden quedarse todo el tiempo que quieran, y las camas son buenas.

Después de una nueva pausa, la voz se volvió inesperadamente melindrosa.

—¿Se quedarán, verdad? Tenemos luz eléctrica en algunas habitaciones, y el molino no hace demasiado ruido. Despistado y yo…, quiero decir, Williams…, podemos ponerlo en marcha cuando hayan salido.

—Suena de maravilla —dijo la bobalicona voz del Sr. Campion saliendo de la penumbra—. Permita que le dé nuestras referencias. Para empezar, todos somos gente con estudios. También puedo afirmar que tenemos buen carácter, y que, salvo por Lugg, no tendrá queja de nuestros modales. No vamos buscando mejoras modernas como el agua caliente, los retretes interiores, la calefacción central o los empapelados caros. Mi amigo, el Sr. Wright, que al parecer ha vuelto a tropezarse, está escribiendo un libro sobre el

7. Antes de la adopción del sistema decimal para la moneda inglesa en 1971, la guinea equivalía a 21 chelines, en lugar de los 20 que había en una libra. Aunque la guinea propiamente dicha desapareció en 1814, la palabra se siguió utilizando habitualmente con connotaciones aristocráticas, por ejemplo, para denominar pagos de tierras, caballos o sastrería a medida.

Suffolk rural, y yo trato de colaborar a la vez que disfruto de unas vacaciones. Lugg es de gran ayuda en la casa, y habíamos pensado pagarles tres guineas a la semana cada uno. ¿Qué le parece?

De nuevo se hizo el silencio en la oscuridad. Y entonces la voz observó, inesperadamente:

—¿Les importa que los muebles parezcan algo ajados? Algunos están hasta un poco desvencijados.

—En absoluto —afirmó el Sr. Campion con seguridad—. Parte del encanto de una casa antigua son los muebles desvencijados...

—Ah, muy bien... —dijo la voz—. En ese caso, voy a dejar pasar un poco de luz. Denme solo un segundo, que voy a abrir las persianas...

Amanda cruzó la habitación con cautela y, a continuación, entre el ruido de un gran entrechocar de anillas, descorrió las cortinas, dejando a la vista lo que antaño había sido una habitación suntuosamente amueblada.

Era verdad que el estado de los muebles era lamentable. Aun el mejor brocado se desgasta con el tiempo, y las delicadas cubiertas rosas y azules de los canapés y los sillones de orejas habían sido remendadas tantas veces que ya no admitían más reparaciones. La alfombra de Bruselas estaba tan raída que apenas se podía distinguir el dibujo que la adornaba. De hecho, a pesar de los cuidados, la habitación estaba repleta de objetos que el tiempo se había encargado de estropear.

Los visitantes, sin embargo, no repararon en esos detalles. Su interés, de forma no incomprensible, se centraba más bien en la propia chica.

Amanda Fitton, que cumpliría dieciocho años en apenas un mes, tenía un físico cuya perfección llamaba la atención. No era excesivamente alta y estaba delgada pero sin ser demasiado flaca. Sus grandes ojos tenían un color entre pardo y miel, y su extraordinaria melena pelirroja resaltaba aún más su belleza. No se trataba de un rojo caoba, ni tampoco zanahoria, sino de un color llameante y flamígero tan sutil e infrecuente como hermoso. Su atuendo consistía en un vestido blanco con florecillas verdes estampadas, una variedad de la tela para cortinas que se vende en muchas tiendas de pueblo. Estaba cortado con severidad, y la falda le quedaba larga.

En su aspecto había algo artificialmente formal. Llevaba el pelo recogido muy arriba, en un peinado un tanto antiguo.

Los observó con calma, con la mirada inquisitiva pero educada de un niño.

Eager-Wright, a su vez, sinceramente admirado, no podía quitarle los ojos de encima. Campion, como era habitual en él, parecía sencillamente bobo.

La chica se encogió de hombros con elocuencia.

—Bueno, pues ya han visto la habitación —dijo—, y están al tanto de lo peor. O de casi todo lo malo… —se corrigió rápidamente—. Todas las habitaciones necesitan mínimos arreglos, pero es verdad que las camas son de calidad. Y si pagan ustedes tres guineas a la semana, yo misma me encargaré de que coman como reyes —añadió, con una repentina explosión de candor.

—¡Ah, bien! Entonces, trato hecho —dijo Eager-Wright, con tremenda satisfacción.

Ella le respondió con una fascinante sonrisa que le abría la boca en un triángulo y revelaba unos dientecillos blancos muy pequeños y parejos.

—¡Esperen! —exclamó—. Como se van a acabar enterando tarde o temprano, es mejor que se lo cuente todo. Me resulta un poco embarazoso, la verdad, pero, al fin y al cabo, siempre pueden usar una de esas planas y redondas… Y a mí no me importa traer el agua. Podríamos mantener la caldera encendida todo el día. Y si tienen la costumbre de hacerlo por la noche, podríamos sacarla de la caldera con un cubo… Con cuatro cubos es más que suficiente. Además, si nunca lo han hecho en esas cosas redondas, les resultará bastante divertido. Después de todo, están de vacaciones…

—¡Ya sé a qué se refiere! —exclamó, feliz, el Sr. Campion—. No tienen baño.

La chica los miró con melancolía, arrugando la nariz de una forma encantadora.

—¿Les resulta muy... molesto?

—¡En absoluto! —la tranquilizó Eager-Wright, que estaba más que dispuesto a renunciar a los baños para toda la eternidad si ella así lo deseaba—. El agua puedo llevarla yo —prosiguió amablemente—. Si me enseña usted dónde están la caldera y los cubos...

—¿Saben qué? —dijo Amanda, con repentino entusiasmo—. Podemos conectar a la caldera una bomba que funcione con electricidad. Despistado y yo fabricamos unos artilugios maravillosos. Tienen que verlos. ¿Cuánto tiempo van a quedarse?

—Una semana —contestó rápidamente Campion, antes de que a Eager-Wright se le pasara por la cabeza contratar la habitación de por vida.

—Ah, bueno, espléndido... —dijo ella—. ¿Los demás son como ustedes? Oh, y, ¿prefieren comer solos o acompañarnos a la mesa? Comer con nosotros es muy divertido, y da menos trabajo. Oh..., y, ¿creen que a su criado le importará compartir habitación con Despistado? No es absolutamente necesario, claro, porque yo siempre puedo dormir en el molino. Podríamos albergar a un ejército en el molino si apartamos algunas cosas... —Se detuvo con brusquedad—. No los estaré asustando, ¿verdad?

—¡Recórcholis, no! —dijo Eager-Wright, que no podía apartar los ojos de la cara de la molinera—. Solo me preocupa que tenga usted fuerzas para soportarnos a todos. Somos muchos, y...

—Tenemos a Lugg, claro —dijo el Sr. Campion—, que encima baja bastante la media...

Ella indicó que no le importaba con un gesto desenfadado.

—¡Oh, bueno, maravilloso! —exclamó—. Ahora que están aquí y que hemos llegado a un acuerdo, ¿por dónde empezamos? Les mostraré el resto de la casa. Es bastante agradable, y las camas son buenas. Y la comida les gustará. Tenemos otra huésped de pago: tía Hatt. Lleva ya tres años con nosotros. Vino de visita desde EE. UU. para pasar una temporada, y acabó haciéndose cargo de todo… En realidad, es como si nosotros fuéramos los verdaderos huéspedes… Despistado y yo no sacamos gran cosa con el molino, y nuestras cien libras anuales no dan para mucho. Y… —se detuvo y los miró con delicadeza—. Espero que no les parezca raro que les cuente todo esto… Si van a vivir aquí durante una semana, es mejor que conozcan cuanto antes todo sobre nosotros, y así nada los pillará por sorpresa. Para empezar, les hablaré de Despistado. Es el hombre que acaba de abrirles la puerta. Bueno, él no es exactamente un criado. Es solo que, cuando esta mañana el bueno de Honrado Bull nos ha mandado recado de que había una gente que quería pasar una temporada aquí, nos ha advertido que tenían un coche enorme. Así que he pensado que era mejor mantener las formas… Por eso me he puesto este vestido, y por eso también he dejado la sala en penumbra. Una vez pasaron por aquí dos excursionistas, pero me temo que la sala los disuadió. Así que pensé que no volvería a ocurrir… Despistado y yo nos encargamos del molino.

La charla la dejó sin aliento y se vio obligada a hacer una pausa. El Sr. Campion sonrió.

—El sitio perfecto para Wright y su libro —sentenció—. En cuanto supe que se trataba de un molino, me dije: «Perfecto. Nada como el murmullo del agua para inspirarse». Y las ruedas que giran y el resto de cosas…

Antes de comenzar a hablar de nuevo, Amanda lanzó una mirada dubitativa en dirección al Sr. Campion.

—Oh, en fin…, vengan a conocer a tía Hatt —dijo—. Debe de estar en la cocina. Como cocina mucho mejor que Mary, cuando llevaba aquí solo una semana pasó a hacerse cargo de las comidas. ¿Les gustan los platos estadounidenses? Despistado y yo le instalamos una plancha para hacer gofres. Funciona bien, pero es un poquito grande… La parrilla propiamente dicha la fabricó el herrero…, y salen unos gofres de medio metro de ancho. Pero a mí me encantan… Vengan por aquí.

Los condujo de nuevo al otro lado de la sala, donde se encontraba una viga maestra que era al menos tan antigua como la Guerra de las Rosas. Tras cruzar un arco, entraron a una cocina enorme.

Era una gran estancia con paredes encaladas y suelo rojo de piedra. De pie, junto a una mesa que parecía haber sido construida para sostener maquinaria, se hallaba una mujer alta de pelo canoso. Llevaba un delantal que cubría su falda marrón de paseo y su blusa, y unos quevedos dorados sobre la nariz.

Todo en su aspecto hacía pensar en un carácter práctico y brioso, totalmente opuesto a la personalidad más voluble de Amanda. En aquel momento, estaba sacando unos redondos bollitos de pasas de una bandeja de horno. El dorado montón tenía un aspecto de lo más apetecible.

—Y bien, ¿ha habido suerte? —preguntó, pero se interrumpió al percatarse de que Amanda no estaba sola. En cuanto vio a los jóvenes, una sonrisa se dibujó en su cara, y comenzó a reírse como una chiquilla.

—Son cuatro —explicó Amanda—. Y van a pagar tres guineas a la semana cada uno… No les importa que no haya baño. Oh, espera un minuto: Sr. Campion, esta es la Srta. Huntingforest, la llamamos «tía Hatt». Le presento al Sr. Wright, tía. ¿Dónde está Mary? ¿En el molino?

La Srta. Huntingforest hizo caso omiso de la pregunta. Estaba inspeccionando a los jóvenes con ojos críticos pero amistosos.

—Me imagino que están de vacaciones —dijo.

El Sr. Campion repitió su discursito acerca de la historia de Suffolk de Eager-Wright, y la Srta. Huntingforest pareció tranquilizarse.

—¿De verdad? ¿Es usted escritor? —dijo, mirando al joven con un interés cada vez más vivo—. ¡Caramba, qué bien!

Eager-Wright parecía incómodo, y musitó unas pocas palabras para tratar de quitarse importancia.

Tía Hatt alivió su vergüenza ofreciéndoles un bollo. Mientras, de pie en la cocina, mordisqueaban el regalo, la ligera formalidad que durante un momento había caído sobre la reunión se disipó.

La Srta. Huntingforest siguió cocinando y hablando con la total desinhibición que parecía ser el principal atributo de los habitantes de aquella casa.

—Perdonen que les haya preguntado qué hacen aquí —dijo, agachándose para mirar dentro del enorme horno—. Normalmente no soy nerviosa, pero, desde el día que me atacaron, la verdad es que estoy un poco alarmada.

—¡Ah, sí!—dijo Amanda rápidamente—. También debería habérselo preguntado: ¿les molestan los ladrones?

—En absoluto —dijo el Sr. Campion, prontamente—. ¿Tienen muchos por aquí?

—De momento, solo uno —aclaró la Srta. Huntingforest, adusta—. Pero con ese nos basta y nos sobra. Si no me hubiera golpeado antes de reparar en lo que estaba haciendo, habría podido arreglármelas. Pero en un país civilizado no te esperas algo así. Me había quedado sola en la casa —se apresuró a añadir—. Los chicos estaban en el pueblo, y acababa de acercarme a la cocina para ver si el pan había subido, cuando lo vi salir de la vaquería. Debió de entrar por la ventana de atrás. Entonces le dije: «Joven, haga el favor de explicarme qué está haciendo aquí inmediatamente». Él se dio la vuelta y me miró… Enseguida me di cuenta de que era un desconocido… Un extraño pico de pelo que bajaba por su frente… Cuando iba hacia él, levantó la mano y me atizó en plena barbilla. Y, claro, perdí pie y me di un golpe en la cabeza con la mesa que me dejó totalmente inconsciente. Es un milagro que no me tragara la dentadura postiza y me ahogara. Escribí a todos los periódicos de Londres para contarles el incidente.

Se detuvo.

—¡Una experiencia horrible! —dijo Eager-Wright, mientras el Sr. Campion parecía desbordar idiotez y simpatía a partes iguales.

—Y, lo que es más extraño, no se llevó nada —aclaró la buena señora.

—Lo cual es una verdadera pena… —rio Amanda, provocando a su vez las carcajadas de la tía.

La Srta. Huntingforest se volvió hacia los jóvenes.

—No sé si Amanda les ha hablado de nuestra familia —dijo—. Hemos llegado a unos acuerdos de convivencia bastante curiosos, pero nos las apañamos bien…

—Les he contado prácticamente todo —aclaró Amanda—. Verán —prosiguió, volviéndose hacia los huéspedes—, cuando murió madre, hace cuatro años, tomamos la decisión de reabrir el molino y aceptar huéspedes de pago para salir adelante. Bueno, por ahora los huéspedes son lo único que da dinero de verdad. Aunque solo hemos tenido uno, claro: tía Hatt… Pero, desde nuestro punto de vista, ha sido todo un éxito.

La Srta. Huntingforest pareció pensar que le tocaba a ella explicar un poco más. Campion no alcanzaba a comprender por qué eran tan amables con unos desconocidos.

—En fin, la cosa fue así —continuó ella—: mi padre era inglés y, aunque no hablaba nunca de ello, yo sabía que había nacido en esta región. Hace unos años, cuando empecé a plantearme realizar un viaje para conocer mundo, decidí venir hasta aquí para saber de primera mano qué aspecto tenía la tierra natal de los Huntingforest. Lo primero que hice fue alquilar una habitación en el pueblo, pero luego conocí a estos chicos y me di cuenta de que teníamos que ser parientes lejanos. Y así fue como acabé aquí. No llevaba ni una semana en la casa, cuando decidí tomar las riendas de todo. Y es que cuando llegué Amanda iba corriendo por ahí como una india Milwaukee, sin siquiera un calcetín zurcido en su haber. Tampoco me parecía lo más adecuado que dos chicas tan jóvenes vivieran en un lugar retirado sin una carabina que las acompañase.

No me parecía bien, y no me parecía seguro. Soy bastante liberal, o eso creo, pero no soy tonta. Así que puse orden, y aquí me quedé.

Mientras acababa su discurso, sacó otra enorme bandeja del horno. Amanda cogió una galleta, haciendo señales a los demás para que siguiesen su ejemplo.

La Srta. Huntingforest les sonrió.

—Si son capaces de tomar dulces a las once de la mañana, me caerán bien —dijo—. Eso dice mucho de una persona, en mi opinión. Si un hombre puede comerse dos galletas antes del mediodía, y además disfrutarlas, no puede ser malo…

—Veamos… —intervino Amanda—. Voy a enseñarles la casa; Despistado se encargará de sus cosas. Le acompañaré y luego me adjudicaré un asiento en su coche. Nunca he montado en un coche decente… El mío funciona con electricidad, ¿saben?

—¡*Funciona* es mucho decir! —dijo la Srta. Huntingforest, con un menosprecio bien intencionado.

Amanda se sonrojó.

—A tía Hatt no le gusta mucho mi coche —explicó—. Pero lo cierto es que resulta muy útil y, teniendo en cuenta que se lo compré a un buhonero por una libra y que Despistado y yo nos encargamos de arreglar el motor, ha salido bastante bien… Solo se le puede encontrar una pega: no puedes mantenerlo en marcha más de ocho kilómetros. Cuatro kilómetros de ida, y cuatro de vuelta: luego hay que recargar las baterías. Con el molino, no cuesta mucho, ¿ven? Ahí pueden disponer de toda la energía que quieran. En invierno, da mucho trabajo, pues tenemos que atender las compuertas y demás, pero merece la pena. He dejado mi automóvil en la puerta esta mañana para llamar su atención… ¿Lo he conseguido?

—Ya lo creo —contestó el Sr. Campion, sin faltar a la verdad.

—¡Ajá! He discutido con Hal al respecto. Él decía que un coche así espantaría a cualquiera. En breve iré a ayudar a Despistado, porque tenemos que meterlo en el cobertizo para recargar la batería… Solo disponemos de una.

—Ayudaremos a empujar —dijo Eager-Wright, que parecía ansioso por servir de la manera que fuera.

La chica se volvió hacia la puerta pero la Srta. Huntingforest la detuvo.

—¡Amanda, ese es el único vestido decente que tienes!

—¡Oh, sí, claro! Se me olvidaba. Voy a cambiarme. De todas formas, ya han decidido quedarse… No creo que mi ropa de trabajo los disuada.

La Srta. Huntingforest parecía albergar ciertas dudas al respecto, pero no añadió nada más, y la chica salió a toda prisa.

—Si les interesan las antigüedades… —comenzó tía Hatt, pero cierta confusión que provenía de la sala adyacente la interrumpió.

Entonces escucharon la voz de Guffy.

—En serio, no es para tanto —decía—. Es solo un rasguño… Nada más.

En ese mismo momento, la puerta se abrió y una chica que no podía ser más que Mary, la hermana de Amanda, entró en la cocina con Guffy a la zaga. Les seguía un chico de unos dieciséis años.

Mary Fitton tenía el pelo de Amanda, los ojos de Amanda, pero carecía de la vitalidad de esta. A cambio, la Naturaleza la había dotado de una gracia única y de una expresión que, aunque resultaba bastante grave, también era sumamente atractiva.

El chico también era pelirrojo, pero sus rasgos eran más hostiles.

Ambos muchachos estaban tremendamente excitados, y Guffy, algo pálido y ligeramente aturdido, caminaba a grandes zancadas entre los dos. Estaba en mangas de camisa, y su mano derecha permanecía firmemente cerrada sobre su antebrazo izquierdo, que estaba cubierto de sangre.

—¡Vamos, póngalo bajo la bomba! —le ordenó Mary.

Se dirigió a él como si le conociera desde hacía mucho tiempo. Campion supuso que también ella debía de tener el don familiar para hacer amigos.

Todos se arremolinaron en torno a Guffy, que permanecía de pie junto al fregadero, mientras el joven Hal bombeaba agua sobre su brazo herido.

—¡Recórcholis! —exclamó la Srta. Huntingforest—. Es un arañazo bastante profundo. ¿Cómo se lo ha hecho?

Después de unas apresuradas presentaciones, Guffy se explicó.

—Estaba…, eh…, investigando un telar que hay allí arriba…, interesantísimo…, cuando una de las tablas se rompió y yo perdí pie y… —dijo—. En fin, la Srta. Fitton me vio y se apiadó de mí…

—Estaba podrida —dijo la Srta. Huntingforest—. ¡Mira que lo he dicho veces! Podía haberse matado.

—No ha pasado nada —se apresuró a tranquilizarla Guffy—. Es solo que, al tratar de salir, como un tonto, me he arañado el brazo con un clavo de unos quince centímetros. Me había quitado la chaqueta para poder examinar el telar más cómodamente, y, claro, me he hecho un leve rasguño…

—¡Un leve rasguño! —dijo tía Hatt—. ¡Si va a necesitar puntos! Espere un momento: le haré un torniquete y luego podrá lavarse bien la herida.

Mary miró de reojo a su tía.

—Me parece que es mejor que le llevemos a ver al doctor Galley —sugirió—. ¡Usted, cállese!—añadió, cuando Guffy abría la boca para decir algo—. No puede ir por ahí con semejante herida. Si no se la cose de inmediato, le dará problemas…

Hal sonrió a Guffy con un aire de superioridad.

—Es un poco mandona —explicó—. Pero me parece que en este caso lleva razón, ¿sabe? Mire, le acompañaremos. Galley es buen hombre; casi nunca hace daño. También saca muelas…, si alguien lo necesita.

Tras las esperadas protestas, Hal y Mary, acompañados por Eager-Wright, acabaron conduciendo a su presa a la casa del médico.

Todos parecían haberse olvidado del Sr. Campion, que se sentó en una esquina de la sala y se dedicó a contemplar, a través de la puerta abierta, las hojas trémulas y la corriente del río. La cocina se había quedado extrañamente silenciosa tras aquella algarabía. En verdad, era una construcción admirable. Como todas las casas viejas, tenía cierta elegancia somnolienta que, en un mundo que gira enloquecido, era a la vez tranquilizadora y reconfortante.

Dejó que sus pensamientos vagasen, ociosos. Se fijó en las delicadas tallas góticas de la chimenea de piedra; olfateó, sin dejar de apreciarlos, los olores entremezclados del alhelí y las galletas que se cocían en el horno; y se preguntó cómo esos vándalos que se abalanzan sobre los monumentos antiguos y los deshacen piedra a piedra para que realcen la fría y húmeda soledad de los museos podían haber pasado por alto aquella joya.

Pero Amanda, que bajaba bailando las escaleras con su «ropa de trabajo», interrumpió sus reflexiones. A primera vista, parecía haberse quitado unos diez años de encima. Su esbelta figura estaba cubierta por un viejo jersey marrón y una falda, que había encogido tanto con los lavados que se le pegaba como una segunda piel. La única concesión que había hecho a la vanidad era un pañuelo amarillo y rojo que se había colocado alrededor del cuello.

—¡Hola! —saludó—. ¿Dónde están los demás?

El Sr. Campion le explicó lo que había pasado. Una sombra cruzó el semblante de Amanda.

—Vaya, así que el suelo ha terminado cediendo… Despistado y yo pretendíamos arreglarlo con unas tablas nuevas fabricadas con haces de leña. No resultarían cómodas para andar, pero al menos serían seguras. Lo siento de veras. ¿Es grave?

—Me parece que no. Me dio la sensación incluso de que lo estaba disfrutando —dijo Campion con sinceridad—. Su hermana se ha encargado de él. Ahora lo ha llevado al médico.

Amanda se quedó callada. No parecía muy contenta.

—Yo he preferido no ir —prosiguió el Sr. Campion—. Creo que habría sido como unirse a la multitud que se congrega alrededor de un accidente. Por cierto, espero que ese médico suyo no sea demasiado rústico. No se dedicará a la zapatería en sus ratos libres, ¿verdad?

Ella negó con la cabeza.

—¡Oh, no…! El bueno de Galley es un gran profesional, en serio.

La chica, que en aquellos momentos parecía casi una niña, no paraba de deambular por la sala.

Algo impulsó al Sr. Campion a dar un palo de ciego.

—Tengo que regresar con Lugg —dijo—. Es mi criado. Últimamente, está un poco raro… Ayer mismo salió a dar un paseo y volvió con una historia ridícula acerca de un cadáver que había encontrado en el páramo…

Se detuvo bruscamente. Había una mezcla de alarma y desafío en la mirada de la muchacha.

—¿Le apetecería…? —le preguntó con un tono que le advertía de que no debía seguir de ningún modo—. ¿Le apetecería ir a ver el molino?

—¡Espléndida idea! —dijo el Sr. Campion con amabilidad.

Su tono y su expresión eran amistosos, pero a sus pálidos ojos sagaces y escrutadores no se les había escapado que las mejillas de Amanda estaban tremendamente pálidas ni que sus labios habían comenzado a temblar.

Capítulo VI

Lenguas en árboles

—¡No empuje tan fuerte! ¡Pare! Espere un momento o la mandará directa al río.

Amanda, sin aliento y sonrojada por el esfuerzo, se aferraba a la arcaica dirección de la berlina.

El Sr. Campion, que empujaba el engorroso vehículo por la peligrosa pendiente que subía hasta la cochera del molino, obedeció.

—Si al menos Despistado fuera un chófer en condiciones… —observó Amanda mientras cubrían aquella tatarabuela del transporte eléctrico con una vieja mortaja de lona listada—. Si Despistado fuera de verdad nuestro chófer, él mismo se encargaría de empujar.

—Es verdad —dijo el Sr. Campion, animadamente—. O si fuera un caballo.

Amanda lo contempló con frialdad.

—Ha admitido que cuando ha visto el coche aparcado en la entrada le ha causado una buena impresión —dijo, con dignidad—. Probablemente, es usted, como Hal, una de esas personas que no creen en la primera impresión. Pero yo no soy así. Las apariencias importan una barbaridad.

—¡Oh, desde luego! —dijo el Sr. Campion—. Pero conocí a un tipo que llevó demasiado lejos ese principio. Se llamaba Gosling,[8] ¿sabe?, y siempre iba vestido de gris y amarillo. De vez en cuando hasta se ponía un gran pico postizo. La gente recordaba constantemente su apellido, claro. Pero a su mujer no le gustaba nada. Sus hijos eran de lo más vulgar, no habían salido de un huevo, y eso le supuso un disgusto. Y al final acabó mudándose a una casa de madera que en vez de ventanas tenía listones y cuya puerta principal se abría con una polea del tejado. En la verja había colocado un buzoncito muy apañado en el que ponía: «El corral». Al poco, su mujer lo dejó y las autoridades locales se vieron obligadas a intervenir. Pero ya veo que no me cree.

—¡Oh, al contrario…! —dijo Amanda—. Si esa mujer era yo… Venga a ver el molino.

Las hojas grises proyectaban sus sombras danzarinas en las paredes blancas, el agua era cristalina, y el aire, cálido, cuando cruzaron el patio y entraron en el fresco edificio, que olía un poco a moho.

—Aquí arriba no hay mucho que ver —le advirtió Amanda—, salvo mi dinamo, que le suele gustar a todo el mundo. Es nuestra más preciada pertenencia. Luego está el telar de Mary. Teje bufandas y otras cosas de punto que le vende a una tienda de Londres. No es que saque demasiado con ellas, pero son bonitas de verdad. Y aquí no hay nada más, excepto el roble, que pertenece a Hal.

—¿El roble? —preguntó el Sr. Campion.

Ella asintió.

—Está ahí arriba, en la torre del molino. No es gran cosa, pero es lo único que nos queda de Pontisbright. En realidad, más que heredarlo, lo robamos… Aunque lo cierto es que nadie más lo quería.

Dicho esto se detuvo y se apoyó en uno de los pilares que soportaban el destartalado suelo del piso superior. Una de las viejas ventanas estaba abierta, y a través de ella se podía contemplar un

---

8. Cría del ganso.

vívido cuadro de prados verdes, árboles frondosos y un riachuelo retorcido que discurría suavemente hasta un lejano grupo de
mimbreras carmesíes y amarillas.

El jersey marrón ceñido y el pañuelo rojo y amarillo le daban a
la molinera un aire misterioso. Campion, que la miraba como un
búho tras los cristales de sus gafas, se preguntaba si todo aquello
estaba sucediendo en realidad.

Finalmente, el joven se sentó sobre una pila de sacos.

—Por supuesto —dijo la chica, como si estuviera leyendo los
pensamientos de su acompañante—, Hal es el legítimo conde de
Pontisbright. Bien mirado, tiene su gracia, ¿no le parece?

El Sr. Campion parpadeó.

—Depende de a qué se refiera con gracia —dijo con cautela.

—¡Oh, bueno, ese asunto del conde desaparecido…! La abuela
malvada, el bebé en la nieve y la justicia descarriada… ¡Qué bien
suena dicho así! ¿Quiere que le cuente la historia?

Campion tenía claro que era una pregunta retórica. Amanda,
siempre dispuesta a una buena charla, estaba especialmente dicha-
rachera.

—Bueno —dijo ella, antes de que él pudiera siquiera asentir—,
el último conde de Pontisbright, es decir, el último hombre que
vivió en el Hall…, tuvo dos hijos: el menor, que se llamaba Giles, y
uno mayor, que se llamaba Hal. En fin, Giles se marchó a EE. UU.
y nunca más se supo de él hasta que apareció tía Hatt. Ella es su
nieta. El hijo mayor se quedó con su padre y su madre, una mujer
terrible llamada Josephine. Pero cuando tenía aproximadamente
veinticinco años, se enamoró de una chica preciosa, Mary Fitton, y
acabaron prometiéndose.

»Mary Fitton vivía en Sweethearting con su padre, que era un
simple caballero.

Campion la escuchaba atentamente.

—No parece usted muy espabilado —dijo—. ¿Se está enterando
de algo?

—De todo —dijo Campion con sinceridad—. El hermano mayor del abuelo de tía Hatt estaba prometido a Mary Fitton, que era hija de un caballero. Supongo que él tuvo problemas con sus padres, ¿no? A aquellos petimetres que se daban la gran vida no debió de entusiasmarles la idea, ¿me equivoco?

—¡Oh, no! Solo tuvo problemas con la tatarabuela Josephine —se apresuró a aclarar Amanda—. Su padre estaba a favor del matrimonio y, aunque no hubiera sido así, poco podía hacer, pues el compromiso se había hecho oficial. Y, luego, claro, se desencadenó el conflicto de Crimea, y cierto día Hal le dijo a Mary que tenía que partir a la guerra a la mañana siguiente. Así que le pidió que se casaran de inmediato. Ella accedió, y juntos fueron a ver al pastor y lo convencieron para que oficiara la ceremonia. Aunque casarles a escondidas rozaba los límites de la legalidad, finalmente accedió a hacerlo. Hal y su padre se marcharon a la guerra, y ambos murieron en el campo de batalla. La condesa Josephine aprovechó la ocasión para negar que Hal y Mary estuvieran casados, así que el bebé que estaba en camino, el pequeño Hal, no heredaría nada cuando naciera. La condesa tuvo que sobornar o asustar al clérigo de algún modo, aunque tampoco parece que fuera un hombre de muchas luces, y el desgraciado acabó jurando y perjurando que no había existido tal casamiento… Y esa fue la forma en la que se perdió el título. Después de aquello, la tatarabuela Josephine lo vendió todo e hizo que derribaran la casa. ¿Todavía me sigue?

—Sí —contestó el valiente Sr. Campion—. ¿Puedo contarle yo después la historia de mi vida?

Amanda, sin prestarle atención, prosiguió:

—Mary Fitton tuvo problemas con su familia, pero el pequeño Hal, aunque pobre, era sin lugar a dudas un Pontisbright: su fiereza daba buena prueba de ello. Cuando creció, se marchó a Londres e hizo algo de dinero. Allí se casó y tuvo un hijo, al que también puso por nombre Hal, y ese Hal era mi padre. En fin, que mi padre volvió aquí, compró el molino y revindicó el título para sí. En realidad, poco le importaba, pero le había prometido a su padre que lo haría, para honrar la memoria de la primera Mary Fitton. Como no tenía documentos que lo avalaran, perdió el recurso ante la ley. Luego, la guerra se los llevó, a él y a su dinero, y solo nos dejó una renta de cien libras al año. Y esa es nuestra historia… Bueno, la historia de la condesa Josephine, que explica por qué Hal es el heredero legítimo. Me cree usted, ¿verdad? —prosiguió, ansiosa.

Tras sus gafas, los pálidos ojos del Sr. Campion sonrieron sin dejar de contemplar la hermosa imagen de aquella chica entre el verde paisaje. Al fin y al cabo, reflexionó, si la berlina eléctrica era real, ¿por qué no iba a serlo la historia del legítimo conde?

—Por supuesto que es verdad —afirmó Amanda, irrumpiendo en sus pensamientos—. Y por eso robamos el roble. ¿Quiere verlo? Estos peldaños no son demasiado seguros, así que lleve cuidado.

Y, dicho esto condujo hasta una escalera bastante inestable que llevaba al piso superior.

—Ahora no tengo tiempo de enseñarle todo esto —se disculpó, señalando vagamente el gran cobertizo polvoriento en el que se encontraban—. El roble está en la torre. Hicieron falta seis hombres para subirlo, sin contarme a mí.

La torre del molino resultó ser un cuartito de madera construido sobre la estructura principal. A medida que iban subiendo, el aire se volvía más caliente y el olor a cerrado se hacía más insoportable. En ese momento se escuchó el sonido de unos pasitos que solo podían pertenecer a un ominoso dueño.

—¡Ratas! —observó alegremente la muchacha—. Están por todas partes. Me encanta cazar ratas… Bueno, pues aquí lo tiene. Este es nuestro famoso roble.

Y le mostró una ancha sección del tronco de un árbol, de unos diez centímetros de alto, que permanecía apoyada en la pared, bajo la ventana.

—Lo robamos… O, bueno, digamos que simplemente nos lo llevamos —dijo sin poder ocultar el orgullo.

—Muy audaz por su parte —murmuró amablemente Campion—. ¿Y dónde estaba exactamente?

—En el árbol, por supuesto —respondió ella—. Si le interesa de verdad, se lo cuento, pero si no, me guardo la historia para otro momento. —Y, como de costumbre, prosiguió sin siquiera esperar a que él respondiera—. Para empezar, se supone que el árbol al que pertenecía este fragmento fue plantado hace cientos de años por el primer Pontisbright. Estaba justo en el centro del parque, junto al Hall. Y era famoso en todo el condado. Pero, luego, hace ya mucho tiempo, probablemente hacia el 1700, se partió por la mitad. De modo que talaron la parte que quedaba hasta que se quedó más o menos a la altura de una mesa y colocaron encima un reloj de sol de latón. Cuando la condesa Josephine vendió la casa, vendió también con ella el reloj, así que lo desatornillaron y se lo llevaron. Bueno, pues nosotros encontramos el árbol… O, mejor dicho, Mary y padre lo encontraron, cuando Mary una niña…, y nos llevamos este trozo. Tengo entendido que les resultó complicadísimo cortarlo. Yo era muy pequeña y no me enteré de gran cosa, pero, en todo caso, aquí está.

La pálida cara del Sr. Campion no expresaba emoción alguna.

—Es bonito —se limitó a decir—. Pero ¿por qué os lo llevasteis?

—Por la inscripción, claro —dijo la chica—. En la madera, justo debajo de donde estaba el reloj de sol, había una inscripción llena de muescas y casi oculta por el musgo. Pero ya no está. Yo misma me encargué de lijarlo. Si me ayuda a empujar un poco… Pesa horriblemente, así que ande con cuidado… Y así le mostraré a qué me refiero.

El Sr. Campion estaba descubriendo a marchas forzadas que la proximidad con Amanda siempre entrañaba unos esfuerzos físicos extenuantes. Se quitó la chaqueta, y entre los dos consiguieron desplazar el gran disco de madera sobre el suelo, con bastante delicadeza, hasta que quedaron a la vista unos signos toscamente grabados en la superficie oscurecida. Unas grietas habían desfigurado las letras en algunos lugares, pero la tremenda profundidad de la talla y el tamaño de los caracteres habían ayudado a preservarla.

El escrito se componía de ocho líneas y cada letra mediría unos ocho centímetros de alto.

El Sr. Campion no dijo nada, y entonces la chica se arrodilló y, pasó un dedo índice un tanto mugriento sobre las palabras mientras leía. El joven, inclinado sobre ella, seguía su dedo con una expresión embobada.

—«Si un Pontisbright quisiere coronarse,
Tres extraños sucesos deben darse.
El diamante en dos debe partirse,
Si la corona quisiere ceñirse.
Tres veces la campana ha de sonar,
Antes que el cetro pudiere empuñar,
Y antes de sus derechos obtener,
Tocar debe el tambor de Malplaquet».

El Sr. Campion parecía más distraído que nunca.

—¿No le parece que suena bastante alegre? —preguntó la muchacha.

—Perdone —comenzó con cierta inseguridad—, es probable que al bueno de Wright le apetezca escribir algo sobre esto en su libro… Y a mí me gustaría llevarme una copia para mi diario personal… Aunque hay una cosa que no consigo entender: si el árbol fue talado hacia el 1700 y sobre el tocón colocaron directamente un reloj de sol… ¿Cómo pudieron tallar esa inscripción debajo, en la madera?

—¡Oh, nosotros hemos elaborado nuestra propia teoría! —exclamó Amanda—. Es bastante sencilla, en realidad. Verá, creemos que esta inscripción es un acertijo cuyo autor fue el suegro de la condesa Josephine. Se pasaba el día escribiendo versos. Madre conservaba algunas de sus cartas, y en ellas solía arrancarse con ripios de ese tipo. Verá —prosiguió con semblante serio, pues estaba haciendo un esfuerzo para que Campion la entendiese—, en realidad sospechamos que la talla se realizó después de que colocasen el reloj de sol. Alguien tuvo que desatornillarlo, realizar la inscripción y después volver a colocarlo en su sitio… Y todo esto lo dedujimos del estado en que se encontraban las letras cuando nosotros las descubrimos…

—Con lo cual, la inscripción tuvo que hacerse hacia 1820, ¿no? —aventuró el joven, levantando la mirada del sobre en el que había estado garabateando—. Oiga, esto es un material de incalculable valor para el libro de Wright… Nada como una o dos inscripciones misteriosas para dar un toque de autenticidad a la obra de un escritor… A los editores les va a encantar… Bien, bien, bien… Le voy a dar una alegría…

—¿Y no cree que ya va siendo hora —soltó entonces ella, mirándolo con firmeza— de abandonar toda esa farsa de las vacaciones? Sabemos perfectamente quiénes son. Por eso teníamos tanto interés en que vinieran a alojarse con nosotros. Y por eso le he mostrado el poema. ¿Le interesa o no?

El Sr. Campion se quedó en silencio unos instantes. Amanda parecía ligeramente incómoda.

—En fin —continuó con firmeza Amanda—, quizá lo mejor sea que se lo explique todo ahora mismo. Verá, hará cosa de una semana, una persona muy desagradable que fingía ser un catedrático de no sé qué se presentó en la puerta y nos sometió a Mary y a mí a un escrupuloso interrogatorio sobre el asunto: ¿conservábamos la talla?, ¿habíamos oído hablar de aquellas inscripciones?, y mil preguntas más de ese tipo. Naturalmente, nos cerramos en banda… Me dio tan mala espina que hice trasladar aquí el roble, por si acaso…

—¡Vaya! —dijo el Sr. Campion sin alterar un ápice su expresión—. ¿Le llamó la atención alguna cosa más del supuesto catedrático?

—No tenía un pico de pelo, si es a eso a lo que se refiere —respondió Amanda—. Era un individuo achaparrado de lo más vulgar. En realidad, no hizo nada tan malo como para tirarlo al caz, pero no nos gustó una pizca.

—Ya veo —dijo el Sr. Campion—. Y, dígame, ¿qué es lo que le ha llevado a confiar en mí con tanta tranquilidad? ¿Tal vez la honestidad que emana de mi persona?

—No —contestó Amanda—. Se lo acabo de explicar: sabíamos quiénes eran. Tía Hatt era amiga íntima de la Sra. Lobbett y de su marido, que viven en el sur, no sé dónde exactamente, y ellos le pusieron en antecedentes sobre usted. ¿Sabe de quién le estoy hablando? El nombre de soltera de la mujer era Biddy Pagett.

El Sr. Campion miró por la ventana con aire pensativo.

—Por supuesto que me acuerdo de Biddy. ¡Cómo iba a olvidar a Biddy...!

Amanda echó una mirada de reojo, rápida y astuta, en su dirección, y se apresuró a cambiar de tema.

—Cuando el bueno de Honrado Bull nos envió recado de que había unas personas que querían hospedarse en nuestra casa, también nos dijo sus nombres, claro está. Entonces celebramos un consejo de guerra y entre todos decidimos que usted era nuestro hombre, que necesitábamos su ayuda... Espero que no le moleste.

El Sr. Campion, lanzándole una mirada seria desde detrás de sus gafas, se volvió hacia ella.

—Amanda —dijo—, debemos mantener esto en secreto.

Ella asintió.

—Lo sé. —La muchacha echó la cabeza hacia atrás y se pasó un dedo por los labios—. De mi boca no saldrá ni una palabra —dijo—. Pero, si podemos colaborar en algo, dígannoslo, ¿vale?

Él se sentó sobre el alféizar de la ventana.

—¿Y está, pues, al tanto de todos los detalles de mi ilustre vida?

—Me temo que no llego a tanto —contestó Amanda, alicaída—. Tía Hatt tampoco le conoce tan bien... Había oído su nombre, y sabía que estuvo implicado de algún modo en la aventura de Mystery Mile.[9] Y averiguamos que actualmente vive en Bottle Street y que tiene un criado que estuvo preso.

—Fue ladrón, en otros tiempos —explicó el Sr. Campion—. Pero intente no mencionar lo de la prisión en su presencia. A Lugg no le gusta nada que le recuerden lo de su «educación universitaria». Me temo que a ninguno de los «graduados» del reformatorio le entusiasma demasiado. Y, ya puestos, ¿tiene que contarme algo más?

—Eso es todo —respondió Amanda—. En realidad, usted y yo no nos conocemos de nada, ¿verdad? Es solo que tenía la esperanza de que, con su llegada, algo cambiara. Y, aprovechando que estamos hablando de ello, me gustaría que supiera que creo que formaríamos un buen equipo…

—Formar un buen equipo es fundamental —dijo Campion—. A veces, pienso que eso es en realidad lo que el poeta quería decir cuando hablaba de Orfeo con su «liga».

—Probablemente —dijo Amanda—. Hicieron árboles, ¿no?[10] Lo cual me recuerda que tenemos que volver a poner el tocón en su sitio.

Cuando devolvieron el roble a su posición original y el Sr. Campion se puso de nuevo la chaqueta, bajaron al molino. Justo antes de que salieran al patio, él posó una mano en el brazo de ella.

—¿Qué pasó en el páramo ayer noche? —preguntó.

La muchacha se estremeció y, sin poder evitarlo, echó un rápido vistazo a su espalda, como si tuviera miedo de que un público invisible les estuviera escuchando. Cuando se volvió de nuevo hacia él, su hermosa cara estaba muy seria.

---

9. *Mystery Mile*, publicada en 1930, es la primera novela protagonizada por Albert Campion, que en ella se enamora de Biddy Pagett.

10. Referencia a William Shakespeare, *Enrique VIII*, acto III, escena I.

—Eso no tiene nada que ver —contestó—. No puedo explicár-selo, pero debe olvidarlo.

El Sr. Campion anduvo tras ella hacia la luz del sol.

Capítulo VII

El valle de Caín

—Lo que más me gusta de este pueblo es lo amables que son todos —iba diciendo Eager-Wright a sus amigos mientras cruzaban el páramo tras la cena aquella misma tarde.

—Tienes razón —convino Guffy, muy animado—. La gente de campo no suele ser tan servicial. ¿A ti qué te parece, Campion?

El pálido joven con las gafas de montura de cuerno que caminaba junto a los otros dos levantó la mirada sin abandonar su gesto habitual de amable simpleza.

—Oh, a mí también me resulta muy agradable —dijo, alegre—. Todos son muy amables y serviciales. Mientras eso no nos lleve al *servicio* más antiguo del mundo…

—¿Y cuál es ese *servicio*? —quiso saber Guffy.

—El servicio de difuntos —contestó Campion de inmediato.

—Tal y como me encuentro ahora mismo, hasta lo agradecería … —dijo Eager-Wright—. Es una chica increíble, ¿no os parece?

—¡Encantadora! —coincidió Guffy, con inesperado entusiasmo—. Encantadora. Nada de esas bobadas modernas. Dulce y, ya sabéis, bueno… —tosió—, muy femenina. Refinada, discreta…

—¿Eh? —Eager-Wright parecía sorprendido—. Si piensas que trabajar con las dinamos y las esclusas de un molino y pasarse el día levantando sacos de harina es una ocupación femenina, no quiero ni imaginarme lo que supones que hacen las mujeres «masculinas».

—¡Repámpanos, no estaba hablando de la cría! —repuso Guffy con dignidad—. Me refería a la hermana mayor. Espero que no se te esté pasando por la cabeza ponerte a asaltar cunas ahora, Wright.

—Tú solo la has visto con su «ropa de trabajo», como la llama ella —dijo Eager-Wright—. Con ese atuendo, parece demasiado joven, lo reconozco.

—¡Por Dios! Parece que tiene diez años… —dijo Guffy, con frialdad—. ¿Cuántos años tiene? ¿Catorce? Pero está claro que son muy buena gente. Es una pena que perdiesen su título nobiliario…

Los tres jóvenes iban a hacer una visita. Aquel mismo día habían recibido un mensaje en el que el Dr. Edmund Galley, tras describirse como «un viejo erudito alejado de la conversación ilustrada moderna», les había rogado a los tres «visitantes de nuestro pequeño santuario» que pasaran por su casa, la vivienda blanca que se encontraba frente a la iglesia, para compartir con él unos tragos de oporto después de la cena.

Campion, que llevaba dicha nota en el bolsillo, la sacó para releerla. Era un mensaje extraño, escrito con una letra tan abominable que al principio solo Amanda fue capaz de descifrarlo. Aunque el papel era de calidad, había amarilleado por los años, y, curiosamente, en la dirección del remitente podía leerse: «La Rectoría».

Amanda les contó que en realidad el pueblo de Pontisbright ya no tenía su propio clérigo y que un vicario de otra parroquia iba en bicicleta desde Sweethearting un domingo sí y otro no para decir misa en la pequeña iglesia normanda.

Guffy miró de reojo el papel que Campion sostenía en la mano.

—Un tipo la mar de raro, ¿no? —dijo—. Pero esta mañana me cosió el brazo con maestría. Tiene pinta de duende, por cierto.

—¿Os habéis percatado —observó Eager-Wright— de que a los habitantes del molino no les ha hecho mucha gracia que viniéramos aquí esta noche?

Guffy se volvió hacia él.

—Yo también lo he pensado —dijo—. ¿Por qué tienes tanto interés en ir, Campion?

—Por razones pedagógicas, fundamentalmente —dijo el joven de las gafas—. No existe pasatiempo mejor para infundir en el caballero joven un Conocimiento Exhaustivo de la Vida y Dignidad de Modales que el ejercicio de la conversación cortés con sus mayores. Es una de las máximas de mi manual de etiqueta.

—Por cierto —dijo Guffy, haciendo caso omiso del estallido de pedantería de su amigo—. Se me olvidaba... He oído una historia que resulta bastante ilustrativa sobre el buen doctor. Por lo visto, este heredó la casa, con los muebles, la biblioteca y todo su contenido, de su tío abuelo, el último titular de la sinecura. La rectoría no era de su gusto, así que se construyó esa casa blanca. El tío vivió hasta los noventa y cinco años más o menos, y cuando falleció le dejó sus propiedades, además de una pequeña renta, a nuestro Edmund Galley, que a la sazón era un estudiante de Medicina sin un penique. Eso sí, le impuso una única condición: que se estableciese aquí. Galley aceptó el legado y abrió una consulta en el pueblo. Desde entonces deben de haber pasado ya sus buenos cuarenta años. Como no había más galenos en quince kilómetros a la redonda, es de suponer que al señor Galley no le habrá ido del todo mal...

El Sr. Campion seguía sumido en sus pensamientos.

—Si el tío tenía noventa y tantos años —dijo—, y nuestro amigo actual, el hospitalario doctor, que espero que nos vaya a ofrecer un oporto que heredase con la casa, lleva aquí cuarenta años, su tío debió de ser nombrado rector de Pontisbright alrededor de 1820. Si estoy en lo cierto, bien pudo ser el pastor con pocas luces al que chantajeó la malvada condesa Josephine.

—No tengo ni idea de a dónde quieres ir a parar —dijo Guffy con dignidad—. ¿Lo sabes tú?

—A grandes rasgos, sí —dijo juiciosamente el Sr. Campion—. Bueno, ya hemos llegado. Crucemos el jardín con aire de jóvenes ilustrados modernos. ¡Que el más valiente de entre nosotros haga sonar la campana!

Una vez allí, descubrieron que la casa blanca, que tan moderna les había parecido comparada con las viviendas con techo de paja de Pontisbright, resultó ser, al inspeccionarla de cerca, mucho más antigua de lo que habían supuesto en un principio. El jardín estaba bien cuidado, pero le hacía falta un repaso, pues de los macizos de flores asomaban gran cantidad de malas hierbas cuyos acres aromas espesaban el aire de la tarde.

Con el paso de los años, los escalones que conducían a la casa se habían llenado de musgo. Una vez arriba, se dieron cuenta de que la puerta del recibidor estaba abierta. Una extraña figura salió del oscuro interior de la vivienda: era el Dr. Edmund Galley, que, canturreando, había salido a recibir a sus invitados.

A primera vista, su aspecto resultaba un tanto excéntrico, al menos en lo tocante al atuendo. Y es que el doctor se había puesto un esmoquin que debía de haber sido confeccionado en una época en que los hombres se arreglaban y se escondían en guaridas de tafilete para fumar en pipa como si fuera parte de un rito secreto que requiriese ciertas dosis de fortaleza y paciencia. Pero lo que resultaba realmente chocante es que debajo llevaba un pantalón de franela de lo más corriente.

La redonda y afable cara del doctor, que parecía la de un rechoncho bebé viejo, asomaba por el cuello de aquel despliegue de magnificencia textil.

Saludó a Guffy como a un viejo amigo.

—¡Muchacho, cuánta bondad demuestra viniendo a hacer compañía a un anciano! ¿Qué tal el brazo? Espero que se esté curando. ¡En estas tierras más vale llevar cuidado!

Guffy se encargó de presentarle a los demás y, una vez concluido el ceremonial, todos siguieron a su anfitrión a lo largo de un recibidor oscuro que daba a una habitación a través de cuyos ventanales se divisaba un campo de flores.

La casa entera parecía impregnada del olor, extraño pero en absoluto desagradable, de las hierbas del jardín. La primera impresión que se llevaron de la habitación fue que nadie debía de haber accedido a ella, ni siquiera la escoba de la doncella, desde hacía muchos años.

La sala no parecía pegar mucho con la apariencia del doctor. A pesar de las grandes ventanas, estaba sumida en la penumbra, y los muebles compartían una única y desconcertante característica: todos eran de líneas redondeadas. Guffy llegó a la conclusión de que el rector de Pontisbright debía de haber tenido buen gusto, y medios considerables para costearse sus caprichos, para un hombre de su profesión.

Un enorme escritorio sinuoso y retorcido, toda una monstruosidad barroca, cubría, casi por completo, una de las paredes. Incluso las sillas habían adquirido aquella simpática costumbre de ondularse y retorcerse, de manera que daba la sensación de que uno las estuviera viendo reflejadas en un espejo deformante.

El pequeño doctor se percató del gesto de extrañeza en el semblante de Eager-Wright e, inesperadamente, soltó una carcajada divertida entre dientes.

—Menuda habitación para echar un trago, ¿eh, muchacho? —dijo—. Cuando llegué aquí, más o menos a su edad, y entré en esta sala, pensé que estaba borracho. Ahora ya me he acostumbrado. Pero lo cierto es que si en algún momento dudo de si he bebido más de la cuenta, me acerco a la mesa de mi consultorio y, si sus patas me recuerdan a las de los muebles de este gabinete, ¡mecachis!, ya no me cabe ninguna duda de que estoy borracho como una cuba.

El doctor miraba fijamente a Eager-Wright. No tardaron mucho en descubrir el motivo de su interés.

—He oído en el pueblo que está usted escribiendo un libro —observó, después de pedirles que se sentasen en las sillas que se encontraban junto a la ventana.

Su extraña voz recordaba al trino de un pájaro. Las frases que pronunciaba eran breves y entrecortadas, e inclinaba la cabeza ligeramente hacia un lado cuando preguntaba, lo que hacía que su parecido con el gorjeo de un ave se acentuara aún más.

—¡No se lo tome a mal! —prosiguió, ante la falta de respuesta del joven—. Aquí los desconocidos son un acontecimiento. Todo el mundo comenta la noticia. En mi ronda de visitas de esta mañana, solo me han hablado de su llegada. Un escritor se considera una rareza por estos pagos. Es un orgullo conocerlo, señor.

Eager-Wright, después de lanzar una salvaje mirada de reojo a Campion, sonrió a su anfitrión con la debida gratitud.

Guffy, al que le costaba mantener su enorme corpachón en equilibrio sobre la peculiar silla, contemplaba, apenado, la estancia. Para entonces ya estaba convencido de que la velada iba a ser una absoluta pérdida de tiempo.

—¿Un vaso de oporto? —ofreció el doctor—. Permítanme animarles a que lo prueben… Pertenecía a la bodega de mi tío. Yo no era un gran bebedor de oporto, pero este ha acabado por gustarme. La bodega estaba repleta de botellas de este licor cuando heredé la casa.

Y, dicho esto, abrió un armario que se ocultaba en el revestimiento de madera de la estancia y sacó una licorera y unas copas de una talla y un color tan exquisitos que no habría llamado la atención en absoluto encontrárselas expuestas en un museo. El rojo profundo y apetitoso del vino ya resultaba de lo más sugerente, pero solo cuando lo probaron se percataron de la extraordinaria calidad del oporto. Guffy y Campion intercambiaron una mirada, y Eager-Wright sostuvo su copa con más reverencia aún que antes.

—¿Ha…? ¿Ha dicho usted que le quedaban muchas botellas, señor? —aventuró.

—Una bodega llena de arriba abajo —dijo alegremente el doctor—. ¿A que es bueno? Debe de ser bastante añejo.

Un halo de pesadumbre se instaló sobre los invitados a aquella reunión. Que un hombre pudiera vivir durante años con una bodega repleta de tamaño vino y bebérselo, quizá incluso (¡sacrílega idea!) hasta emborracharse, sin ser consciente de su valor fue, al menos para Eager-Wright y Guffy, un descubrimiento desolador.

A medida que bebían, los amigos encontraban cada vez más natural el ampuloso modo de hablar del doctor. Sentado en un enorme sillón con la copa del preciado licor en la mano y las sombras de la habitación acentuando aún más el color oscuro de su esmoquin, aquella pequeña figura resultaba todo un personaje, un extraño personajillo que vivía en un extraño mausoleo aromático.

La conversación era bastante banal. El doctor manifestaba un total desconocimiento de los asuntos de actualidad, fueran del ámbito que fuesen. Se había quedado atrás en lo que a política se refería y, de hecho, los únicos nombres que le interesaban provenían de una época ya caduca.

Pero, en cambio, cuando alguno mencionó el estilo arquitectónico de la iglesia que se encontraba frente a su casa, el doctor abandonó su mutismo haciendo gala de una sorprendente sabiduría. Y su discurso no se apoyaba solo en conocimientos arcaicos, sino que venía avalado por un pensamiento original y sensato que los dejó boquiabiertos.

Gradualmente, a medida que iba transcurriendo la velada, las luces se fueron atenuando, de manera que la habitación quedó casi sumida en la oscuridad, y el escritorio barroco se fundió con las sombras que lo rodeaban. Los tres jóvenes se dieron cuenta entonces de que aquella cosa indefinible que habían detectado en el pequeño doctor, y que llevaban notando toda la velada, se estaba volviendo más y más fuerte. Ya sabían de qué se trataba: aquel hombre esperaba algo. De pronto, les quedó claro que estaba dejando pasar el tiempo, a la espera de un momento que sin duda debía de encontrarse ya próximo.

La charla se volvió incómoda y forzada. Guffy, incluso, había llegado a mirar su reloj de pulsera un par de veces.

Finalmente, el anfitrión, con una agilidad de pájaro que resultó vagamente desconcertante, se levantó de su asiento. Se acercó a la ventana y contempló el cielo.

—Vengan aquí —pidió—. Vengan, por favor. Tienen que ver mi jardín.

No les explicó por qué había aguardado hasta que la oscuridad fuera casi completa para enseñarles aquella parte de sus posesiones. Parecía que daba por hecho que su conducta no tenía nada de raro, así que los condujo, por un pasaje a una puerta lateral, al exterior. Una vez fuera, los guió hasta los parterres de flores y hierbas salvajes cuyo olor en el aire del anochecer se había vuelto casi sofocante.

—La Luna, Venus y Mercurio rigen el crecimiento de todas estas plantas —observó con cierto desinterés—. Es un concepto bastante pintoresco, ¿a que sí? Las flores del Sol, Marte y Júpiter se encuentran, en cambio, en el jardín delantero. Creo que estos jardines son mi única afición. Y me resulta apasionante. Pero no los he traído aquí por eso. Quiero que me acompañen hasta el final del jardín, justo ahí, encima del montículo. Se trata de un túmulo, ¿saben? Jamás se ha abierto, y no veo por qué habría de abrirse. No me parece bien eso de andar fisgoneando en las sepulturas, ni siquiera si es en beneficio de la ciencia.

Caminó delante de ellos por la pendiente de la loma artificial que de debía ser el túmulo de algún caudillo prehistórico. Iba saltando entre los árboles; cada vez les resultaba más parecido a un duende.

—¿Qué demonios estamos haciendo ahora? —murmuró entre dientes Guffy a Eager-Wright, que cerraba la pequeña procesión—. ¿Es que nos lleva a ver una amapola bajo el signo de Neptuno?

—Nos va a enseñar un ababol bajo el signo del alcohol —repuso el otro, suavemente—. O puede que en el fondo del jardín se escondan las hadas…

Guffy emitió un suave bufido, pero finalmente acabaron siguiendo a su anfitrión hasta lo alto del montículo y, una vez allí, se encontraron mirando un ancho valle que se abría a sus pies. Desde aquel lugar, Pontisbright se asemejaba a un conjunto de casas de muñecas; entre los campos sin cultivar que se extendían a lo largo del sinuoso valle, se acurrucaban cómodamente pequeñas viviendas. Hasta Guffy consiguió apaciguarse ante aquella imagen.

—Una vista maravillosa, señor —dijo—. ¡Por Júpiter! Desde aquí casi se alcanza a ver el valle del Bright[11] al completo.

El pequeño doctor lo miró con suspicacia. Cuando, al final, intervino, la inesperada seriedad de su voz los sobresaltó.

—El valle del Bright —repitió—. No, mi querido joven… Ya veo que no conoce el nombre autóctono. Por estos lares lo conocemos por el nombre de valle de Caín.

La frase los devolvió de un plumazo al asunto que los ocupaba. Se les hacía raro escuchar el antiguo nombre en boca de aquel hombrecillo tan extrañamente vestido y, para colmo, mientras se encontraban sobre un túmulo de su jardín.

Pero aquella no fue más que la primera de una larga serie de rarezas.

—¡El valle de los Malditos! —dijo—. Y eso, amigos míos, ¡ay!, es lo que es. —Extendió la mano, y el tono de su voz bajó hasta convertirse en un susurro—: ¿Ven? —preguntó—. ¿Ven las lucecitas que se encienden?

11. El valle del ficticio río Bright, que también puede traducirse como *Valle brillante* o *luminoso*.

Por supuesto que las veían, y constituían un hermoso espectáculo. Las luces iban encendiéndose sucesivamente en cada una de las casitas del pueblo, salpicando el cielo del atardecer de un amarillo enfermizo.

—Miren —dijo—, hay poquísimas. Cada año que pasa hay menos. Esta tierra está invadida por una plaga que no logramos alejar... Pesa sobre nosotros una maldición de la que no somos capaces de escapar.

Guffy abrió la boca para protestar, pero algo en la expresión de su anfitrión hizo que se callase. El hombrecillo había cambiado. Eager-Wright no estaba seguro de que las sombras fueran las únicas responsables de aquella transformación, pero lo cierto es que las facciones de la arrugada cara del doctor parecían completamente alteradas por una gran emoción. Sus ojos se mantenían impasibles y sus labios entreabiertos en una convulsa mueca dejaban a la vista las encías.

Pero, de repente, aquella expresión se desvaneció, y, cuando el hombre habló de nuevo, lo hizo en su habitual tono coloquial aunque, tal vez, con mayor solemnidad que de costumbre.

—La responsabilidad que asumo es grande —dijo lentamente—. Pero, si no se lo cuento yo, no sé quién se va a atrever a hacerlo. De cualquier modo, aunque se lo cuente, puede que ya sea demasiado tarde. En mi humilde opinión, los médicos tenemos un deber público pero también uno privado, y creo que en las actuales circunstancias el camino que me he trazado es el único posible...

Dicho esto, se volvió hacia los jóvenes y, sin apartar sus brillantes y ansiosos ojillos de sus caras, comenzó a decir:

—Soy bastante mayor que todos ustedes... El caso es que cuando esta mañana me enteré de que estaban aquí tome la decisión, aun a riesgo de parecer un simple metomentodo, de que iba a hacer todo lo posible para mantener una charla con ustedes y explicarles los hechos... Lo cierto es que cuando aceptaron mi invitación, bastante extraña viniendo de un completo desconocido, me percaté de que mi tarea no iba a resultar tan difícil como había supuesto en un principio. Me he dado cuenta de que son ustedes hombres sensatos y educados, y, tras la charla que hemos mantenido esta tarde, estoy todavía más seguro que antes de que solo un auténtico villano desatendería este deber que me he impuesto...

Los jóvenes, con una mezcla de curiosidad y asombro cortés en sus miradas, permanecían de pie sin poder apartar los ojos de él. Guffy, que en privado había decidido que un hombre que era capaz beber oporto del 78 sin reconocerlo tenía que ser a la fuerza un completo lunático no apto para vivir en sociedad, se sentía algo incómodo, pero Eager-Wright, en cambio, se mostraba visiblemente interesado. El doctor siguió:

—Mis queridos muchachos —intervino de nuevo—: ¡deben marcharse de aquí tan pronto como puedan!

—¡Vamos, vamos! —protestó Eager-Wright, a quien la culminación del discurso había dejado completamente atónito—. Yo también creo que el campo es para la gente de campo, pero, a fin de cuentas...

—Oh, muchacho, muchacho... —contestó con pena el pequeño doctor—, no estaba pensando en eso. Más bien pensaba en ustedes: en su seguridad, en su salud, en su futuro... Como hombre de medicina, les recomiendo que se vayan de aquí inmediatamente... Como amigo, si permiten que me considere tal, insisto en que se vayan. Miren, ¿por qué no volvemos a la casa? Creo que allí se lo podré explicar con más calma. Los he traído hasta aquí porque quería que vieran el valle. Pero volvamos... Intentaré justificarme por lo que ha debido de parecerles una salida de tono bastante poco hospitalaria...

De vuelta en la sala de estar barroca, con un quinqué junto a su codo, el Dr. Galley observó, pensativo, a los tres jóvenes que tenía enfrente. Había perdido mucho de la dignidad y el carácter impresionante que había mostrado en el jardín, pero, no obstante, se dirigió a ellos como un hombre repleto de autoridad, y sus ojos veloces y brillantes se dispusieron a tomar nota de las alteraciones que sufrían sus caras ante cada una de sus palabras.

Los tres jóvenes fueron respondiendo según sus temperamentos: Guffy se inclinaba por mostrar irritación, Eager-Wright estaba perplejo y el Sr. Campion parecía encontrar ciertas dificultades para concentrarse.

El doctor separó sus gordezuelas manos.

—Ya se pueden imaginar lo que me cuesta revelarles todo esto —dijo—. Este lugar es mi hogar, esta gente son mis amigos y mis pacientes, pero, a mi pesar, me veo en la obligación de contarles un terrible secreto. Aunque, antes, me gustaría rogarles que intentaran por todos los medios que la información que les voy a revelar no llegara a manos de un periódico. Lo último que queremos son comisiones reales o complejos hospitalarios que nos quiten la libertad.

Se enjugó el sudor de la frente, que brillaba. No había duda de que estaba sufriendo una gran emoción, y aquello avivó la curiosidad de los jóvenes.

—¿Se han dado cuenta… —preguntó el doctor, con repentina determinación— de que en el pueblo sucede algo raro? En todo el valle, a decir verdad. ¿No han notado nada?

Eager-Wright, sin mirar a Campion, dijo.

—La marca de la puerta —aventuró.

El pequeño doctor aprovechó sus palabras.

—¡La marca de la puerta! —repitió—. Exacto. La antigua marca de «Dios nos ayude», sin duda. ¿La han reconocido? Bien. Bueno, permitan que les explique… Cuando les he dado a entender que este pueblo está maldito, no he mentido en absoluto. Supongo que lo que se les ha venido a las mientes, al escucharme emplear la palabra «maldito» habrá sido la imagen de algo sobrenatural, algo fantástico. Bueno, pues no es el caso, claro está. La maldición que pesa sobre el valle de Caín y el pueblo de Pontis-bright es muy real… Se trata de algo que ningún exorcismo puede destruir, algo de lo que solo se puede escapar de una manera: ¡huyendo! Esa maldición, caballeros, consiste en una extraña enfermedad de la piel peculiarmente horrible, semejante al lupus. No voy a aturdirlos con su nombre médico. Baste con decir que por suerte es rara, pero también absolutamente incurable.

Todos lo miraban fijamente.

—¡Oh, no me tomen por loco! —exclamó—. Les garantizo que no soy la clase de hombre que les aconsejaría abandonar un delicioso destino de vacaciones solo porque dos o tres personas han contraído una enfermedad contagiosa en ese distrito. Cuando he dicho maldición, quería decir justamente eso: ¡maldición! Este valle está emponzoñado. El aire que respiran, la tierra por la que caminan, el agua que beben están impregnados, empapados, penetrados por la ponzoña. No hay escapatoria. ¿Qué pasaría si los hechos se difundieran? Las autoridades locales se verían obligadas a tomar medidas, la gente que ha vivido aquí toda su vida sería expulsada de sus casas, y este lugar se convertiría en un coto de caza para bacteriólogos… Y todo eso para nada. Por eso, y también por su propio bien, les pido que se vayan de aquí inmediatamente…

Guffy se puso de pie.

—¡Pero eso es increíble, señor! —dijo, con más brusquedad que nunca en su tono—. Le ruego me disculpe, por supuesto, pero ¿qué hay de las Srtas. Fitton? ¿Qué hay de la Srta. Huntingforest?

El pequeño doctor suspiró. Parecía hallar a Guffy extraordinariamente espeso.

—Puede que no me haya explicado bien —dijo, con paciencia—. Pensaba que me había usted entendido. Como suele ocurrir en este tipo de casos, los oriundos del área emponzoñada rara vez se ven afectados, por no decir nunca. La Naturaleza surte a su sangre de una antitoxina natural, es como una especie de vacuna. Las Srtas. Fitton son unas Pontisbright, y esa familia siempre se ha mantenido inmune a esta enfermedad. Me parece que es precisamente Behr quien lo menciona en un tratado que escribió sobre este asunto. La Srta. Huntingforest también es miembro de la familia, y, por el momento, también ella se ha librado de contraer la enfermedad.

Se quedó sentado mirándolos solemnemente. Las gotas de sudor brillaban aún en su frente, y mantenía los puños sobre el regazo.

—Por aquí circula la leyenda de que fue precisamente uno de los primeros Pontisbright quien contrajo la enfermedad durante la guerra y que su pobre esqueleto, que se pudre en el camposanto de aquí al lado, es el que sigue infectando todo el valle. Pero eso es solo un cuento de hadas, claro.

Guffy, perplejo, paseaba de un extremo de la habitación a otro en silencio. El Sr. Campion se recostó en su silla, que se encontraba en el rincón más oscuro de la estancia, y contempló los acontecimientos a través de sus gafas, mientras Eager-Wright mantenía los ojos fijos en el Dr. Galley.

—¿Puedo preguntarle, señor —dijo en voz baja—, cómo ha logrado usted librarse de la enfermedad todos estos años?

—No estaba seguro de que fueran a preguntármelo —dijo el hombrecillo, con tono triunfante—. Nada más llegar, puse en práctica un experimento cuyo sujeto fui yo mismo. A menudo he pensado que es la cosa más notable que he hecho en toda mi vida. Me inoculé el supuesto virus antes de que la vacuna hubiera sido descubierta y oficialmente reconocida por el Buró de Servicios Médicos. —Hizo una mueca—. Estuve a punto de matarme, pero, a la postre, tuve éxito. No fue agradable, y no voy a aburrirlos describiendo todos los detalles del proceso. El caso es que aquí estoy, vivo y coleando, y soy probablemente la mayor autoridad en esta enfermedad del mundo. Por cierto, tengo que pedirles que no mencionen nuestra conversación de esta tarde a la buena gente del molino. ¡Pobres chiquillos! Me temo que a veces las cosas no salen exactamente como uno quiere… Mi conducta esta velada supone una tremenda infracción de las leyes no escritas del pueblo, como pueden suponer, pero, en estas circunstancias, no sé qué otro camino podía haber seguido. Espero haberlos persuadido para que regresen a Londres.

—Lamento decirle que no lo ha hecho —dijo Guffy, categóricamente—. A fin de cuentas, tengo la firme intención de disfrutar de mis breves vacaciones sea como sea, y no me pienso mover de aquí.

El Dr. Galley, que obviamente no aprobaba esa decisión, separó las manos.

—Pues créame que lo siento —dijo—. Estoy seguro de que si pudiera ver con sus propios ojos a algunos de mis pacientes, cambiaría de idea. No constituyen un espectáculo muy agradable, se lo aseguro. Pero, bueno, es cosa suya. Estoy seguro de que comprenderá que, al advertirlos, solo estaba cumpliendo con lo que consideraba mi deber.

—¡Oh, por supuesto, claro, claro! —dijo, con su habitual tono bobalicón el Sr. Campion, al que no se podía distinguir bien en la penumbra—. Pero mi amigo, el Sr. Wright, quiere terminar su libro a toda costa… Y ya sabe lo cabezotas que se ponen los escritores…, siempre hay que estar luchando con el ego y todas esas cosas…Y eso nos coloca en un brete bastante incómodo, ¿sabe? ¿Qué podemos hacer entonces para protegernos de esta…, eh…, dolencia espantosamente desagradable que circula por aquí? Estoy seguro de que tanto Wright como yo estaríamos dispuestos a lo que fuera, dentro de un orden, claro. Los baños fríos son muy beneficiosos para la salud, ¿no?

Desde las sombras que inundaban la estancia, el doctor miró a su tercer visitante y pareció reflexionar durante unos instantes antes de responder a las extrañas preguntas del Sr. Campion.

—Bueno —dijo finalmente—, en realidad bien poco pueden hacer. Si siguieran mi consejo, claro está, se marcharían en su coche esta misma noche, pero, en lo que respecta a un método para evitar el contagio, no sé qué sugerirles. A no ser, claro, que quieran que les inocule la misma «vacuna» que yo mismo me administré. No es una inyección… Se trata de un simple ungüento que hay que untarse sobre las palmas de las manos, detrás de las orejas y en el pliegue del codo por la noche, antes de acostarse.

Hablaba con cierta reticencia, como si no le hiciera demasiada gracia hacerles semejante oferta. Después de mirar a Eager-Wright y a Guffy, esbozó una sonrisa nerviosa.

—Me temo que, viniendo de un médico, todo les resultará un tanto extraño… —prosiguió—, pero lo cierto es que cuanto más familiarizado está uno con una enfermedad, más fácil le resulta encontrar una vacuna. La receta me la dio un anciano que vivía al otro lado del páramo, hará cosa de unos treinta años. Era un viejo extraño, una especie de herborista… Y el caso es que con algunas personas ha funcionado… Voy a darles un poco, para que la prueben…

Cruzó la habitación con la presurosa delicadeza de un pájaro y salió a toda prisa al exterior.

El Paladín Hereditario y sus edecanes apenas si tuvieron tiempo de intercambiar miradas antes de que el hombrecillo regresara con un pequeño tarro de piedra atado con un trozo de papel en la mano.

—¡Aquí está! —exclamó—. Siempre tengo reservas a mano. Yo lo uso a menudo, pero debo advertirlos de que funciona pocas veces. Pruébenlo esta noche. Aplíquenselo generosamente. Pero, yo de ustedes, volvería a Londres… O…, perdón, he cambiado de idea… Será mejor que no lo usen… —prosiguió, extendiendo la mano para quitarle el tarro a Guffy.

El Sr. Campion intervino estrechando la mano extendida.

—¡Muy amable por su parte, muy amable…! —repitió con estupidez—. No me importa confesarle que nos ha dado un susto de muerte… Al fin y al cabo, una cosa así resulta siempre desagradable… Soy más que consciente de ello. Y le aseguro que si no fuera por el libro del bueno de Wright, nos largaríamos inmediatamente. Pero nosotros nos debemos al Arte, ya sabe. Lo cual me recuerda que quería hacerle una pregunta: ¿sabe usted dónde podemos encontrar el famoso tambor de Malplaquet de los Pontisbright?

Si estaba esperando que el pequeño doctor diera alguna muestra de sorpresa, debió de llevarse un chasco. El Dr. Galley solo parecía desconcertado.

—Nunca he oído hablar de él, muchacho —dijo con afabilidad—. ¿Malplaquet? Vamos a ver…, eso fue Marlborough,[12] ¿no? No, me temo que no voy a poder ayudarlos. Será mejor que le pregunten a Amanda. Es una muchacha extraordinariamente inteligente. Estoy seguro de que, respecto a ese asunto, ella podrá proporcionarles cualquier información que necesite. De cualquier modo, y volviendo al tema anterior, no me gustaría que pensaran —prosiguió, poniéndose serio de nuevo— que esto son solo los desvaríos de un viejo. El asunto es grave, y sé de lo que estoy hablando.

El doctor se quedó de pie en lo alto de la escalera, desde donde les despidió con la mano. Como había salido la luna, desde el camino aún divisaban su extraña figurita, embutida en su estrambótico esmoquin.

Fueron caminando en silencio y, cuando llegaron a un punto donde estaban seguros de que el doctor no alcanzaría a oírlos, Eager-Wright dijo:

—Perdonadme, pero si todo eso que nos ha contado resulta ser cierto, da un poco de grima, ¿no?

El Sr. Campion no contestó nada, pero Guffy le dijo:

—Me temo que debe ser cierto. Pero creo que aun así nos vamos a quedar. No nos queda otra. Es ridículo. Supongo que

12. El Dr. Galley se refiere a la batalla de Malplaquet, librada el 11 de septiembre de 1709 entre las tropas francesas y las de la Alianza, al mando del duque de Marlborough y Eugenio de Saboya.

el ungüento no servirá de mucho, pero nos lo aplicaremos, por si acaso.

Entonces sacó el tarro del bolsillo, y los demás se congregaron a su alrededor. Había luz suficiente para que distinguieran la gruesa marca negra de la tapa: una basta representación esquemática del sol. No había ninguna inscripción.

Cuando Guffy abrió, con mucho cuidado, el tarro, descubrieron que estaba medio lleno de una sustancia oscura de aspecto graso que despedía un olor particularmente acre.

El Sr. Campion sumergió su índice en el bote y se untó una pequeña cantidad del ungüento en la palma de la mano izquierda. A continuación, permaneció quieto unos instantes, con la cabeza ligeramente ladeada y una expresión pensativa en la mirada. De pronto, rompió a reír.

—¡Vaya! El anciano doctor hace gala de un inesperado sentido del humor —observó, y se limpió la mano con un pañuelo.

—¿Qué es? —Guffy cogió el tarro y lo olió con cautela—. ¡Deja de reírte como un idiota, Campion! ¿De qué está hecha esta crema infernal?

—De cebolla albarrana —contestó Campion con tranquilidad—. O, como nos gusta decir a los expertos en botánica: *Scilla marítima* o cebolla almorranera. Uno de los irritantes más potentes que conocía la antigua medicina herbal. Si te frotas con esta crema las palmas de las manos, detrás de las orejas y el pliegue de los codos, mañana tendrás una excelente cosecha de ampollas. Un sarpullido bastante llamativo y molesto… Suficiente, al menos, para que cualquier fulano ignorante salga pitando hacia Londres en busca de consejo médico experto. Es una pena que el pobre no esté al tanto de los últimos descubrimientos de la medicina moderna… Por lo que parece, no ha oído hablar de la escuela de la «automedicación», que ha hecho de todos nosotros unos grandes doctores. La historia de la epidemia le ha quedado bonita, pero no ha bastado para engañar a un hombre moderno como yo.

Guffy lo miró con sincero asombro.

—¿Quieres decir que el tipo estaba mintiendo? —preguntó.

—Pero, ¡recórcholis! —protestó Eager-Wright—, el hombre exudaba sinceridad por los cuatro costados.

El Paladín Hereditario, pensativo, miró de reojo a sus fieles.

—¿Verdad que *exudaba*? Yo también me he dado cuenta —dijo—. Pero no precisamente sinceridad. ¡Diantres, la verdad jamás hace sudar a nadie!

—Por supuesto que no —dijo Guffy despacio—. Es el miedo lo que hace sudar a los hombres.

—Eso mismo pensaba yo —convino el Sr. Campion—. ¡Qué curioso…!

Capítulo VIII

Inoportuno desconocido

—Hablando de poesía… —dijo de repente el Sr. Campion, cuando los tres jóvenes, sumidos en sus pensamientos, cruzaban el páramo de camino al molino—: no pocas ideas útiles han ardido en versos que Shelley habría despreciado. De la misma manera, las cosas por las que vale la pena jugarse los cuartos no se esconden en Tennyson.

—Interesante, sin duda —comentó Eager-Wright, cariñosamente—, pero, en este caso, no ayuda demasiado. No es buen momento para el palique, Campion.

El Paladín Hereditario pareció dolido, pero no ofendido.

—No es simple palique —repuso Campion—. Es mi manera de pensar… Paso tanto tiempo en el cine que he acabado por impregnarme de su cultura. Pero, si prefieres que lo diga con un tono más serio, trataré de expresarlo como lo habría hecho el primer ministro: «Acabo de tenerr una idea marravillosa que estoy a punto de difundirr… No al mundo, sino a vosotrros dos, mis leales colegas».[13]

---

13. El original trata de reproducir el habla escocesa para que el lector contemporáneo identificase a Ramsay McDonald, primer ministro británico en 1932.

Considerad esto: «Si un Pontisbright quisiere coronarse, tres extraños sucesos deben darse. El diamante en dos debe partirse, si la corona quisiere ceñirse»… No se puede ser más claro. «Tres veces la campana ha de sonar, antes que el cetro pudiere empuñar, y antes de sus derechos obtener, tocar debe el tambor de Malplaquet.» Ahí queda eso… Esos versos nos animan a comenzar una trepidante caza del tesoro a la antigua usanza. Está clarísimo: no tenemos más que buscar, partir el diamante, hacer sonar la campana y tocar un emocionante redoble en el tambor de Malplaquet. Y con el fin de evitar —prosiguió con un tono que, por algún motivo, sonaba absurdo bajo la luz de la luna— la gran cantidad de preguntas tediosas e irritantes que supongo querréis formularme a este respecto, os voy a contar cómo he conseguido esta información, poema, valentina o lo que fuere. Prestad atención, porque no quiero tener que repetirlo.

Dicho esto, les relató de forma clara y concisa su aventura con Amanda en el molino aquella mañana. No puso ninguna objeción a repetir el ripio cuando se lo pidieron. Guffy parecía entusiasmado.

—En fin, bueno, eso es bastante… concluyente, ¿no? —dijo resplandeciente de emoción—. Nos pone sobre la pista de todo lo que tenemos que encontrar: la corona, el cetro…, que en realidad se corresponde con el estatuto y el derecho de nacimiento… ¡Vamos, con la escritura! ¿Por qué te lo has guardado durante tanto tiempo, Campion? Ya sabemos por dónde empezar… De hecho, no tenemos más que ponernos a buscar esos objetos. Un poema bastante inteligente, por cierto. Diantres, ¿a qué estamos esperando?

—Son tres cosas —dijo el Sr. Campion, amablemente—: el diamante, la campana y el tambor. Y, claro está, siempre cabe la posibilidad de que todo el asunto no sea más que una broma pesada. Al fin y al cabo, que algo lleve cien años escrito no quiere decir que sea verdad. Piensa si no en Joanna Southcott.[14]

14. Joanna Southcott o Southcote, profetisa nacida en 1750 que decía ser la mujer de la que se habla en Apocalipsis, 12. Falleció en 1814 legando en herencia

—Aun así —dijo Guffy, que estaba un poco dolido por la mención de esos detalles incómodos—, algo ayuda, ¿no? O sea, la teoría del fraude es absolutamente absurda. Una vez escribí el nombre de una chica en el tronco de un árbol. Tres letras, nada más, pero estuve a punto de romperme la muñeca. Nadie se pondría a tallar toda esa parrafada si no tuviera un buen motivo para hacerlo. Y este asunto se está poniendo de lo más interesante… Ese viejo doctor era un tipo extraño y, para rematar, nos vienes con esto… ¡No digo más!

Sonrió con tremenda satisfacción. Eager-Wright, que había permanecido en silencio durante la discusión, levantó entonces la mirada.

—¡Perdona, Campion! —intervino—. Acabo de recordarlo… Ayer noche, mientras jugábamos a los dardos en el pub, escuché cómo algunos parroquianos le tomaban el pelo a un hombre mayor que era bastante torpe. Alguien apostó a que no conseguiría dar en el blanco cinco veces en diez lanzamientos, y él dijo que lo conseguiría cuando «la Gran Campana volviese a sonar». Yo pensé que se trataría de una expresión local que debía de significar algo así como «cuando las ranas críen pelo» o «cuando llueva hacia arriba».

—¡Es verdad! —exclamó Guffy—. Yo también lo oí. ¡Qué raro!

—La trampa es —dijo el Sr. Campion— que la Gran Campana es la Sra. Harris del lugar.[15] No existe. Puede que os interese

---

una caja sellada con profecías que debía abrirse solo en época de crisis nacional y en presencia de los veinticuatro obispos de la Iglesia anglicana. Tras dejar pasar la ocasión en la Guerra de Crimea y en la Primera Guerra Mundial, el parapsicólogo Harry Price dijo haberse hecho con dicha caja, y en 1927 la abrió en presencia del obispo de Grantham. Resultó que contenía papeles sin importancia, un billete de lotería y una pistola de chispa.

15. Probablemente, en referencia a la Sra. Harris, la interlocutora imaginaria de Sarah Gamp en la novela de Charles Dickens *La vida y aventuras de Martin Chuzzlewit*.

saber que antaño estuvo colgada en la torre de los Pontisbright, y que venía a ser el Big Ben del condado. Desgraciadamente, fue vendida con el resto de la casa, y se fundió para que fabricaran con ella armas para la guerra zulú. Solo existe otra igual en el mundo: la campana del convento de St. Breed, en los Pirineos. Me lo ha contado Amanda esta misma tarde. Es un pozo de información. Por lo visto, nuestra única oportunidad de escuchar la «Vieja Campana de Pontisbright» sería un terremoto, un huracán, un ataque aéreo u otra calamidad similar, pues en el pueblo cuentan que su tañer fantasmagórico y ahogado se escucha en tales ocasiones. Pero no creo que podamos confiar en eso. Las otras dificultades menores incluyen el hecho de que en la familia nadie ha oído hablar jamás de diamantes, y que los únicos tambores del vecindario son los que pertenecen al tesoro de la iglesia. Se conservan casi una docena de ellos, así que podemos subir cuando queramos a la galería y disfrutar de una velada musical, si nos da por ahí. Ninguno es del período Malplaquet, según tengo entendido y, de todas formas, se están cayendo a pedazos. No suena muy reconfortante, ¿no?

Tomaron el sendero que llevaba al molino sin dejar de hablar. Eager-Wright emitió un ligero gruñido, pero Guffy, obstinado, se mostraba incapaz de abandonar su entusiasmo inicial.

—¡Llegaremos al fondo de este asunto, ya lo veréis! Lo único que me preocupa es que resulte demasiado sencillo.

—Yo que tú no dejaría que esa nube me preocupase —dijo amargamente Eager-Wright—. Supongo que a ti eso no te inquieta en absoluto, ¿verdad que no, Campion?

Pero Campion no contestó. Una sombra había salido del arbusto y se había aferrado a su brazo: era Amanda.

Allí, bajo la luz de la luna, con su ceñida ropa marrón, el pelo revuelto y los ojos brillantes, su presencia resultaba un tanto feérica. La alegría que trataba de contener la había dejado sin aliento. Resultaba evidente que se moría por contarles una novedad, pero también se podía percibir un indefinible aroma de alarma en su actitud.

—¡Escuchen! —Y comenzó con su ya familiar torrente de confesiones sin importancia—: va a resultar terriblemente fastidioso, me temo, pero también bastante bueno. Peleó como un demonio, y Despistado no tenía la menor idea de quién era, hasta que Lugg se sentó sobre su pecho. Lugg es un tipo encantador. Despistado y él pretenden asociarse si alguna vez se cansa usted de él, por supuesto. Pero eso no viene al caso… Hay que pensar en lo otro. Supongo que podríamos intentar mantenerlo todo en secreto, pero resultaría tan incómodo si llegara a saberse… No podríamos alegar defensa propia. ¡Oh, oigan, sean discretos! Por ahora solo lo sabemos Despistado, Lugg y yo. Y yo pensé que lo mejor era esperarles aquí y avisarles antes de que llegasen a casa… Entenderán que se lo merecía, por haber entrado a hurtadillas en el molino. ¡Sabía que no eran ratas! Y, claro, cuando Despistado y Lugg le descubrieron, armó un enorme estruendo. Al principio estaban jugando a las cartas en la cocina. Se aburrían mortalmente, pues Despistado estaba sin blanca, y les ha gustado tanto que haya ocurrido algo diferente que se han excitado demasiado, y… Bueno…

Eager-Wright se apretó las sienes.

—Por lo que más quiera, ¿qué ha pasado? —preguntó.

—¡Pues lo que les estoy contando! —dijo Amanda con voz lastimera, saliendo de la oscuridad—. No es necesario que hagan tanto ruido.

El Sr. Campion se sentó en el talud del camino.

—¿Qué tal si empieza por el instante en que se dio cuenta de que no eran ratas? —sugirió con amabilidad.

—Bueno —dijo Amanda, plantándose ante él—, si quiere, se lo volveré a contar desde el principio, pero estamos perdiendo un tiempo precioso. Todo comenzó en el momento en que recordé que no le había puesto la funda a mi dinamo. La trato con mucho mimo, porque es mi posesión más preciada. Despistado dice que eso de arroparla por la noche es absurdo, pero tampoco le hace ningún mal.

»En fin, que como me sé el camino de memoria, no me molesté en coger una linterna. Fui hasta el molino a tientas y una vez allí escuché unos sonidos que procedían del piso superior, del altillo donde escondimos el roble. Así que grité: «¡Eh!»… Lo cierto es que al principio pensé que uno de los chicos de los Quinney estaría cazando ratas. Y, a continuación, se produjo un enorme estruendo y oí una palabrota. Me imaginaba lo que había ocurrido: alguien había tirado el roble, lo cual habría bastado para derribar el molino entero. Y por la palabrota supe que no podían ser los chicos de los Quinney, pues la Sra. Quinney trata de educarlos bien, digan lo que digan en el pueblo. Y, en todo caso, la voz no me resultaba nada familiar…

Y entonces hizo una pausa para recobrar el aliento. Mientras, los demás se dedicaban a separar su relato de la masa de detalles irrelevantes con la que lo estaba recubriendo.

—Bueno, pues después de eso no sucedió nada más —añadió—. Silencio absoluto. Y, aunque no tenía miedo, de veras que no, pensé que a lo mejor no podía yo sola con ellos, así que salí de allí a hurtadillas, tan silenciosamente que no pudieron oírme, y corrí a la cocina. Como ustedes me pagan tanto a la semana, había comprado un montón de cerveza…, y he olvidado a Despistado, claro.

»Bien, pues Lugg y él estaban jugando a las cartas, y había un montón de cerveza, y cuando les he contado lo que había pasado, se han levantado de un salto y han salido disparados hacia el molino. —Suspiró—. Han armando tal escandalera que estaba casi segura de que los otros les oirían y saldrían huyendo, pero supongo que debieron de creer que solo eran ustedes, que volvían de casa del médico, y fueron lo bastante educados para no hacer ruido.

—Pero ¿qué hay del hombre? —interrumpió Guffy, cuya impaciencia rayaba en la exasperación.

—¡Escuchen! —los reprendió Amanda con severidad—. Había dos hombres, pero uno se ha escapado. Despistado y Lugg consiguieron capturar al otro justo cuando bajaba las escaleras. No he visto la pelea porque estábamos a oscuras, pero, según parece, Despistado creyó que había un montón de gente. En todo caso, no dejaba de gritarles que salieran todos. Lugg emitió una especie de gruñido y después descubrí que le había clavado la cabeza en el estómago al pobre hombre y que trataba de obligarle a cruzar una puerta inexistente.

»Cuando los ruidos me indicaron que la pelea había acabado, regresé a por la linterna, y al volver me encontré con que Lugg estaba sentado sobre el pecho del intruso explicándole a Despistado cómo usar una cachiporra. Parecían la mar de contentos, pero yo les he interrumpido. Me preocupa que sea fastidioso, ¿a ustedes no?

Se quedó en pie sin dejar de moverse y cambiando el peso de un pie a otro, a la espera de su veredicto.

—Tiene pinta de una riña de borrachos —dijo el Sr. Campion—. Despistado y Lugg son un par de fueras de serie, como decimos los magistrados. Solo hay una cosa que pica mi curiosidad: ¿ha podido ver quién era su desafortunado compañero de juegos?

—¡Oh, sabía que me lo preguntaría…! —suspiró Amanda—. Muy bien: el tercero en discordia era ni más ni menos que Pico de Viuda. Y todo lo que le ha sucedido le está muy bien empleado. Pero cierto detalle ha complicado un poco las cosas… Me temo que lo han matado.

A Eager-Wright se le escapó una exclamación sofocada, Guffy reaccionó con un silbido y Campion se puso en pie de un salto.

—¡Oh, no! —murmuró con tono desdeñoso—. ¡Oh, no!

—Quizá no esté muerto del todo —dijo Amanda, esperanzada—. Pero, verá, Lugg y Despistado se han puesto tan nerviosos que no me ha quedado otra que encerrarles en el garaje. Ahí pueden armar todo el escándalo que quieran sin que los oiga nadie.

Los he mandado a que me trajeran una herramienta y después he cerrado la puerta con llave. Luego he regresado al molino para echarle un vistazo al hombre. Le he puesto un par de sacos debajo de la cabeza, y no sabría asegurar si el corazón que latía era el suyo o el mío. Ya saben que cuando estás…, bueno…, un poquito asustada, parece que el corazón se te va a salir del pecho en cualquier momento. Al cabo de un rato, incapaz de distinguir si estaba vivo o muerto, he desistido y he decidido salir a esperarlos. Tengo que reconocer que empezaba a intranquilizarme estar a oscuras en el molino…

—Pero, bueno, pobre chiquilla… —dijo Eager-Wright, al que le había conmovido aquella sincera admisión de humanidad.

—¡Nada de *pobre*! —dijo Amanda recuperando la compostura—. No pasé ningún miedo. Solo estaba incómoda, como lo habría estado cualquiera en mi situación, y muy enfadada con Despistado. Creo que trataba de lucirse delante de Lugg. Pero ahora deberíamos concentrarnos en ese tipo, aunque atacase a la pobre tía Hatt. Seguía teniendo un aspecto la mar de raro cuando he vuelto a echar un vistazo, hará cosa de diez minutos.

Campion se puso en marcha.

—Siento mucho que Lugg no haya sabido comportarse —dijo con gravedad mientras caminaba a toda prisa en dirección al molino. La luz de la luna les permitió a los demás distinguir la ansiedad que se reflejaba en su rostro.

Amanda correteaba a su lado, y Guffy y Eager-Wright les seguían de cerca.

Con los rostros sombríos y en silencio, entraron en el molino unos tres minutos más tarde. Los extraños sonidos que habían estado saliendo del garaje cesaron bruscamente a su paso. Amanda sacó un quinqué de detrás de una medida de maíz y prendió la mecha.

A continuación, subió el primer tramo de la peligrosa escalera que conducía al primer piso. La luz amarilla se reflejaba en su maravillosa cabellera y en la piel dorada de sus piernas sin medias. Uno tras otro, la siguieron hasta la polvorienta sala del piso superior, donde ella se detuvo y señaló un bulto alarmante que permanecía tendido sobre las tablas, junto a la ventana abierta.

—Ahí está —susurró sosteniendo la luz en alto.

Campion y Guffy se arrodillaron junto al hombre postrado y se dieron cuenta de que, pese a su nerviosismo, Amanda había mantenido suficiente presencia de ánimo para aflojarle el cuello de la camisa y colocarle la cabeza sobre los sacos.

Tras un rápido examen, el Sr. Campion lanzó un suspiro de alivio.

—¡Está vivo, gracias a Dios! —dijo—. Su amiguito ha tenido suerte… Si a usted le parece bien, Amanda, vamos a dejar a esos dos matones encerrados hasta mañana por la mañana, a ver si así consiguen calmarse. Mientras, deberíamos atender a esta persona. Parece la viva imagen de la depresión. Pero me temo que vivirá para recibir aún más palizas. ¡Pobre, qué mala suerte! ¿Qué pensará de nosotros cuando despierte?

Dicho esto, se sacó una petaca del bolsillo trasero y, colocando la boquilla entre los labios amoratados del hombre, vertió una cantidad de licor suficiente para tumbar a un universitario de tamaño medio. El hombre gimió y se movió.

Allí, bajo la luz de la lámpara de aceite, dispusieron de tiempo para examinarlo detenidamente. Ni siquiera en su mejor momento debía de resultar un tipo atractivo, y aquel no era precisamente uno de sus mejores momentos.

Se trataba de un hombre bastante grande, de constitución laxa pero fuerte. Una gran cantidad de líneas y arrugas profundas surcaban su rostro e incluso asomaban bajo su barba de un día. Pero lo que sin duda más llamaba la atención era el largo pico de pelo que cruzaba su amplia frente hasta alcanzar el puente de su nariz.

—Un tipo de lo más extraño —sentenció Eager-Wright—. Sin duda, es el pájaro que nos disparó en Bríndisi.

—Aun así, no les habrá costado mucho hacerse con él. Dos pesos pesados contra un hombre solo… Hay que reconocer que era una presa bastante fácil, ¿no? —dijo Guffy, que no podía esconder su instinto deportivo.

—Tampoco a él le resultaría difícil reducir a tía Hatt —observó con sequedad Amanda—. Y Despistado no es un gran luchador. Habrá sido por la cerveza.

Eager-Wright condujo la conversación a canales más pertinentes.

—Un hombre francamente desagradable —observó—. ¡Y lleva una pistola en el bolsillo! Supongo que le habrán atizado antes de que le diera tiempo a desenfundar. ¿Tienes idea de quién es, Campion?

—¡Ay, pobre Yorick! —dijo el notable—. Yo lo conocí, Horacio… Era un hombre de un carácter intratable.[16] Pero creo que, por el momento, no vamos a entrar en eso. ¡Vaya, vaya! Qué mala suerte… Nunca le he gustado. Y ahora ya nunca seremos camaradas. Oiga, Amanda, ¿podría traerme una manta vieja, una que no le importe no volver a ver? Nos vemos fuera en cinco minutos. Y usted, Sr. Randall, y usted, Sr. Wright, ¿me ayudan a llevarlo abajo? Trátenlo con mucho cariño. Es uno de nuestros mejores enemigos.

Cuando Amanda regresó con la manta, los demás ya se encontraban en el patio, con el cuerpo inerte de Pico de Viuda entre ellos.

El trayecto por el camino hasta el páramo les resultó bastante pesado pues el hombre era menos liviano de lo que habían supuesto. Pero finalmente, pisando con cuidado, para evitar hacer ruidos innecesarios, y extremando la cautela, para no sacudir la carga más de lo necesario, llegaron a su destino.

Habían decidido llevarle a una zona del páramo que, gracias a un matorral, quedaba oculta desde la carretera y permanecía al abrigo del viento. Una vez allí, lo posaron sobre el suelo con suavidad, y Campion, con un exagerado cuidado, lo cubrió con la manta.

16. Referencia a William Shakespeare, *Hamlet*, acto V, escena I.

Entonces Eager-Wright se inclinó sobre el hombre un momento y, emitiendo un gruñidito de satisfacción, le sacó un trozo de papel del bolsillo del chaleco.

—¡Lo que imaginaba! —exclamó—. Ha copiado el poema, ¿lo veis? Cuando Amanda llegó él ya había concluido su tarea. Crucemos los dedos para que al volver en sí haya olvidado los versos...

El Sr. Campion suspiró, y, cogiendo el papel de la mano de su amigo, lo metió de nuevo en el bolsillo de Pico de Viuda.

—¡Dejémoslo ahí! —dijo—. Me parece que es lo menos que podemos hacer para compensar un poco la falta de hospitalidad del cretino de Lugg.

Lo miraron fijamente.

—¿Qué diablos estás haciendo? —preguntó Guffy—. Ya me parece bastante locura dejar aquí a este fulano, cuando nos ha dado la excusa perfecta para encerrarlo en un calabozo mientras nosotros buscamos a gusto. Solo porque se haya llevado una paliza por accidente no tienes que cederle el juego.

Eager-Wright no se unió al clamor general. Miraba a Campion tratando de descubrir la razón lógica que se escondía tras aquella conducta aparentemente idiota. Guffy, que era más terco, persistió en sus objeciones.

—Vamos a meterlo en el coche y a llevarlo ahora mismo a la comisaría de policía del condado. —Se acercó a su amigo y se quedó mirando fijamente su pálida cara—. Escucha, Campion —comenzó—, valoro tu espíritu deportivo, amigo, y hasta me gusta, pero no puedo evitar la sensación de que esta vez nos enfrentamos a algo bastante grave, ¿sabes? Demasiado importante para que nos arriesguemos. Tenemos que pelear, y tenemos que pelear sucio, llegado el caso. Hay mucho en juego.

—¡Buen chico! —dijo el Sr. Campion, afable, estrechando con gran fervor la mano del avergonzado Guffy—. Pero piensa lo siguiente, mi querido abanderado, ¿cómo crees que se habrá enterado este hermoso espíritu de la existencia del roble? Pues ni más ni menos que porque el pequeño Albert le ha mandado una nota que decía: «Mira lo que he encontrado en el altillo del molino, amigo», o algo por el estilo, seguida de mi firma habitual.

Mientras todos, sumidos en el desconcierto, contemplaban como un atónito Guffy retrocedía, el Sr. Campion dio un puntapié al bulto que se ocultaba bajo la manta.

—No podemos decir que este tipo se haya comportado con mucha inteligencia. En realidad, es más pícaro que listo, pero, dado que trabaja para la compañía, no debemos olvidar que enfrentándonos a él nos estamos enfrentando en realidad a uno de los cerebros más astutos del mundo. Por eso, en cuanto conseguimos esta información, se me ocurrió que era el hombre adecuado para desentrañarla. Si no nos hubiéramos topado con un acertijo, la cosa habría sido diferente, claro está, pero, en este caso, no tiene sentido tratar de guardárnosla, especialmente cuando contamos con tan poco tiempo.

—¡Que me aspen si entiendo una palabra! —exclamó Guffy—. Me parece que te has vuelto completamente majara. ¿Por qué? Eso quiero saber: ¿por qué?

El Sr. Campion cogió a su amigo del brazo.

—Pues precisamente porque, pequeño preguntón —dijo—, dos cabezas piensan mejor que una. Eso es todo.

Capítulo IX

Turno de preguntas

—Si nos encontráramos en mis dominios —dijo el Paladín Hereditario desde su asiento de honor en el banco de carpintero que recorría una de las paredes del cuarto de la dinamo—, os mandaría cortar la cabeza a los dos. Tal como se han desarrollado las cosas, un despido sería la menor de vuestras preocupaciones.

Sentado sobre aquel banco con las piernas cruzadas, la barbilla apoyada en las rodillas y las perneras del pantalón demasiado anchas, Campion no impresionaba demasiado. Pero los severos ojos que les miraban desde detrás de las gafas, añadidos a su peculiar personalidad, dominaban la escena.

Amanda, muy solemne y sumisa, se había encaramado en una pila de sacos que se encontraban un rincón. Eager-Wright. y Guffy vigilaban a los delincuentes, quienes, tras haber pasado la noche en el garaje, presentaban un aspecto lamentable bajo la luz del sol de la mañana.

Despistado, al parecer, había decidido imitar el tono que solía emplear el Sr. Lugg. Se le notaba que sentía por él una tremenda admiración.

Este último, sin embargo, se mostraba más agresivo que arrepentido, y seguía inclinado a tratar el asunto de la noche anterior más como el producto de una borrachera que como un asunto de extrema gravedad.

—El despido —dijo el Sr. Lugg pomposamente— no ha lugar. Yo y aquí mi colega hemos mantenido una disputa con un sujeto al que hemos sorprendido husmeando en una propiedad privada, probablemente con intención dolosa. ¡Caramba, no creo que sea un buen motivo para despedir a nadie! Más bien, deberíais compensarnos.

—No utilice expresiones como «caramba» —le reprendió el Paladín Hereditario, ausente—. ¡Y está usted —prosiguió con solemnidad— más que compensado! ¿Me puede explicar qué habría pasado si ese hombre hubiese muerto, como probablemente habría sido el caso si la Srta. Fitton no hubiera tenido la presencia de ánimo de encerrarlos bajo llave a los dos, maniacos homicidas?

—¡Defensa propia! —contestó el Sr. Lugg—. Piquito Doyle siempre lleva una pistola encima. Y era Piquito, ¿a que sí?

—Pues sí, era Piquito —concedió el Sr. Campion—. Pero, según tengo entendido, en las condiciones en las que se encontraba anoche, a usted le habría dado lo mismo si se hubiera topado con el policía local.

—¡Ah, no! —dijo el Sr. Lugg con seriedad—. Yo siempre me guío por mi instinto. Y nunca me engaña. En cuanto la señorita, aquí presente, entró, me dije: «Me da a mí que Piquito ha metido las narices en el molino. Vamos a partirle la cara, y así ayudaremos a Su Señoría». Esas fueron mis palabras, ¿verdad que sí, Despistado?

—Sí —confirmó Despistado, con el fervor de quien miente para salvar la piel.

De los dos, él era quizá el que presentaba peor aspecto. Una cicatriz le recorría la cabeza de lado a lado, y tenía los ojos hundidos, y la punta de la nariz, roja. Evitó cuidadosamente la mirada cargada de reproche de Amanda durante todo el interrogatorio.

Resultaba evidente que había depositado su confianza en su nuevo amigo y, aunque no era optimista, esperaba que todo acabara bien para ellos, o al menos que, si acababa mal, no fuera de un modo definitivo.

—Veamos…, en fin —dijo el Sr. Lugg, observando las caras de los miembros del jurado con tiento y, al mismo tiempo, dispensándoles una sonrisa horrorosa, pero conciliatoria—, pelillos a la mar. Cierto es que yo y aquí mi amigo estábamos un poco alegres y hasta puede que cometiéramos un pequeño error. Pero, puesto que al final todo ha salido bien y que no hemos hecho daño a nadie, creo que podríamos olvidar el asunto. ¿Qué sacamos en claro de lo que pasó anoche? Pensadlo, ¿qué sacamos?

Los labios de Eager-Wright empezaron a crisparse de forma amenazante y, aunque el Sr. Campion no cambió su actitud tranquila ni su cara de pocos amigos, la tensión de la habitación había disminuido considerablemente. El Sr. Lugg se dio cuenta de que avanzaba en la dirección correcta.

—Pues una cosa horrible —prosiguió Lugg en voz baja para dotar de mayor dramatismo a la situación—. Piquito Doyle está dispuesto a jugarse la piel y, en un pillastre como él, eso solo puede significar una cosa: que está trabajando para su antiguo jefe. Y, si mis sospechas se confirman, cuanto antes volvamos a casa y nos olvidemos de todo esto, mejor.

Su observación provocó un silencio que solo se rompió con la inesperada intervención de su compañero de desgracias. Despistado Williams emitió un jadeante chirrido bastante parecido a una alarma a punto de sonar.

—Me parece que…, este…, que, por peligroso que sea, Maggers, no deberíamos poner pies en polvorosa aún.

Al factótum del Sr. Campion lo pilló completamente desprevenido esa repentina confesión de valor por parte de su aliado y se lanzó de cabeza a formular argumentos a favor de la retirada ante el hombre de campo.

—Si tuvieras una ligera idea de lo peligrosos que son esos tipos, no le echarías tanto coraje —dijo—. Si hubieras pasado por lo mismo que yo, habrías aprendido que a veces lo mejor es una buena retirada a tiempo.

—Un argumento bastante sórdido, ¿no le parece, Lugg? —El tono del Sr. Campion era amenazante.

El Sr. Lugg prosiguió sin avergonzarse.

—Tú sigue hablando —dijo—. Siempre se te ha dado bien. Pero, al final, ¿qué dices? ¡Un montón de paparruchas! Grandilocuentes, no digo que no. ¡Paparruchas grandilocuentes! No sé ya ni el tiempo que llevo cuidándote como si fuera tu puñetera institutriz, y te tengo más que calado. ¿Nos hemos enfrentado alguna vez al jefe de Piquito Doyle? No. Por eso todavía podemos contarlo… Corrígeme si me equivoco. No tengo nada en contra de la lealtad, y no me gusta dejar las cosas a medias, pero tampoco quiero problemas. Déjame ir a buscar el coche para que nos larguemos cuanto antes a casa.

—Una revelación indecente de una mente nauseabunda… —observó juiciosamente el Paladín Hereditario—. Ahora, vaya a limpiar el coche, ¡y llévese al Sr. Williams! Mientras tanto, nosotros decidiremos si lo mantenemos aquí bajo observación o llamamos al director de su antiguo instituto para ver si todavía le quedan plazas. ¡Andando!

Los ojitos del Sr. Lugg chispearon.

—¡Maldito empleo! —le dijo a Despistado, y en un tono confidencial, con voz ronca, añadió—: ¡Si no te hubiera acompañado solo te la habrías cargado tú! De mí se fía. —Y desaparecieron por las escaleras arrastrando los pies.

Eager-Wright se echó a reír.

El Sr. Campion fingió no haber oído nada.

—Piquito Doyle llevaba pistola —observó—. El bueno de Lugg podría haber muerto. A lo mejor os sorprende, pero lo habría lamentado de verdad.

—Mira —dijo Guffy, cuyo desconcierto de la noche anterior no había disminuido con la luz de la mañana—. No entiendo nada de lo que ocurre aquí. No sabía que conocías al tal Doyle personalmente, Campion.

—Tampoco es que seamos viejos amigos —murmuró el joven con desaprobación—. Nos conocimos en casa de un conocido común en Kensington. Se desencadenó una pelea y el Sr. Doyle me atizó en la cabeza con un salvavidas. No se puede considerar exactamente una presentación formal, pero, desde entonces, siempre he pensado que nos habríamos saludado si nos hubiéramos cruzado por la calle.

—Me refiero a lo de la carta que le enviaste —insistió Guffy—. ¿Lo dijiste en serio? Yo ni siquiera sabía que estaba en el pueblo. ¿Y adónde le mandaste entonces la nota?

—He de reconocer —dijo el Sr. Campion con modestia— que fue una maniobra bastante inteligente por mi parte. Pura cábala, pero dio resultado. Me produjo una gran alegría. Ayer por la tarde pasó algo que me dio la idea.

—Lo único que pasó ayer por la tarde —dijo Amanda, práctica— fue que recibieron la invitación del Dr. Galley.

—¡Exactamente! —concedió él—. En cuanto recibí la nota del doctor, le escribí otra a Piquito y, cuando llegamos a casa del médico, la ensarté en uno de los pinchos de la barandilla. De hecho, podía verse fácilmente desde las ventanas. Ejecuté dicha proeza con mi natural habilidad y discreta destreza, y ninguno os disteis cuenta. Deduje que Piquito aprovecharía que habíamos salido y que, por lo tanto, el fuerte estaría indefenso, para reconocer el terreno. Y al parecer estaba en lo cierto.

—Pero ¿por qué en la reja del Dr. Galley? —insistió Guffy.

—Porque nuestro amigo Piquito se aloja en esa casa —dijo el Sr. Campion—. ¿Ves cómo se complica la cosa?

Todos lo miraron fijamente, y Amanda fue la primera en reaccionar.

—¡Pero eso es absurdo! —dijo—. Conozco al bueno de Galley de toda la vida y él jamás protegería a un hombre que ha atacado a tía Hatt… De verdad que no. Es un tipo raro, ya lo sé…Incluso terriblemente raro, en algunos aspectos. —Su voz bajó un poco cuando pronunció las últimas palabras, pero consiguió controlarla para terminar declarando con firmeza—: Sencillamente, jamás haría algo así.

El Sr. Campion se mantuvo en silencio sin moverse de su sitio en el banco con una expresión más estúpida que nunca en su pálida cara.

—Lo que realmente me preocupa es la pista —dijo Guffy—. Ese poema del tronco de roble. Se me ha ocurrido una idea —prosiguió, con modestia—. Ese diamante del que habla…, ¿sabéis qué?, podría no tratarse más que un rombo de cristal o una ventana de cuarterones, o algo similar.

Eager-Wright asintió con pesimismo.

—Lo sé —dijo—. Ahí está el problema. La casa ya no existe. Supongo que nadie imaginaba que acabaría destruida cuando tallaron ese mensaje en el roble.

—Y queda otra cosa extraña… —aventuró el Sr. Campion desde el banco—. Las dos últimas pistas del manual de instrucciones se refieren claramente a sonidos. Veamos: «Tres veces la campana ha de sonar, antes que el cetro pudiere empuñar»; y asimismo: «Y antes de sus derechos obtener, tocar debe el tambor de Malplaquet». Lo que me confunde es el elemento musical. Tal vez esa vertiginosa letra no sea otra cosa que las instrucciones para la ceremonia de una fiesta de acceso o las indicaciones para el director del coro local o algo parecido. Es todo de lo más misterioso.

—Pues lo que a mí me parece de lo más misterioso es que Piquito Doyle haya desaparecido del páramo esta mañana y que en el pueblo nadie haya sabido nada de él todavía —dijo Eager-Wright—. Se me ocurre que o bien su amigo volvió a buscarlo, o bien anda por aquí más gente de la que suponemos. Alguien ha tenido que ocuparse de él.

Antes de que alguno de ellos se atreviera a formular una hipótesis sobre este particular, les llegó desde el piso de abajo la clara y vibrante voz de tía Hatt.

—¡Sr. Campion! Tiene visita. ¿Le digo que suba?

Las sepulcrales palabras del Sr. Lugg subieron flotando hasta ellos sin esperar una respuesta.

—Así es, señora —lo oyeron decir con amabilidad y en el tono que reservaba para los amigos íntimos del Sr. Campion—. Suba por aquí, señor, por favor. Ande con cuidado. Uno de cada dos peldaños está suelto. Esta mañana, Su Señoría recibe en la sala de la caldera.

En la escalera resonaron unos pasos, y al punto una cabeza asomó por la trampilla.

—¡Farquharson! —exclamó Guffy, acercándosele—. ¡Qué maravillosa noticia! Cuidado con el agujero del suelo, amigo mío. Permite que te presente: Srta. Amanda Fitton. Amanda, este es Farquharson, un viejo amigo nuestro, un tipo encantador.

—Estás hecho toda una madrinita de la alta sociedad, ¿verdad? —observó Campion, sonriendo—. ¿Qué nuevas me traéis?

El recién llegado cogió un ejemplar del *Times* que llevaba bajo el brazo y se lo tendió a su amigo.

—El periódico de esta mañana —informó—. Columna de anuncios personales. Cuarto párrafo. Como a estos sitios rurales la prensa no llega hasta la noche, me he adelantado. En todo caso, quería estar donde se encuentra la acción.

El Sr. Campion cogió el periódico y ojeó rápidamente el párrafo. A continuación, empezó a leer el texto en voz alta:

—«Si A. C., residente hasta hace poco en Bottle Street, Piccadilly, se sirve visitar Xenophon House, W.C.2, el miércoles a las 16:30, los documentos que le hemos preparado estarán listos para su firma. X. R. y Cía».

—¡Qué forma tan extraordinaria de comunicarse! —dijo Guffy—. Lo pospondrás, claro. A no ser… ¡Por Júpiter! A no ser que se trate de algún tipo de código. ¡Dios mío, es asombroso!

—De código, nada de nada —aventuró amablemente el Sr. Campion—. Me parece que eso de los «documentos listos para su firma» es verídico.

—Bueno, no creo que en un sitio así nos tiendan una trampa —dijo Farquharson, alegre—. Puede que las grandes compañías de seguros se consideren lugares un tanto turbios, pero jamás he oído que se dediquen a invitar a visitantes incautos para darles una paliza.

Eager-Wright miraba a Campion con interés.

—¿Con quién has quedado? —quiso saber.

Tras sus gafas, los pálidos ojos del Sr. Campion estaban pensativos.

—Bueno, la verdad es que no tengo ni idea —dijo—. Pero, en realidad, me da la sensación de que lo que me espera es media hora a solas con el jefe.

—¿Quién es el jefe de Xenophon? —dijo Farquharson, y, a continuación, mientras un atisbo de incredulidad se abría paso lentamente en su mirada, se volvió hacia el otro hombre—. Es el mismísimo Savanake, ¿verdad? —preguntó.

El Sr. Campion asintió.

—Si tengo cita a las cuatro y media, más vale que me dé prisa, ¿no? —concluyó.

Capítulo X

El mundo de los grandes negocios

——El Sr. Campion —dijo el joven pálido al que le dolían las muelas—. El Sr. Campion. Por lo de los papeles.

—¿Disculpe? —preguntó la hermosa pero eficiente joven de la mesa de información, observándolo con frialdad.

—Campion —repitió el joven—. Como la persona que gana un campeonato. He venido por lo de los papeles. Unas cosas grandes, planas y blancas. Seguro que le suenan. Lamento no poder hablar con más claridad, pero me duelen las muelas. ¿Le importa que me siente aquí mientras llama para avisar de que ya he llegado?

Le dirigió algo similar a una sonrisa, a pesar de la enorme almohadilla que sostenía contra su mejilla, y se alejó despacio de la mesa para sentarse en lo que parecía ser un trono en un costado de la sala de mármol teselado. Dejando a un lado el pañuelo con el que trataba de aliviar el dolor de muelas, el aspecto del Sr. Campion era el adecuado para aquel entorno. Su traje oscuro anunciaba negocios, su paraguas de seda cuidadosamente enrollado, grandes negocios, y el último grito en sombreros de hongo, negocios en grado superlativo.

Esperó sentado durante un largo rato, el único punto sobrio en el maremágnum de magnificencia que recibía al visitante de Xenophon House. Andaba contemplando, distraído, la lámpara barroca italiana que colgaba de la cúpula pintada, y considerando cuánto más alegre habría sido si los Amores afectados y los *amoretti* dorados hubieran sido sustituidos por modelos realistas de la Junta Directiva, cuando una sumisa voz femenina le habló al oído y captó su atención con un sobresalto. Era la joven de la mesa de información.

—Perdone, ¿ha dicho usted «Campion»?

—Eso es. Por lo de los papeles.

—Por favor, sígame.

El cambio en la actitud de la muchacha resultaba ostensible. El Sr. Campion, a partir de aquel momento un personaje de suma importancia, la siguió por la sala.

Un ascensor gigante, que el joven, en su inocencia, supuso que estaba hecho de oro macizo, los dejó en una entreplanta en la que la decoración había dado un salto de aproximadamente un siglo. Cientos de personas con aspecto ocupado caminaban por allí a toda prisa sorteando los muebles de acero cromado y cristal.

El Sr. Campion se olvidó de sus muelas el tiempo suficiente para admirar aquella estampa de despiadada eficiencia. La joven, con un gesto que indicaba que sospechaba que sus asuntos personales podían revestir una naturaleza ligeramente indecorosa, le dejó en manos de un hombre con voz suave y pelo cano.

—¿El Sr. Campion? —murmuró—. Exacto. —Y, a continuación, con un suspiro, como si sintiera que sus pulmones no contenían oxígeno suficiente para acabar la frase—: ¿Por lo de los papeles? ¿Sí? ¿Le importaría seguirme?

Volvieron a entrar en el ascensor, y Campion, siempre ansioso por comportarse con amabilidad, esbozó una sonrisa irónica tras su pañuelo.

—Dos pajaritos en una jaula dorada —murmuró, atolondradamente.

El hombre se sobresaltó y lo miró de soslayo con unos ojos tan fríos y astutos que la fatua sonrisa de Campion se borró de la mitad visible de su cara y esta volvió a recaer en su estado habitual de plácida necedad.

El hombre le trataba con suma consideración.

—Gracias, gracias —murmuraba continuamente—. Muy amable de su parte, señor.

Y, sacando papel y lápiz de un bolsillo, garabateó unos jeroglíficos.

Sin salir de su asombro, Campion miró por encima de su hombro.

—Goldbaum y Cazeners avanzan dos puntos —leyó.

Seguía meditando sobre dicho incidente, cuando fue escoltado fuera del ascensor y expulsado a un pasillo inspirado en la escuela neobizantina o del cinematógrafo actual.

—Espero que no le importe esperar aquí, señor.

Los pies del Sr. Campion se hundieron en una alfombra extremadamente mullida. Poco a poco, sus ojos se fueron acostumbrando a aquella penumbra sagrada. La puerta se cerró, sin hacer el mínimo ruido, tras él. Y entonces tomó asiento en una de las muchas sillas de lujo que allí había y se dedicó a examinar una habitación que tenía toda la solidez del mármol y la caoba de la mejor sala de lectura de uno de los más afamados clubes de caballeros. Inmensos cuadros al óleo de los trasatlánticos de la compañía colgaban de las paredes. Una chimenea, tan grande como un órgano de iglesia y de diseño muy semejante al de estos, colmaba el extremo más alejado de la habitación, y una mesa de caoba que le recordaba a una pista de hielo le devolvió su reflejo bastante mejorado.

Aún se estaba familiarizando con la vida en Gargantúa cuando una corriente repentina de aire arremetió contra su nuca y, un instante después, un hombrecillo rubio, que obviamente no tenía más activo que su cerebro, se detuvo a la altura de su codo.

—Eh… Sr. Campion —dijo, ofreciéndole la mano—. Encantando de conocerlo. Ha venido por lo de los papeles, supongo. ¿Qué le ocurre? No hay nada peor que un dolor de muelas. Hace bien, manténgala tapada. ¿Le duele mucho?

El Sr. Campion negó con la cabeza.

—Oh, bueno, muy bien… —dijo el otro—. Me alegro de que haya venido.

El Sr. Campion sonrió con timidez y trató de dar una respuesta realmente adecuada a aquella extraña bienvenida.

—¡Qué sitio tan bonito! —dijo a la postre, consciente de que había encontrado el *mot juste*.

El otro se encogió de hombros con desprecio, pero también con cierto orgullo. Lanzó al Sr. Campion una mirada rápida y penetrante.

—¿Ha visto el anuncio? —inquirió.

—En el *Times* —confirmó el Sr. Campion.

Como el recién llegado seguía dudando, el Sr. Campion se llevó la mano al bolsillo del pecho.

—He traído esto —dijo—, por si acaso.

Y le puso un pasaporte británico corriente sobre la palma de la mano. El hombrecillo rubio se ruborizó.

—¡Vaya, una gran idea! —exclamó—. Ya veo que usted y yo nos vamos a llevar bien. Me llamo Parrott… Con dos tes, por supuesto.[17]

—Por supuesto —murmuró el Sr. Campion, con gravedad.

El Sr. Parrott hojeó el pasaporte, contempló la fotografía y luego a Campion. Después, con aire satisfecho, devolvió el documento a su dueño.

—Bueno, será mejor que me acompañe —dijo—. El ascensor privado está por aquí.

Una vez más, se puso en marcha. Rodearon la mesa —el Sr. Campion trotaba, obediente, en pos de su cicerone—, y, tras

17. En lugar de una, como la palabra *parrot*, es decir, loro o papagayo.

recorrer una distancia bastante considerable, llegaron por fin a una puertecita que se ocultaba en el revestimiento de madera, y que en esa ocasión conducía a un ascensor de estilo Tudor; la clase de ascensor —como, por cierto, señaló el Sr. Parrott— al que podría haber subido la reina Isabel.

—Ahora va a acceder —anunció el Sr. Parrott con ampulosidad— a La Suite. Esto solo es la antesala.

El Sr. Campion, apretando aún su pañuelo contra su mejilla hinchada, pero arreglándoselas, al mismo tiempo, para parecer impresionado, como la ocasión exigía, se introdujo en una atmósfera fresca que olía a cedro. Sus pies se hundieron casi hasta los tobillos en una tupida alfombra de terciopelo. Aquella enorme estancia, revestida de nogal tapizado de verde, estaba poblada por inmaculados jóvenes de ambos sexos que se movían silenciosamente, hacían crujir papeles suavemente y tosían discretamente.

Un joven esbelto se separó de sus compañeros y se acercó a los recién llegados. Campion distinguió en su rostro los característicos rasgos de una famosa familia de alta alcurnia; su voz desprendía la cualidad suave y atractiva de la diplomacia de los viejos tiempos.

El Sr. Parrott, que se sabía fuera de lugar en aquel ambiente, murmuró en tono confidencial:

—Este es el Sr. Clinton-Setter, uno de Los Secretarios. —Y, a continuación, dirigiéndose al joven en tono aún más bajo—: El Sr. Campion. Por lo de los papeles.

El Sr. Clinton-Setter sonrió, tosió, esperó hasta que el Sr. Parrott se hubo marchado y, casi en un susurro, le dijo a Campion:

—El Sr. Savanake lo recibirá inmediatamente. ¿Le gustaría…, eh…, que le retirara su sombrero y su paraguas?

Despojado de su sombrero y su paraguas, Campion se dispuso por fin a contemplar las múltiples obras de arte que proliferaban en aquella sala sin más interrupciones. Pero tampoco esta vez pudo ser.

El Sr. Clinton-Setter lo condujo a través de una inmensa puerta doble a otra estancia, donde una persona de aspecto increíblemente importante mordía y toqueteaba la ancha cinta de la que colgaba su monóculo.

El Sr. Campion, con la cabeza devotamente inclinada y el pañuelo apretado aún contra la mejilla, siguió a su escolta. Cuando pasaron a un pasillito, el Sr. Clinton-Setter alzó la mano a modo de advertencia.

—Esta es La Habitación —susurró, y llamó con suavidad. Luego, abriendo la puerta, se hizo a un lado y anunció con rotundidad—: El Sr. Campion. Por lo de los papeles.

El joven al que le dolían las muelas entró en la habitación con la convicción de que a veces la realidad supera a la ficción.

Se había preparado para un despacho palaciego, pero no para aquello. Se hallaba ante un decorado que parecía sacado de una de película alemana de ciencia ficción. Grandes máquinas misteriosas surgían de las limpias paredes de cristal. Frente a la puerta, ante un sillón de acero, había un escritorio descomunal en el que se iluminaban alternativamente diversas bombillas, interruptores y teléfonos con televisores anexos. Campion pensó que solo aquella mesa debía de albergar un equipo tecnológico suficiente para aturdir a una oficina corriente al completo.

El joven miró a su alrededor, buscando al dueño de toda aquella eficiencia. Acababa de decidir que la habitación estaba vacía, cuando escuchó un ruido inesperado a sus espaldas. Cuando se giró, descubrió que, en un camarín tras la puerta, había otro escritorio, y una señora mayor, pequeña y gruesa, con un aspecto de lo más profesional, permanecía sentada tras él. La mujer, en cuya frente se podían distinguir pequeñas marcas, tenía los ojos astutos y el vago aire de infatigabilidad de un ministro laborista. Sonrió a Campion de modo tranquilizador.

—Ha llegado dos minutos antes de la hora —dijo con una voz agradable y sencilla en la que se podía apreciar un sorprendente acento del norte—. Pero no importa. El Sr. Savanake lo recibirá en su habitación particular. Le concede, así, un gran privilegio. Apenas si ve a gente ahí. Intente apartarse el pañuelo de la cara —prosiguió—. Los enfermos le dan pena y le causan un profundo desasosiego. Y eso consigue que desperdicie su mente en asuntos sin importancia. Así mejor. Entre cuando le abra la puerta, siéntese en la silla que se encuentra frente al escritorio y recuerde que no hay nada que temer.

Apretó un botón de su mesa y, tras recibir una luz de respuesta, presumiblemente activada desde el santuario interior, volvió a sonreír a Campion.

—Le toca —dijo, y pulsó una palanca del suelo con su recio zapato negro.

Una sección de la pared de hoja de vidrio se deslizó a un lado, como la puerta de un vagón del metropolitano, y el Sr. Campion accedió a la habitación particular del Sr. Savanake.

Capítulo XI

La gran manera

L a ingenua mente del joven pálido con las gafas de montura de cuerno solo esperaba ya oro macizo, y posiblemente también a un pequeño plutócrata repantingado en su trono. Pero la habitación en la que entró le resultó aún más sorprendente.

Era pequeña y sofocante, con paredes verdes pintadas al temple y un gastado linóleo marrón recubriendo el suelo. Parecía que jamás le hubieran quitado el polvo. Pinchos repletos de notas anticuadas se amontonaban en los rincones. Una tetera descansaba sobre el parachispas de un quemador de gas y una de las chicas de Charles Dana Gibson[18] le miraba desde la repisa de la chimenea.

La silla de las visitas, gastada y manchada de tinta, se hallaba ante un escritorio barnizado, tan atestado de papeles, colillas de cigarrillos y botellas vacías que no quedaba sobre él un espacio libre.

Pero el Sr. Campion se fue dando cuenta de estas cosas poco a poco. Al principio, toda su atención se concentró en el hombre

---

18. Dibujante estadounidense (1867-1944), conocido por la creación de la llamada «Chica Gibson», icono de la mujer independiente a principios del siglo XX.

encorvado que se sentaba tras el maremágnum de papeles, en aquel semidiós que manejaba el destino de sus esclavos y del palacio fantástico que se elevaba bajo sus pies.

Brett Savanake, sin duda un hombre peculiar. Relativamente joven, más próximo a los cincuenta que a los sesenta, era lo que en una época más romántica se habría considerado un auténtico gigante. Sus intensos ojos grises destacaban en su pálida cara redonda. Miró al Sr. Campion sin pronunciar palabra ni sonreír siquiera, e incluso esperó hasta que el joven hubo tomado asiento para mover sus pálidos párpados. A continuación, emitió un gruñido.

Esta pequeña muestra de energía sacudió su cuerpo de tal manera que bien podría haber espantado a una visita más impresionable. Pero el Sr. Campion, impasible y tranquilo, estaba aparentemente concentrado en su dolor de muelas.

—¿Ha descubierto el anuncio del *Times* usted mismo o se lo ha enseñado otra persona? —dijo, con ferocidad, el hombre.

—Me lo ha enseñado un amigo —respondió, sinceramente, el Sr. Campion.

—¿Le ha contado que acudiría a la cita?

—Sí —contestó el Sr. Campion.

—Me parece bastante indiscreto por su parte. No sé si es usted el hombre que necesito.

Con un suspiro, el Sr. Campion se levantó de la silla y avanzó hacia la puerta.

—En ese caso, repetiré mi travesía por la casa de las maravillas —le dijo, dándole la espalda.

—¡Siéntese! No sea idiota. No tengo tiempo para idiotas.

Savanake se puso de pie e, inesperadamente, le ofreció un paquete de Players. El Sr. Campion pareció ablandarse, pero negó con la cabeza.

—No… Con esta muela, no puedo —explicó—. Se lo agradezco de verdad.

Mientras volvía a tomar asiento, se dio cuenta de que el humor de su anfitrión había cambiado por completo. La intimidación había desaparecido y la jovialidad parecía haber ocupado su lugar.

—En fin, muchacho —dijo—, así que ha venido por lo de los papeles. Menudo subterfugio, ¿eh? Sonaba de lo más interesante. No le daba ninguna pista. Veamos, últimamente he oído hablar bastante de usted, para bien o para mal, y he mandado a buscarle porque creo que puedo proponerle algo que será de su interés.

El Sr. Campion observaba una esquina de su pañuelo.

—Muy amable por su parte, siempre y cuando no acarree ningún disgusto —murmuró con aire inocente.

El personaje lo premió con una mirada larga y penetrante. A continuación, se recostó en su silla y lanzó un suspiro.

—Bueno, Campion, hablemos en serio —dijo.

Ya no se mostraba ni jovial ni agresivo, sino como era en realidad: una persona extremadamente inteligente con una tremenda fortaleza.

El Sr. Campion, con una expresión algo estúpida, permaneció en silencio.

Después de un nuevo suspiro prodigioso, el enorme individuo se inclinó hacia delante y plantó un brazo inmenso sobre los papeles.

—No habla usted español, ¿verdad? —inquirió.

—No a menudo —respondió el Sr. Campion, con cautela—. Solo con gente que no sabe inglés.

—¿Ah, sí? Bueno, eso facilita mucho las cosas. Al grano: me gustaría ofrecerle un trabajo.

Si al Sr. Campion le sorprendió aquel anuncio, no dio muestra alguna de ello. Seguía sin moverse del sitio, con una expresión agradable e interesada.

—Se trata de un trabajo difícil, sumamente delicado, pero, a juzgar por lo que ha llegado a mis oídos, es usted el hombre adecuado. ¿Ha estado alguna vez en América del Sur?

El Sr. Campion asintió.

—Una vez.

—¿Una vez? ¡Bien, espléndido! —En los ojos grises brilló un momentáneo destello de entusiasmo—. Entonces, arreglado. Usted es el hombre que necesitamos. La última revolución en Perú ha supuesto un grave revés para nuestros intereses. Nos hace falta alguien con cabeza y recursos, alguien sin ataduras, que monte una contrarrevolución. Espere un momento… ¡Espere un momento! No diga nada aún. —Extendió una gran mano en señal de aviso—. Suena más difícil de lo que es en realidad. Toda la maquinaria está dispuesta. Solo falta que el hombre adecuado asuma el mando. Piénselo, querido muchacho. Si acepta, podría llegar a convertirse en presidente.

El Paladín Hereditario de Averna vacilaba, y Savanake prosiguió:

—Lo mantendremos en su cargo mientras haga lo posible por proteger nuestros intereses. Nuestra compañía es una potencia a nivel mundial, ¿comprende? Tiene que darse cuenta de que tal vez le esté proponiendo la oportunidad de su vida. Si la deja pasar, jamás se lo perdonará. Usted es el hombre que quiero. No sé si le interesa el dinero, pero podríamos estar hablando de veinticinco mil libras más gastos, si tiene éxito. Y puede quedarse lo que saque aparte. Una oferta bastante atractiva, ¿no?

Campion se movió. Su cara había asumido su habitual aire inocente, pero seguía sumido en sus pensamientos.

—¡Toda una fortuna! —respondió—. Pero, francamente, el dinero no me interesa demasiado. El trabajo sí que me resulta atractivo. Seguro que lo disfruto.

Savanake asintió.

—¡Sin duda! Por eso le escogí a usted, y no a cualquier brillante soldadito. Francamente, es un trabajo para un aventurero.

—Eso mismo estaba pensando yo —dijo el Sr. Campion y, tras sus gafas, sus ojos se volvieron casi anhelantes—. ¡Qué pena! —añadió de repente—. De verdad que es una pena… Supongo que no puede mantener la oferta una semana, ¿no?

El gran hombre lo contempló con astucia.

—No, lo siento, pero es absolutamente imposible. Si lo hacemos, ha de ser ahora. Tardará solo un mes en llegar hasta allí, y la operación ya va con retraso. Por no hablar de lo que nos ha costado encontrarle. ¿Qué ocurre? ¿Está pensando en ese asuntillo en el que anda metido? A ver, según mis pesquisas, estaba usted en no sé qué parte de Suffolk. Querido muchacho, olvídelo. Una oportunidad así no se presenta más que una vez en la vida.

Revolvió los papeles de su escritorio y, por fin, encontró el memorando que buscaba.

—¡Aquí está! Un trabajo menor para el Estado, ¿no? Los asuntos de Gobierno son tristemente ingratos. Hágame caso y sáqueselo de la cabeza al punto. Márchese y déjelo. Con una burocracia como la que gobierna este país ignorante, lo más probable es que nadie llegue a darse cuenta de que usted ha dimitido. Y, de todas formas, si se dan cuenta, ¿qué pasaría? Una larga investigación, y quizá un período de impopularidad, que habrá terminado sin consecuencias para cuando regrese. Para entonces, probablemente otro Gobierno ocupará el poder y será como si nunca hubiera ocurrido nada.

El Sr. Campion seguía dudando, y el personaje, que se había explicado clara y enfáticamente, pasó a la parte práctica del asunto.

—Tengo aquí mismo toda la parafernalia —dijo. Abrió una carpeta de cuero y desplegó su contenido—. La reserva del barco..., uno de nuestros trasatlánticos, por supuesto... Una carta para el capitán. Las instrucciones que debe seguir a su llegada a América del Sur. Un mensaje sobre el que hablaremos más tarde y quinientas libras en billetes. Como puede comprobar, todo está organizado al detalle. Enhorabuena, muchacho, por aprovechar una oportunidad única.

El Sr. Campion tenía un aspecto plácidamente simple.

—Cuando ha mencionado que el asunto ha de ponerse en marcha de inmediato —dijo—, ¿qué quería decir exactamente con ese *inmediato?*

Brett Savanake levantó la mirada de los papeles que tenía en la mano y, durante un instante, sus fríos ojos grises se encontraron con los de Campion.

—En cuanto salga de este despacho —explicó—, uno de mis secretarios lo acompañará a la planta baja, donde lo estará esperando un coche que los llevará a Croydon. Desde allí volarán a Southampton para embarcarse en el *Marquisita*. Mi secretario personal lo acompañará a bordo y lo conducirá al camarote del capitán. Permanecerá allí hasta que zarpe el barco. Por motivos evidentes, viajará con pseudónimo: le he preparado un pasaporte a nombre de «Christian Bennett».

Hizo una pausa y el Sr. Campion lo miró por encima del borde de su pañuelo, que aún le cubría media cara.

—Bien —dijo—. Espero que se hayan acordado de meterme ropa caliente en la maleta.

—Su sastre habitual nos ha suministrado el atuendo tropical completo, que lo está esperando a bordo del *Marquisita*.

—¡Espléndido! Ahora solo me queda coger una botella de Mothersill[19] y una bolsa de frutos secos para los nativos, supongo.

—Esa guasa… —dijo el personaje—. También he oído hablar de ella y, personalmente, me resulta bastante irritante.

El joven pareció compadecerse.

—Lo siento —se disculpó—. Pero somos lo que somos y, a fin y al cabo, en breve estaré bien lejos de aquí. En cualquier caso, ¿puedo felicitarlo por su sistema de inteligencia? Han averiguado un montón de cosas sobre mí.

Savanake se encogió de hombros.

—Aquí está todo —dijo—. Su nombre real. Veo que su hermano sigue soltero. Supongo que usted accederá al título en algún momento. Es bastante desagradable tener esa espada de Damocles pendiendo sobre la cabeza. Imagino que una vida de terrateniente

19. Mothersill's Travel Remedy, un remedio para el mareo.

con un asiento reservado en la Galería de los Pares[20] no lo atraerá especialmente.

—¡Oh, también tiene sus compensaciones! —aventuró amablemente su visitante—. Por ejemplo, que te regalan un montón de invitaciones para el teatro y que las empresas te suelen mandar muestras. Y no me refiero solo a cosas como un paquete de cuchillas de afeitar, sino también a objetos más interesantes: planchas mecánicas, impermeables de marca y millares de cigarrillos británicos.

Savanake prosiguió, impasible.

—Sé de sus éxitos, y también que colabora con Scotland Yard. Veamos… Está usted soltero y sin compromiso.

—Sin ataduras —puntualizó suavemente el Sr. Campion—. Prefiero decirlo así.

—Treinta y dos años —continuó, inexorablemente, la voz—. Se supone que vive con desahogo, pero no se permite muchos lujos. Me lo describen como un hombre imprudente, astuto y extraordinariamente valiente.

—Calzo un 43 —añadió el joven del dolor de muelas, con súbita indignación—. Siempre me lavo bien detrás de las orejas y, en opinión de mi madre, tengo una preciosa voz de tenor. Por cierto, ¿qué pasaría si decido no jugar a las revoluciones con usted?

—No creo que sea usted tan estúpido. —Los fríos ojos grises escrutaron de nuevo la cara del Sr. Campion—. Además, no está contemplado que rehúse. Solo lo he llamado «propuesta» porque parecía la manera más cortés de denominarlo. Pero en realidad no tiene alternativa. Después de una cuidadosa investigación de su expediente, costumbres y personalidad, lo he elegido a usted.

El Sr. Campion se levantó.

—¿Y mis amigos? —preguntó—. Si los abandono, ¿cómo podré volver a mirar a sus caras limpias pero honradas?

20. Asientos reservados a los nobles en la Cámara de los Comunes del Parlamento británico.

—Estoy empezando a odiar esa costumbre suya de tomárselo todo a broma —dijo el hombre, malhumorado—. ¡Siéntese! Todo eso está arreglado. ¿Es absolutamente imprescindible que se tape la cara con ese pañuelo?

—Sí —respondió el Sr. Campion, sin rastro de generosidad—. Supongo que ahora me contará que le ha escrito usted una carta al Sr. Randall, a quien conozco desde hace muchos años, y que yo solo tengo que copiarla.

—Firmarla —corrigió Savanake—. Está mecanografiada en una máquina de escribir que hemos tomado prestada de su piso. Se la voy a leer.

Carraspeó.

—«Querido amigo —leyó con solemnidad—: me temo que tal vez este mensaje te sorprenda un poco. Pero no te enfades. Te escribo porque ha surgido algo con un verdadero aroma a peligro… La única cosa en el mundo, como bien sabes, a la que jamás me he podido resistir. Dejo, pues, en tus manos este asunto pueril en que hemos andado metidos. Recuerdos a los demás. Afectuosamente»…

—«Bert» —sugirió el Sr. Campion, para ayudar—. Oiga, no se lo tome a mal, pero no puede enviar eso. Guffy sospecharía inmediatamente. La idea está bien, pero creo que necesita unos pequeños retoques. No se preocupe, que no le mandaré un mensaje cifrado ni nada por el estilo. Pero he de pedirle que no la envíe hasta que me haya marchado.

Y entonces se sacó una pluma del bolsillo y empezó a garabatear unas palabras en una hoja de papel de carta que había encima del escritorio. Fue una nota muy breve, y, en cuanto la hubo acabado, se la tendió al otro hombre. Savanake leyó en voz alta el mensaje, con un tono de voz completamente neutro. Su rostro también permanecía impasible.

—«Querido colega: Sé lo que me voy a perder…, pero me ha surgido algo mucho más divertido que requiere mi presencia en cierto país extranjero y, como supondrás, no lo he dudado ni un segundo. Te ruego aceptes mis disculpas. No se me ocurre nada más horrible que averiguar que un hombre que a uno le caía bien resulta ser un completo mentecato. Pero estas cosas tienen valor educativo y, en cualquier caso, tampoco soportaría que me perdonases. Tuyo, A. C.».

Savanake asintió.

—Mejor así —confirmó—. Ya supondrá que desde el barco no podrá enviar telegramas. Creo que con esto concluye la entrevista. Mandaré llamar a mi secretario para que partan cuanto antes.

—¡Un momento! —El Sr. Campion levantó una mano pálida—. Exijo una condición, muy razonable desde mi punto de vista. Esta compañía cuenta con un negocio de seguros suplementario, ¿verdad? Pues me gustaría que me financiaran un seguro de vida por una suma de cincuenta mil libras, al menos por un cierto período de tiempo. ¿Cree que podría arreglarlo?

Los ojos grises lo observaron con agudeza.

—Puede resultarle difícil conseguir cobertura si se embarca en una aventura como esta —dijo—. Comprenderá que su misión es bastante peligrosa, pero yo pensaba que eso era precisamente lo que le atraería de ella…

—¡Oh! —dijo el Sr. Campion, animado—. No me ha entendido usted. El período de tiempo al que me refería es el que media entre el momento en que salga por la puerta de esta oficina y la partida del *Marquisita*.

La gran cara inexpresiva se quedó mirándolo fijamente en silencio durante unos instantes y, a continuación, Brett Savanake inclinó la cabeza y comenzó a reír con tantas ganas que las lágrimas resbalaron por sus mejillas.

—Parece que, después de todo, va a ser cierto que tiene usted un gran sentido del humor —dijo—. Me acabo de dar cuenta… ¡Perfecto! Le prepararé los papeles…

—Quiero que todo se haga como mandan los cánones —insistió el Sr. Campion—. En realidad, me gustaría que el asunto quedase en manos de mi propio bufete. Si me deja utilizar su teléfono, llamaré a mi abogado y le pediré que se presente aquí de inmediato.

Savanake negó con la cabeza.

—Un poco tosco, muchacho.

El Sr. Campion parecía dolido.

—Si tiene un listín a mano —dijo—, tal vez prefiera buscar usted mismo el nombre de la compañía y dictarme su número de teléfono. Tengo buenas razones para desear que cierta persona reciba una suma sustancial de dinero en caso de que yo fallezca. También me vale como advertencia, para que su secretario lleve cuidado conmigo.

Savanake cogió el listín.

—¿Cuál es el nombre del bufete?

—Poulter, Braid y Simpson, de Pall Mall. Puede que los conozca.

El gran hombre pareció tranquilizarse: se trataba de uno de los bufetes más importantes a nivel mundial.

—Mi abogado se llama McCaffy. Si consigue que se ponga al teléfono, me gustaría hablar con él.

Campion estaba a punto de hacer un comentario respecto a la rapidez con la que se había llevado a cabo la llamada cuando Savanake lo interrumpió.

—¡No hay tiempo que perder! Dígale que le esperamos dentro de media hora. Yo mismo me encargaré de que esté todo preparado.

El Sr. Campion cogió el auricular.

—¿McCaffy? —dijo—. Campion al habla. Voy a hacerme un seguro de mi vida. Sí, Xenophon se hará cargo de mí durante un breve período de tiempo. Me temo que se trata de un asunto urgente. ¿Podría venir cuanto antes y arreglarlo todo con ellos? Yo he de partir de inmediato, pero antes se lo dejaré todo firmado. Lo siento, camarada, pero necesito que se persone en estas oficinas cuanto antes. Es esencial que se dé prisa. No, no he dicho que sea demencial que se deprima: he dicho que ¡es esencial que se dé prisa! ¡Venga al punto! No, no van a perder el tiempo con esas nimiedades… Salta a la vista que estoy sano como una manzana. Nada que reseñar, salvo un molesto dolor de muelas… Ya conoce usted la dirección: Xenophon House. Adiós. ¡Venga cuanto antes! Buen chico.

Y colgó el teléfono.

—¿Ya está satisfecho?

Savanake asintió.

—Por el momento, todo en orden.

Lo normal habría sido que la transacción de un negocio de esa magnitud hubiera llevado cierto tiempo, pero en la realidad bastó que Savanake llamara a la anciana de la habitación contigua y le murmurara una breve frase para que los papeles debidamente cumplimentados aparecieran como por arte de magia encima de su mesa.

—Por supuesto, la prima saldrá de mis veinticinco mil —anunció el Sr. Campion, esforzándose por parecer formal—. Y, en caso de que muera, quiero que todo el montante se le abone a la misma persona. Puede arreglarse, ¿verdad?

—Sin duda. ¿Me da usted los datos de el afortunado?

—Srta. Amanda Fitton, El Molino, Pontisbright, Suffolk.

Savanake pareció sorprendido.

—¡Pero si apenas hace una semana que la conoce…! —exclamó—. ¿Por qué diantres querría dejarle cincuenta mil libras?

—No creo que sea un asunto de su incumbencia —protestó el Sr. Campion, cansado—. ¿No me conoce usted tan bien? ¡Pues averígüelo! Además, espero que jamás reciba esas cincuenta mil libras. Confío sinceramente en que ese instante nunca llegue.

Cuando por fin hubieron concluido todas las formalidades, Savanake pulsó uno de los botones de su escritorio.

—Ha llegado el momento de que nos despidamos. Permítame desearle buena suerte, Campion —dijo—. Ha escogido usted el único camino inteligente, y estoy seguro de que tendrá éxito. Encontrará al Sr. Parrott esperándolo en el despacho contiguo. ¿Ha cogido los papeles? ¿Y el dinero? Muy bien, pues, entonces, adiós. Le recomiendo que se estudie las instrucciones en cuanto suba a bordo. Son bastante precisas y creo que no encontrará ningún problema para seguirlas al pie de la letra. ¡Buena suerte!

El Sr. Campion se dio cuenta de que le estaba echando. El Sr. Parrott, que, con su abrigo azul ceñido y su venerable sombrero de hongo, recordaba a un actor que se hubiese caracterizado como un policía de paisano, le estaba esperando en el despacho de al lado. La anciana seguía sentada a su escritorio, y saludó amablemente a Campion con una inclinación de cabeza cuando este apareció.

—Le he conseguido un buen camarote en el *Marquisita* —le informó—. He telegrafiado a la doncella para que le ponga muchas mantas en la cama. Durante estas travesías uno siempre pasa frío.

El Sr. Parrott, muy serio e incapaz de mantener su natural *bonhomie* en los aledaños de la mismísima habitación del jefe, tomó a Campion del brazo.

—Acompáñeme — le pidió, y lo condujo al pasillo.

Cuando la puerta se cerró tras ellos, recuperó un poco la compostura y, bajando la voz, en un tono confidencial, dijo:

—Hay un ascensor al final del pasillo. Así nos ahorramos las salas de espera. ¿Qué tal la muela, muchacho?

—¡Fatal! —masculló Campion, cuyo pañuelo, para entonces, le cubría completamente la boca—. Creo que va a peor. Me imagino que no me permitirán hacer una paradita en el dentista.

Pronunciaba con tanta dificultad que al Sr. Parrott le costó mucho entender la petición. No obstante, cuando llegó a la palabra «parar», negó violentamente con la cabeza.

—Lo siento, muchacho —dijo—, pero es imposible. Va contra las órdenes del jefe. Tengo que llevarle directamente al aeródromo. Allí le espera un avión privado.

El quejido ahogado de Campion los detuvo cuando estaban entrando en la sala donde se encontraba el ascensor. Tras las gafas de montura de cuerno, los ojos del joven no podían esconder el pánico.

—Como coja frío en esta muela, me desmayaré. Necesito una bufanda o algo con lo que cubrirme.

El Sr. Parrott reflexionó. Aunque en el fondo era un buen hombre, no podía atender la petición del Sr. Campion.

—Pagaría cinco libras por una bufanda de lana corriente y moliente —musitó el prisionero, levantándose el cuello de la chaqueta y sacando otro pañuelo para proteger su hinchada cara. No lo dijo con mucha convicción, pero percibió el brillo que se despertó en la mirada del otro. Sin embargo, el Sr. Parrott solo tardó un instante en volver a su ser virtuoso y santurrón.

—Lo siento, muchacho —se disculpó, al tiempo que pasaban a toda prisa por el segundo piso. Campion le cogió del brazo.

—¿Cuánto me costaría parar en mi piso, bajo su estricta vigilancia, por supuesto, a coger un abrigo y unas pastillas para el dolor de muelas? Si así lo quiere, no le soltaré la mano durante todo el tiempo que dure nuestra pequeña excursión.

El Sr. Parrott respiró hondo. A continuación, bajó la voz y, susurrando confidencialmente, dijo:

—Quinientas libras.

—Trato hecho —se apresuró a contestar el Sr. Campion—. 17 A, Bottle Street.

Finalmente, los dos hombres entraron dando tumbos en el piso que se encontraba encima de la comisaría del famoso callejón de Piccadilly. Las cortinas corridas y los muebles tapados con sábanas proclamaban a voces la larga ausencia de su propietario. El Sr. Parrott siguió a su pupilo al cuarto de baño, donde

Campion hurgó en un armario hasta que encontró el frasco que buscaba. El Sr. Parrott le pidió que se lo enseñara: la etiqueta, donde se enumeraban los componentes del medicamento, le dejó satisfecho.

—Ahora, a por el abrigo.

Campion entró al trote en el dormitorio con Parrott pisándole los talones.

—Tendrá que disculpar mi comportamiento, pero órdenes son órdenes, ya sabe.

Cuando Campion murmuró algo acerca de las quinientas libras, el Sr. Parrott tuvo el detalle de simular cierta incomodidad.

—Los riesgos se pagan —dijo hoscamente.

—Cierto —concedió el Sr. Campion, sin la menor muestra de simpatía—. Creo que guardé el abrigo en el ropero.

—¿Es que se encuentra usted peor? Apenas si entiendo lo que dice.

El Sr. Parrott se acercó.

Campion señaló la puerta de un vestidor con la mano que le quedaba libre.

—Blob, blob… —Fue todo lo que acertó a decir.

Su guardián pareció comprender, porque asintió y se echó a un lado.

—Un momentito, no veo bien. —A Campion se le entendía cada vez peor.

El Sr. Parrott miró su reloj.

—¡Venga, dese prisa! —exigió—. Campion, ¿dónde se ha metido?

Sin embargo, su momentánea inquietud quedó disipada cuando la esbelta figura apareció de nuevo. Una bufanda envolvía la mitad inferior de su cara sujetando el pañuelo y llevaba un abrigo inmenso en el brazo. Se había dejado puesto el sombrero.

El Sr. Parrott le ayudó a ponerse el abrigo, y juntos salieron a tientas del piso desmantelado. Una vez regresaron al coche, Campion le tendió un sobre a su guardián. El hombre rubio comprobó su contenido, casi sin poder disimular su asombro.

—No sé quién es usted ni qué se trae entre manos —dijo—. Pero es el primer hombre que conozco, y he conocido hombres muy ricos, que paga tan generosamente por una minucia así. —Bajó la voz aún más confidencialmente, y se acercó—. Oiga, Campion no es su nombre real, ¿verdad? —susurró.

—Blob, blob —dijo la forma misteriosa que se encontraba a su lado.

El Sr. Parrott, interpretando esa observación como una negativa a confiarse, se recostó enfurruñado en su rincón. El coche circulaba a toda velocidad en dirección al aeródromo.

Capítulo XII

Visita

Era la hora a la que El Guantelete abría sus puertas, la noche del día en que la carta del Sr. Campion había llegado al molino. Eager-Wright y Farquharson salieron del bar en cuanto escucharon el sonido del motor del Lagonda entrando en el patio. Llegaron a tiempo de ver cómo Guffy se bajaba del auto parsimoniosamente. Aquella reunión de urgencia se había convocado esa misma mañana, cuando decidieron que el Sr. Randall bajaría a la ciudad para tratar de «arrancarles la verdad» a los de Xenophon House. No le habían contado nada a Amanda de la carta y, como de momento también preferían mantener a Lugg en la ignorancia, la corte de Averna, despojada de su príncipe, había decidido reunirse en la posada.

Los tres jóvenes entraron juntos en la taberna desierta. Guffy aún no había pronunciado palabra, pero su apesadumbrada expresión no parecía un buen presagio.

—En fin, me he presentado allí —dijo con un gesto vagamente belicoso en su redonda cara bonachona—, y, francamente, les he montado un buen espectáculo. Odio los numeritos, pero, en este caso, no quedaba más remedio. Al final, conseguí que me llevaran ante un tal Parrott, un canalla espantoso, pero probablemente sincero, aunque yo, por supuesto, no tenía ninguna intención de confiar en él. No parecía tonto, y se tomó muchas molestias para averiguar quién era yo antes de darme cualquier información. Pero cuando logré convencerle de que de verdad era asunto mío, se abrió un poco.

Miró a su público con sus ojos azules y afligidos.

—Según su versión, le hicieron a Campion una oferta de trabajo que no pudo rechazar. Dio a entender que la suma en cuestión era colosal, pero requería que se incorporara inmediatamente. Él insiste en que Campion se ha embarcado rumbo a América del Sur.

—¡No me creo ni una palabra! —exclamó Eager-Wright, que abría más y más los ojos a medida que Guffy avanzaba con su lamentable relato.

—Yo tampoco —dijo Guffy con rotundidad—. Pero el tal Parrott me dio muchos detalles. Al parecer, antes de partir contrató un seguro de vida con la compañía… Y luego el propio Parrott lo dejó a bordo de un barco llamado *Marquisita*. Volaron de Croydon a Southampton… Eso es al menos lo que cuenta…

—¡Han tenido que drogarle! —dijo Farquharson con convicción—. Está claro que se las han apañado para secuestrarlo. Si aquella maldita nota no hubiera sido tan terriblemente convincente, montaría un escándalo.

Guffy se quedó callado unos instantes y, cuando al fin se decidió a hablar, lo hizo con la mayor reticencia. Su cara amable y amistosa estaba roja por la vergüenza.

—Me parece imposible que se trate de un secuestro —sentenció—. O al menos de un secuestro al uso. Ese sitio, Xenophon House, es una mezcla del Regent Palace[21] y el Banco de Inglaterra, aderezado con un poco del Victoria & Albert. Yo también confío

---

21. Probablemente, el Regent Palace Hotel, inaugurado en 1915 y situado cerca de Piccadilly.

en Campion, por supuesto, pero creo que tenemos que aceptar que se ha marchado... Por lo menos, de momento. Ojalá su carta hubiera contenido algún mensaje en clave. La he releído muchas veces. Es terrible, pero de momento yo no dudaría de su autenticidad. Ahora a nosotros nos toca decidir si tiramos la toalla o seguimos adelante, como si Campion estuviese aquí.

—¡Oh, debemos continuar! —Farquharson contestó de manera impulsiva—. No somos unos expertos, pero tampoco podemos echarnos atrás. Creo que Campion nos conoce suficientemente bien para saber que seguiríamos adelante. Es más, seguro que contaba con ello.

Eager-Wright asintió.

—Estoy completamente de acuerdo —dijo—. Para ser sinceros, no creo que consiguiera dejar esto, ni aunque lo intentase. Tengo la sensación de que estamos a punto de averiguar algo. ¿Le llevaste la copia de la inscripción del roble al tipo que nos dijiste?

Guffy asintió.

—Se la dejé al profesor Kirk, del Museo Británico. No le expliqué demasiado, pero tampoco le importó. Es un tipo encantador, además de absolutamente brillante en lo suyo. Si él no saca nada en claro, es que nadie puede. Y después emprendí el camino de regreso. Tras mi entrevista con Parrott, no me quedaba mucho más por hacer...

Su abatimiento habría resultado cómico en cualquier otra situación. La cobardía y abandonar a los amigos eran dos pecados capitales según el código del Sr. Randall.

—Hemos subido a la iglesia para echarles un vistazo a los tambores —informó Farquharson, tratando de sacar la conversación de un derrotero que a todos les resultaba doloroso—. Pero me temo que no hemos hallado gran cosa. En la galería hay once tambores, todos ellos en un estado lamentable. Están recubiertos de polvo, y sirven de base para unas montañas enormes de libros de himnos antiguos. Los examinamos minuciosamente, pero no hemos descubierto nada interesante, salvo que son de bastante antes de Malplaquet.

—A decir verdad —prosiguió Eager-Wright—, hemos pasado un buen rato tratando de sacar algo en claro del «tocar debe» del poema. Farquharson ha tocado *Dios salve al Rey* en cada uno de los tambores, pero no ha sucedido nada, salvo que hemos despertado a una nube de murciélagos que dormían bajo el tejado.

El Sr. Bull apareció para tomar nota de las bebidas.

—Hoy no tiene buena cara, señor —anunció, mirando a Guffy con sus brillantes ojos inquisitivos—. Algunos le dirían que tiene buena cara aunque no la tuviera, pero yo no, porque no estaría bien. Le he visto con mejor aspecto. Pruebe la Colne Springs. No hay nada como una buena cerveza negra cuando uno no se encuentra muy allá. Puede que otros se la ofrecieran con la única intención de sacarle el dinero —prosiguió, descaradamente—, pero yo no soy de esos. Si no pensara de verdad que le va sentar bien no se la serviría… Se lo digo con toda la sinceridad del mundo.

Ante tan humilde confesión de virtud, Guffy se quedó sin palabras. El Sr. Bull se marchó sin más dilación en busca de la bebida más cara que servían en el local. Cuando regresó con las tres jarras de peltre, prosiguió con su asunto favorito.

—Yo soy un hombre honrado —afirmó, contemplando a sus visitantes con una sonrisa de satisfacción—. Eso es lo que ha hecho tan popular esta casa. Hoy mismo, sin ir más lejos, he rechazado a una docena de huéspedes, o a la promesa de que se convirtieran en tales, que viene a ser lo mismo. Esta tarde se ha presentado aquí un tipo en un coche pequeño y me ha preguntado si podría alojar a doce miembros de un grupo que pretende excavar las ruinas… No sé qué, algo histórico… Le he dado largas. «Aquí no tenemos sitio para tanta gente», le he dicho. Y pueden creerme porque les estoy diciendo la verdad: ha pasado por el resto de las casas del pueblo y nadie ha accedido a alojar a sus amigos. Y, ¿por qué? Porque, sin ánimo de ofender, no queremos compartir este lugar.

Somos retraídos, y siempre lo hemos sido, y lo seremos hasta que la Gran Campana suene de nuevo.

Cuando escuchó esta última observación, Eager-Wright despertó de la melancólica ensoñación en la que estaba sumido para lanzarle una mirada pensativa al propietario.

—Imagino todos los que oyeron tañer la gran campana antes de que la fundieran han muerto ya... —observó.

—Sí —dijo el Sr. Bull—. Eso creo. El padre de la Sra. Bull vivió hasta los ciento ocho, y él la había oído —prosiguió, con entusiasmo, pero sin ser de gran ayuda—. Y eso es la pura verdad, y pueden creerlo, porque se lo digo yo. En su día, fue un hombre maravilloso. Se parecía a los mismísimos Pontisbright, y era capaz de beberse dos litros sin respirar. Calzó el mismo par de botas durante veinte años, y murió con ellas puestas. Además, se afeitaba solo, y se sacaba las muelas a sí mismo —prosiguió, ensalzando a su familia política—. Su hija menor, la Sra. Bull, nació cuando él tenía ochenta y cinco años. ¿Qué me dicen, eh?

—¿Qué me dice de esa historia que cuenta que la voz de la vieja campana se oía cuando había tormentas o desastres de otra índole? —preguntó Guffy.

El propietario pareció vacilar.

—Jamás he oído tal cosa —contestó—. Y, si les dijera lo contrario, mentiría. Pero el viejo Fred Cole la oyó..., o siempre aseguró que la había oído. De todas formas, al final murió... El diablo se lo llevó tres o cuatro días antes de que llegasen ustedes. Era un hombre malo, ya lo creo. Fred y su mujer y su chiquilla, que vivía con ellos en la casita de al lado de la iglesia, afirmaban que la oían cuando había tempestad. Pero ninguno de los tres eran buena gente, y, a la postre, el diablo se llevó a Fred.

—¿Qué hay de la mujer y de la chiquilla? —preguntó Eager-Wright.

—¡Oh, llevan muertas diez años! —dijo el Sr. Bull con satisfacción—. Fred les pegaba, y murieron una detrás de la otra. Algunos llegamos a sospechar que él las mató. El caso es que fallecieron después de que les propinara sendas palizas.

—También yo comienzo a sospechar que las mató —dijo Farquharson, razonablemente.

—¡Oh! —exclamó el Sr. Bull—. Así es, ya lo creo que sí, sí, es la verdad. Era un viejo malvado.

Proseguir aquella conversación con el digno propietario no parecía tener demasiado sentido, así que pagaron la cuenta y se dirigieron hacia el coche.

—¿Qué vamos a hacer con Lugg? —preguntó Farquharson mientras dejaban atrás el páramo—. Bueno, y con todos los demás, ya que estamos… ¿Qué le decimos de Campion?

—Que ha tenido que quedarse en Londres, ¿no? —respondió Guffy—. Después de todo —añadió, esperanzado—, puede que hasta sea cierto.

Cuando aparcaron en el patio, se dieron cuenta de que en la casa habían encendido más luces que de costumbre. Contra su plácido fondo de árboles desdibujados, medio ocultos por la neblina que se alzaba del río, el molino parecía un lugar de ensueño.

Guffy miró a la puerta. Tenía la esperanza, tal vez infundada, de que Mary Fitton saliese al oír el motor del coche. Le dio la sensación de que la casa estaba especialmente silenciosa, y le extrañó que ni siquiera Amanda hubiese salido a recibirles dando saltos.

Al final, como seguía sin aparecer nadie, giró el picaporte y cruzó el umbral, seguido de cerca por los demás. No le sorprendió que no hubiera ninguna luz encendida en el recibidor.

Se estaba volviendo hacia el perchero para colgar su abrigo, cuando alguien le echó algo oscuro y pesado sobre la cabeza y se lo caló hasta más allá de los hombros. Los sonidos que escuchó a sus espaldas le dieron a entender que su atacante no se encontraba solo y que sus compañeros se estaban ocupando a su vez de Eager-Wright y de Farquharson.

Tras unos primeros instantes de conmoción, Guffy reaccionó con un intenso enfado. El saco que lo envolvía estaba húmedo y olía abominablemente, y para colmo su captor se las había arreglado para arañarle el puente de la nariz con el basto borde de la bolsa. Guffy comenzó a maldecir violentamente en voz baja y, como le habían inmovilizado los brazos, se puso rígido y procedió a cargar con los hombros contra su enemigo. Los muy cerdos respondieron al ataque propinándole fuertes patadas. Aquel fue el insulto final. El Sr. Randall enloqueció. Trató de deshacerse de su cárcel de lona retorciéndose violentamente y, para sorpresa de todos, encontró la boca del saco. Consiguió liberar un brazo, pero entonces la culata de un revólver le golpeó la muñeca, provocándole un intenso dolor que subió desde la punta de los dedos hasta el codo.

La segunda vez le calaron el saco casi hasta las rodillas y se tomaron la molestia de atarle con una fina cuerda a la altura de los hombros; la apretaron con tanta fuerza que las vueltas se le clavaban en las carnes.

Estaba indefenso, no podía ver nada y era incapaz de mover los brazos. Entonces se agachó y embistió en la dirección en la que creía se hallaba su enemigo. Obtuvo la satisfacción de sentir cómo las costillas de su adversario cedían bajo su peso y de oír un gruñido ahogado seguido del sonido que provoca un hombre al desplomarse. Como no podía usar los brazos, cuando se topó con otra forma que forcejeaba, perdió pie y cayó bruscamente sobre su asaltante, a quien le faltaba el aire. Ambos salieron rodando juntos.

No había tiempo para pensar, y, al principio, ni siquiera se percató de que los atacantes no habían pronunciado una sola palabra. No tenía ni la más remota idea de quiénes eran. Su propia furia lo dominaba por completo. El contacto con el saco le producía náuseas. Sus dobleces fríos, húmedos y mohosos se le pegaban a la piel.

Su oponente parecía llevar las de ganar, cosa que lo enfureció aún más. Irguió los hombros y respiró hondo. El emponzoñado olor del saco era repugnante. Las cuerdas que aún le ataban acusaron el esfuerzo de coger aire y se hundieron más profundamente en sus carnes. Notó cómo se le hinchaban las venas del cuello hasta que la cabeza comenzó a zumbarle y el dolor que sentía entre los ojos se volvió insoportable. Entonces, justo cuando parecía que las únicas opciones eran rendirse o reventar, las cuerdas se rompieron con un estallido similar al de un disparo. Su adversario, que luchaba por zafarse de la tenaza en la que lo retenían sus piernas, soltó un breve chillido.

Sin dejar de pelear por liberarse de aquel insufrible saco, Guffy se montó a horcajadas sobre el hombre como si este fuera un caballo salvaje. Ya había conseguido sacar los hombros, con la consiguiente recompensa de una bocanada de aire relativamente fresco, cuando una sensación de peligro inminente hizo presa de él. Se agachó un segundo demasiado tarde. Un golpe, tan pesado y brutal que incluso la gruesa arpillera que cubría su cabeza resultó ser de escasa o nula protección, estalló contra su cráneo. Luchó denodadamente para no perder el conocimiento, pero el terrorífico entumecimiento producido por el impacto acabó produciendo su efecto: sintió que caía, cada vez más profundo, y finalmente dejó que su cuerpo flotara a la deriva hasta alcanzar un estado de inconsciencia.

Cuando, enfermo y mareado, volvió en sí, aún se encontraba en el interior de aquel asfixiante saco. Habían vuelto a atarle los hombros, y tenía las manos y los brazos entumecidos. Se movió con precaución, y descubrió que ya no estaba tumbado sobre las baldosas de la entrada, sino sobre un material ligeramente más blando, que, sospechó, debía de ser la raída alfombra de la sala.

También se dio cuenta de que no estaba solo: alguien respiraba muy cerca de él. Contuvo el aliento, se arrastró hacia delante unos centímetros, se detuvo y prestó atención. Y, entonces, para su sorpresa, escuchó un susurro a apenas medio metro de distancia.

—¿Quién es? ¿Está… muerto?

El terror con el que se había formulado aquella pregunta la disculpaba de su obviedad. A Guffy le dio un vuelco el corazón al reconocer la voz.

—Mary —respondió con otro susurro—. ¿Dónde está?

—Aquí. —La vocecilla sonaba tan trémula que daba pena—. Atada a una silla. No me puedo mover.

La ira de Guffy comenzó a bullir de nuevo. Sin embargo, el dolor de cabeza le resultaba casi insoportable y, puesto que había recobrado el conocimiento, concentraba todos sus esfuerzos en no derrumbarse otra vez.

—¿Dónde están? —Sus labios rozaban el saco húmedo cuando hablaba.

—¡Chitón! Me parece que se han marchado, pero no estoy segura. Lleve cuidado.

—¿Y los demás?

Guffy se dio cuenta de que la protuberancia dura sobre la que descansaba su cabeza, y que había maldecido un momento antes, era ni más ni menos que el empeine de su informante. Ese descubrimiento lo reconfortó más de lo que habría podido imaginar.

—Están aquí. Excepto Amanda —le explicó ella—. Nos ataron… a todos, pero al menos he conseguido retirar la mordaza a fuerza de retorcerme. Aunque me da miedo gritar…

—¿Y Wright y Farquharson? ¿También están atados?

La furia, el dolor y la tierna solicitud con la que quería tratar a Mary estaban a punto de hacer enloquecer a Guffy.

—Veo dos bultos más… —dijo la voz, con timidez—. Solo alcanzo a distinguir lo que ilumina la luz de la luna, así que no puedo identificarles, pues ni siquiera diviso sus piernas desde aquí…

El joven trató de buscar una postura cómoda.

—Oiga, ¿le hago daño?

—En absoluto.

Guffy se recostó.

—Se han presentado por sorpresa cuando estábamos en el comedor —prosiguió ella, en un susurro ronco pero penetrante—. Nos habíamos reunido allí para esperarles a ustedes. Me ha parecido que eran seis hombres. Han llegado en un Darracq enorme que han dejado aparcado en el patio de atrás. En cuanto vimos el coche doblar la esquina nos levantamos para ir a recibirles, pero entonces se nos echaron encima. No sé adónde se han llevado a Amanda. La he oído gritar una vez. Sonaba como si procediese de abajo, pero a los demás, a la tía, a Hal y a mí, nos han amarrado y atado a las sillas aquí arriba.

—¿Ha podido verlos o reconocer algún detalle que nos sirva para identificarles?

Varias intentonas fútiles de liberarse habían convencido a Guffy de que sus ataduras eran considerablemente más fuertes que las que habían usado para amarrarle la primera vez, así que al final renunció a tratar de escapar.

—¡Los he visto perfectamente! —Su tono era quejumbroso—. Eran unos hombres de lo más corriente, gente de campo…

Recordando la fuerza y la crueldad del golpe que lo había dejado sin conocimiento, Guffy llegó a la conclusión, sardónicamente, de que Mary debía de tener razón.

—No entiendo qué andaban buscando —prosiguió—. Pero, que yo sepa, solo han registrado la casa. Han puesto patas arriba esta habitación, como si fuesen agentes de aduanas. Hasta han intentado levantar la alfombra, aunque, cuando se han dado cuenta de que llevaba tanto tiempo en el mismo sitio que prácticamente se había fundido con el suelo, han renunciado. Y han mirado detrás de cada uno de los cuadros. He oído cómo movían y arrastraban los muebles por toda la casa.

Guffy gruñó. No se le ocurría ningún comentario apropiado.

—He oído el coche hará cosa de media hora —aventuró ella, después de hacer una pausa—. Aun así, no me he atrevido a gritar, por si alguno se había quedado vigilándonos. Pero, desde entonces, no he vuelto a escuchar nada más, así que supongo que estamos solos.

Guffy trató de ponerse en pie, pero, sin aliento y gimiendo, acabó por tirar la toalla definitivamente.

—¿Y usted? ¿Puede moverse? —preguntó.

—No. Lo he intentado, pero me han atado los brazos detrás del respaldo de la silla, y creo que la cuerda continúa hasta mis pies. Para colmo, tengo los tobillos atados a las patas. He intentado retorcerme para tratar de aflojar las ataduras, pero no aguanto el dolor, y encima parece que lo único que he conseguido es que la cuerda me apriete aún más.

—Entonces, quédese quieta. Voy a probar yo de nuevo.

Sin embargo, el valiente Sr. Randall no tardó mucho en darse cuenta de que por una vez lo habían derrotado. Podía seguir intentándolo hasta el Día del Juicio que no conseguiría soltarse.

—¡Wright! —llamó con suavidad—. ¡Wright! ¡Farquharson!

—¡Eh! ¿Eres tú, Guffy? No puedo moverme.

La voz de Eager-Wright, ahogada y jadeante, provenía de un lugar cercano.

Guffy lanzó una maldición.

—¿Cómo está Farquharson?

Un sonido inarticulado que provenía de algún lugar del otro lado de la habitación le indicó que el Sr. Farquharson, además de atado, estaba amordazado.

Pasados unos minutos, cuando ya estaban convencidos de que estaban solos, comenzaron a gritar pidiendo auxilio mientras seguían retorciéndose para tratar de liberarse. Ya les parecía que llevaban varias horas luchando contra sus ataduras cuando sucedió el milagro.

—¡Vaya! —dijo la vibrante y reconfortantemente fuerte voz estadounidense de tía Hatt—. Atacados en nuestro propio hogar por segunda vez en una semana…, ¡y a esto lo llaman un país tranquilo! ¡Diantres! Sin duda, me siento mucho mejor sin esa maldita mordaza en la boca. ¡Deprisa, desáteme las manos! Así. Y los pies. Mucho mejor. Vamos a ver si entre los dos podemos ayudar también a los demás.

Al principio no se lo podían creer, pero pronto no les quedó otra que admitir que la indómita dama lo había conseguido. La energía que derrochaba mientras desataba a los demás era admirable, sobre todo teniendo en cuenta la difícil postura en la que había permanecido sentada durante tanto tiempo.

Mary y Hal fueron los primeros en recuperar la libertad, y ambos se concentraron en los tres lamentables bultos que seguían tendidos en el suelo.

Guffy logró al fin deshacerse de su odiado saco. Aunque le dolía todo el cuerpo y estaba sucio, a Mary le pareció un auténtico héroe. Eso consiguió reconfortarle.

Comparado con los demás, Eager-Wright había salido mejor parado, pero Farquharson continuaba inconsciente cuando le quitaron la mordaza de la boca. Tía Hatt, con su habitual energía, se ocupó de él. Guffy, con la tranquilidad de dejarle en manos de aquella mujer, salió, junto con Eager-Wright y el joven Hal, en busca de Amanda y de Lugg y Despistado Williams, sus desafortunados perros guardianes.

No tardaron mucho en dar con la muchacha. La encontraron en el comedor, atada a una pesada y anticuada butaca, con un trapo metido en la boca. Tenía las muñecas y los tobillos en carne viva, pues las cuerdas le habían desgarrado la piel cuando luchaba por soltarse, y lágrimas de furia y frustración se escapaban de aquellos ojos que les dirigieron una mirada fulminante a través de un matojo enredado de pelo llameante.

Cuando al fin la liberaron, ella, altiva, se puso en pie, tambaleándose y jadeando.

—¡Eran seis! —estalló temblando de rabia—. ¡Solo seis, y han podido con nosotros! Estábamos casi a la par, pero se nos han echado encima y nos han dejado atados en nuestra propia casa…

A uno le he mordido la mano, eso sí, y me habría escapado si no hubiesen llevado pistolas. Llevo horas intentando soltarme…

Las lágrimas no le dejaron continuar. Estaba furiosa y triste a un tiempo. Los demás la miraban sin saber qué hacer. Finalmente, consiguió recuperar la compostura.

—¡En marcha! —dijo—. Aún tenemos que sacar a Despistado y a Lugg. Los han encerrado en la bodega. Llevo dos horas escuchando sus maldiciones… La reja de la bodega está justo detrás de esta ventana.

Hal y Eager-Wright bajaron juntos a liberar al alicaído guardaespaldas, mientras Guffy y Amanda se dirigían a la sala, donde seguían reunidos los demás. Pero, hasta que Farquharson resucitó y tía Hatt realizó un examen preliminar de la casa —que había sido registrada, pero no saqueada—, Guffy no se atrevió a formular la pregunta que llevaba media hora rondándole por la cabeza.

—Srta. Huntingforest —dijo—, ¿quién la ha desatado?

La buena señora se quedó mirándolo.

—Pero, bueno… ¡Pues usted, claro está! —dijo—. No me mire así, joven. Usted mismo se me ha acercado desde atrás y me ha quitado primero la mordaza y a continuación me ha desatado también las manos y los pies.

—¡Pero si a Guffy lo he soltado yo! —exclamó Mary—. Y tú me has desatado a mí, tía Hatt, y… —se interrumpió con una expresión de terror en el rostro—. ¿Quién…? —preguntó, recorriendo con la mirada la habitación desmantelada, donde en aquel momento se hallaban todos los habitantes de la casa—. ¿Quién ha soltado a tía Hatt?

Se hizo un largo silencio. Todos se miraban unos a otros formulándose la misma pregunta sin poder borrar el horror de sus caras. Nadie respondió. La gran casa antigua quedó sumida en el silencio como una tumba abandonada.

Capítulo XIII
Cuidado con Amanda

La carta dirigida al «Reverendo Albert Campion» llegó por correo la mañana siguiente. Estuvo sobre la mesilla del recibidor, despertando la curiosidad de todos cuantos la contemplaron, desde el momento de su llegada hasta el de su desaparición y posterior recuperación.

Un único matasellos, junto a la palabra «urgente», indicaba que había sido enviada directamente desde Northamptonshire. Todos los que sabían de su existencia compartían la impresión de que podía contener información útil.

Ninguno había pasado lo que se dice una buena noche. Guffy, al que además le había salido un chichón del tamaño de un huevo en la nuca, bajó las escaleras con un aire más triste y taciturno de lo que era habitual en él.

En el apresurado consejo de guerra celebrado la noche anterior habían decidido por unanimidad no llamar a la policía. Los intrusos no se habían llevado nada —al menos que ellos supieran—, y los huéspedes estaban convencidos de que, en aquellas circunstancias, una investigación de la policía del condado entorpecería aún más las cosas. Sorprendentemente, hasta tía Hatt se había mostrado de acuerdo con dicha solución. Y los demás se dedicaron a planificar una línea de defensa, para el caso de un nuevo ataque, y a buscar una manera de desquitarse.

Guffy descubrió la carta cuando iba a desayunar. Entonces se detuvo y le dirigió una mirada pensativa. Comprendió que tenía ante sí un problema menor, pero a la vez bastante irritante. Si tomaba el camino más sencillo, el que su instinto y su educación le indicaban, enviaría la carta a Xenophon House y se la quitaría de la cabeza. Pero, consciente de la responsabilidad de su nueva vocación, vacilaba. La cabeza le dolía insoportablemente y, cuando escuchó el silbido de Amanda, que bajaba trotando por las escaleras tras él, se precipitó a la sala del desayuno, dejando la carta donde se la había encontrado.

La reacción de Amanda ante el sobre fue muy diferente. Se detuvo en cuanto lo vio y, tras echar una ojeada culpable a su alrededor para asegurarse de que nadie la observaba, lo cogió y se lo metió dentro de las medias —el típico escondite de las escolares—. Después se marchó tranquilamente a desayunar, dando largas zancadas.

No había dejado de silbar en ningún momento, y Guffy habría jurado que había entrado en la habitación justo detrás de él, sin detenerse.

El grupo que se reunió alrededor de la mesa del desayuno a la cálida luz del sol de la mañana seguía considerablemente alterado por los sucesos de la noche previa. Farquharson parecía pálido e intranquilo, y varias magulladuras adornaban la mandíbula de Eager-Wright. El joven Hal tenía un ojo a la funerala, del cual se mostraba desmesuradamente orgulloso. Solo tía Hatt se comportaba con tanta entereza y calma como de costumbre.

Algo había cambiado en la relación entre Guffy y Mary. Él se mostraba reservado en su presencia y la chica exhibía, a su vez, un aire de timidez del viejo mundo que aumentaba su belleza un tanto eduardiana y reducía al hombre a un estado de plácida idiocia, que, por otro lado, resultaba bastante agradable de contemplar.

Solo Amanda obraba de un modo más desenfadado que antes, y un destello triunfal brillaba en su mirada. Unos enormes vendajes rodeaban sus muñecas y sus tobillos, pero su determinación, más que debilitarse, parecía haberse fortalecido. Dejó caer una pila de catálogos de radio sobre la mesa, junto a su plato, y empezó a pasar páginas con tremendo interés.

—La radio es como la bebida. Una vez que te aficionas a ella, no la puedes dejar…

Tía Hatt la interrumpió

—Amanda, ¿quieres hacer el favor de beberte el café antes de que acabes derramándolo? Esta chica es incorregible: se pasa media vida leyendo anuncios de máquinas terroríficas que jamás podrá comprar.

—¡De eso nada! —exclamó la molinera, con una suerte de resentimiento justificado—. Esta vez voy a comprar cuatro válvulas grandes… Las placas conducen hasta mil voltios y se ponen incandescentes… Y un montón de altavoces y un acumulador sensacional. Y, probablemente, también me compraré un vestido nuevo, si me da por ahí.

Sus hermanos, que en aquel instante se estaban pasando el tarro de miel, se rieron ante aquel derroche de euforia. Amanda, sin embargo, no quiso cambiar de tema.

—¿Cree usted —le preguntó con seriedad a Eager-Wright, que estaba sentado frente a ella— que sería mejor comprar un acumulador para el coche o hacerse directamente con un coche nuevo?

—Hoy no, Amanda. Hoy no estamos para conversaciones inteligentes. Creo que todavía no nos hemos recuperado…

La voz del joven Hal tenía una nota de auténtica autoridad. Estaba claro que se tomaba el cargo de cabeza de familia con la apropiada gravedad.

La chica se volvió hacia él con frialdad.

—Hablo totalmente en serio —dijo—. Resulta que he recibido cierta cantidad de dinero y estoy sopesando en qué gastármelo. Creo que un automóvil nuevo sería una buena adquisición. Un Morris de segunda mano, por ejemplo. Lo he hablado con Despistado por la ventana esta mañana y él cree que en Ipswich venden uno por noventa libras, más o menos. Tal vez me acerque a echarle un vistazo esta misma mañana. Dejaría el coche en Sweethearting, y allí cogería un autobús.

Hal, Mary y tía Hatt se miraron.

—Pobre Amanda, es la emoción… —dijo la anciana, con compasión.

—Espera un momento, tía —Hal extendió la mano en señal de disculpa, se volvió hacia su hermana y le preguntó con gravedad—: ¿Estás hablando en serio, Amanda?

Su hermana le dedicó una mirada malhumorada.

—¡Por supuesto! No pensarás que me lo he inventado todo… Me acaban de efectuar un primer pago de trescientas libras, y tengo qué decidir cuál será el mejor modo de gastármelo…

Guffy recordó que los Fitton subsistían con una renta de cien libras al año, sin contar con los exiguos ingresos que les proporcionaban «sus otras actividades», y entonces comprendió la expresión atónita que había aparecido en la cara de su anfitrión.

Amanda permaneció tranquila, pero un tanto mohína.

—¿Trescientas libras? ¿Y dónde están?

—En el cajón de mi tocador. En la caja de tus cuellos, para ser exactos. El dinero abultaba tanto que no sabía dónde ponerlo, así que te tomé la prestada.

Hal frunció el ceño. Se había inclinado hacia delante y contemplaba a su hermana desde su asiento en la cabecera de la mesa con los ojos muy abiertos, sorprendido.

Sus miradas se encontraron: la de Amanda, superficialmente indiferente y ridículamente malhumorada; y la del chico, en cambio, sobresaltada e incrédula. Su parecido resultaba asombroso: el cabello de los Pontisbright resplandecía en lo alto de sus cabezas.

—¿Estás diciendo que tienes trescientas libras en billetes en casa?

—Sí, las tengo. —El tono de Amanda era quejumbroso—. ¿Por qué no? Mucha gente ha tenido trescientas libras en efectivo en algún momento. Seguro que usted mismo ha llevado trescientas libras encima alguna vez, ¿verdad, Guffy? No seas tan burgués, Hal.

Sonrojándose ante la injusticia del último comentario, el cabeza de la familia Fitton siguió en sus trece.

—¿De dónde las has sacado? ¿Y qué es eso del «primer pago»?

—Me temo —dijo Amanda, tranquilamente— que no estoy autorizada a contártelo. Y, perdona, pero ahora debo subir a arreglarme para marcharme a Ipswich. Si te parece bien, le pediré a Despistado que me acompañe.

—¡Amanda, tienes que estar de broma…! —intervino tía Hatt, nerviosa.

—¡Claro que no, querida! Resulta que tengo trescientas libras, solo eso. Y puede que reciba más. Me gustaría decir —prosiguió, mirando a los allí reunidos con severidad— que, en mi opinión, tanto interés en mi dinero resulta un poquito vulgar.

—¿Y ese dinero estaba ya en casa anoche?

—Sí.

—¡Y no se lo llevaron! —estalló tía Hatt, que no podía sacarse la idea del robo de la cabeza—. ¡Cuánta piedad!

—Quizá no fueran más que seis Papá Noeles vestidos con trajes poco ortodoxos —dijo Hal, desdeñosamente.

Las mejillas de Amanda se encendieron.

—Ese comentario es miserable, innoble y, desgraciadamente, típico de ti —dijo poniéndose en pie—. ¡Me largo a Ipswich!

Mientras la puerta se cerraba tras ella, Hal carraspeó desdeñosamente; un gesto propio de hombres tres veces mayores que él.

—¡Extraordinario! —observó, y continuó desayunando con estudiada pulcritud.

Eager-Wright captó la mirada de Farquharson, y reprimió las ganas de reír.

Guffy seguía pensativo. Se le ocurrió que, por divertida que resultara la actitud de Amanda, los hechos, aun siendo ciertos, eran verdaderamente extraños. Cuando, además, recordó su indignado estallido ante la sugerencia de Hal relativa a la posible identidad de sus visitantes de la noche anterior, una sospecha incómoda pasó por su mente. Trató de alejarla, pero se le resistía: no lograba sacarse de la cabeza que trescientas libras eran plato de gusto cuando uno las necesitaba de verdad.

Y, claramente, Hal había tenido la misma idea, porque apartó su servilleta de repente y se puso en pie.

—Si me disculpan un momento —dijo con esa grave cortesía que tanto le gustaba emplear—, me gustaría mantener una conversación con Amanda, antes de que se vaya.

Y, dicho esto, corrió tras su hermana.

La habitación de Amanda se hallaba justo encima del cuarto en el que estaban sentados y, aunque tía Hatt y Mary comenzaron a charlar en cuanto Hal se marchó, era prácticamente imposible permanecer ajeno a los sonidos entrecortados que brotaban del techo. Escucharon primero gritos airados a los que siguieron una serie de golpes que sugerían que el legítimo conde estaba pegando a su hermana, y que esta se estaba defendiendo como una auténtica Pontisbright. A la postre, el ruido cesó, y Hal, con aspecto arrebatado y un poco agitado pero exteriormente tan digno y compuesto como siempre, se presentó de nuevo en la sala del desayuno.

Atravesó la puerta, echó un vistazo a su alrededor para asegurarse de que todos habían acabado y luego se volvió hacia su tía con deferencia.

—Espero que no te importe, querida —dijo, con el tono exacto que su padre y su abuelo debieron de usar antes que él en sus momentos más pomposos—. Me gustaría tratar un asunto con nuestros invitados, ya que creo que los concierne directamente.

Tía Hatt, que quería mucho a su sobrino, se retiró inmediatamente sin siquiera esbozar una sonrisa, haciendo una señal a Mary para que la acompañase.

Hal se acercó a Guffy, que estaba de pie junto al hogar pensando que la familia Fitton tenía tanto encanto que incluso sus peleas le parecían bonitas.

—Oiga, Randall… —El niño era la seriedad personificada—. Tengo que hacer una confesión en nombre de mi hermana Amanda. Lamento que se haya comportado así, pero ya sabe cómo son las mujeres… Llegado el momento, no tienen modales. Me parece que no pueden evitarlo. Supongo que es una flaqueza natural. Bueno —prosiguió, olvidando de pronto su pose de cabeza de familia—, al parecer es verdad que tiene el dinero. Lo he visto con mis propios ojos. Trescientas libras en billetes de cinco… Bastante sospechoso, ¿no? Pero no quería hablarle de eso. Y me gustaría que lo oyeran todos, aunque me parece repugnante. Cuando entré en la habitación de Amanda, hace un segundo, ella no me esperaba. Estaba leyendo una carta. Le he preguntado quién se la había enviado, pero no ha querido contármelo. Y, justo después, he visto el sobre, que estaba en la cama. En fin, que lamento mucho decirles que iba dirigida al Sr. Campion…

Y les tendió el sobre que Guffy había visto antes de entrar a desayunar. Estaba bastante más arrugado, y en cierta forma explicaba el ruido que habían escuchado cinco minutos antes. Hal se había ruborizado hasta la raíz del pelo.

—No se pueden imaginar cuánto lo siento, y no pretendo disculpar su comportamiento. Lo que ha hecho ha sido infame, y así se lo he dicho a ella también. Pero me gustaría alegar en su defensa que este tipo de conducta no es habitual en ella. No es esa clase de chica. Puede —añadió, esperanzado— que le haya afectado el golpe que le dieron en la cabeza anoche… No sería tan raro,

¿saben? Aun así, creo que deberían leer la carta. No es asunto mío, ya lo sé, pero lo cierto es que parece importante. Tía Hatt, Mary y yo mismo no hemos podido evitar deducir que el asunto que les ha traído hasta aquí… En fin, que parece importante.

Puso una hoja andrajosa sobre la palma de la mano de Guffy.

—Me temo que Amanda ya la ha leído —observó—. Pero creo que su contenido no le ha interesado mucho. Simplemente se ha dejado llevar por un ataque gratuito de mal comportamiento.

Pronunció la última frase a toda velocidad, como para quitársela de encima cuanto antes. Cuando terminó de hablar, parecía bastante aliviado.

Guffy leyó la carta lentamente. Era una misiva bastante ostentosa: un folio grande de papel de carta de color *beige,* escrito con una letra clara y algo ampulosa y adornado con un sello carmesí con la dirección.

Estimado señor:

En respuesta a su amable misiva, le diré que me interesó profundamente el asunto que plantea. En mi carta al *Times* del 4 de julio, que tiene la bondad de citar, aludía a la reprensible costumbre de los conservadores de nuestros museos menores de relegar algunas de sus piezas más interesantes a los rincones más rancios e inaccesibles de los feos y mal ventilados mausoleos que dirigen.

Da la casualidad de que puedo responder la pregunta que me plantea, y permita que aproveche esta oportunidad para asegurarle que en modo alguno me supone un inconveniente, sino que, muy al contrario, me proporciona un auténtico placer tener la posibilidad de prestar lo que considero un servicio público. Puedo afirmar que, durante mi larga y, espero, fructífera correspondencia con la prensa pública, rara vez se me ha solicitado una cuestión más interesante. El tambor Pontisbright, al que usted se refiere erróneamente como «tambor de Malplaquet» (la apelación comúnmente aceptada es tambor Pontisbright de Malplaquet) estaba sito en la iglesia parroquial de Pontisbright cuando la antigua mansión fue demolida y el título quedó en suspenso.

Unos años más tarde (en 1913, para ser exactos) fue prestado, no sé con qué autoridad (¡aunque, créame, me gustaría intercambiar unas palabras con cierto caballero!), al Brome House Museum de Norwich, donde permanece a día de hoy, en un ejemplo chocante de laxitud en la conservación de reliquias antiguas. Tengo la seguridad de que actuará usted con discreción en este asunto, y de que no lo pondrá en conocimiento de la prensa hasta que, en su posición (que es, espero adivinar correctamente, la de titular de la parroquia), haya conseguido asegurarse de su retorno. Dado que conozco ligeramente al conservador del Brome House Museum, me he tomado la libertad de enviarle una nota por la misma vía, informándole de que su pequeño delito ha sido descubierto y de que me temo que deberá devolver el tesoro que ilegítimamente conserva en su poder. (Me temo que hace tiempo que la buena gente de Norwich dejó de considerar el tambor la octava maravilla del mundo, dado que en la actualidad se encuentra, por lo que sé, en un estado lamentable.)

Mi amigo el Sr. Formby (estoy seguro de que recordará mi nombre, aunque solo mantenemos una relación epistolar) ocupaba su cargo en el momento del préstamo original, con lo que no debería tener que pasar por irritantes formalidades.

Agradeciéndole de nuevo las muchas cortesías y, con humildad, también los halagos que ha tenido la amabilidad de escribir a propósito de esta afición mía, y expresándole la esperanza de haber sido de alguna ayuda en su estimable empresa, le ruego me considere, estimado señor,

Su seguro servidor,
Rudyard Glencannon

—Diantres, ¡que me aspen! —dijo Guffy—. Campion era…, quiero decir, *es*, un auténtico genio. Bueno, ahora queda todo claro, ¿no?

Hal carraspeó discretamente.

—No pretendo interferir, por supuesto —dijo—, pero ¿quién es el tal Sr. Glencannon?

—Uno de los mayores metomentodos del mundo —dijo Farquharson, sonriendo—. Ya se encontrará usted con su nombre, tarde o temprano. Es un vejestorio que vive de las rentas y dedica su vida a escribir a los periódicos. Debe de pasarse medio día leyéndolos, y el otro medio, escribiéndoles. Lleva unos cincuenta años haciéndolo, y, claro está, a estas alturas, es una mina de información. Precisamente, la mejor persona a la que recurrir en un asunto de esta índole. Campion le escribiría en cuanto Amanda le mostró el roble.

Hal vacilaba aún, y Guffy se dio cuenta de que no se encontraba muy cómodo.

—Oiga —dijo—, no sé cuánto habrá deducido usted, pero me gustaría asegurarle que, sin lugar a dudas, estamos en el lado correcto. Podemos contar con su colaboración si fuera necesario, ¿verdad?

Esa era justamente la actitud que había que adoptar, y Hal, que tan precoz era para algunas cosas y tan infantil para otras, lo miró con una expresión agradecida.

—¡Por supuesto! —dijo, con entusiasmo—. ¡Faltaría más! Oigan, ¿se disfrazarán ustedes de clérigos cuando vayan a recuperar el tambor?

Guffy se quedó callado un momento. Hasta entonces no había sido consciente de la llamada a la acción que contenía la carta, y aquella alarmante sugerencia lo había tomado por sorpresa.

—No creo —contestó—. Eso no estaría bien…

Eager-Wright se mostró de acuerdo, pero Farquharson hizo una mueca.

—Esa es, precisamente, la clase de cosa que haría Campion, ¿o no? —dijo—. Me refiero a que, al fin y al cabo, tenemos que hacernos con el tambor de alguna manera y, en este caso, parece que nos han dado vía libre para presentarnos y reclamarlo sin más.

—No te falta razón, ¿sabes? —coincidió Eager-Wright rápidamente—. No podemos disfrazarnos de clérigos, por supuesto… Se considera un delito bastante grave y desagradable, para empezar, y no creo que ninguno de nosotros consiguiera hacerse pasar por un hombre de iglesia. Pero, a fin de cuentas, no veo por qué no podemos presentarnos como acólitos o algo parecido… ¡Fieles y devotos creyentes que van a devolver una propiedad de la parroquia a su antiguo hogar!

Guffy parecía terriblemente incómodo. Él, un espíritu naturalmente respetuoso con la ley, estaba horrorizado ante el cariz ilegal que había tomado el proyecto.

—Perdona, pero a eso se le llama robar —protestó.

Eager-Wright se encogió de hombros.

—Siempre podemos considerarlo cleptomanía pura y dura. Además, en cuanto hayamos acabado, se lo devolveremos a la iglesia. En realidad, es allí donde tiene que estar. ¡Qué diablos! Al final prestaremos un valioso servicio público, como dice el bueno de Ramsbottom o Glencannon o como se llame. Mira, está decidido, Guffy: subimos todos a Norwich esta misma tarde y entrevistamos al conservador. Si le decimos que vamos de parte de Glencannon, no creo que nos ponga ningún problema. Podemos explicarle que nos hemos ofrecido voluntarios para ahorrarle a la parroquia el coste del transporte. La gente hace cosas así todo el rato…

—No me parece mala idea —concedió Farquharson—, pero me temo que vamos a tener que dejarte en el pueblo, Wright. Con tu cara en su estado actual, no vas a colar como mano derecha del reverendo Campion. ¿Tú qué dices, Guffy?

El Sr. Randall tenía sus dudas.

—Es una vía de acción bastante extraordinaria —dijo, con cautela—. Tendremos que hacerlo correctamente. Si metemos la pata en la entrevista, nunca conseguiremos el tambor. Puede que si nos ponemos trajes oscuros y llegamos hacia las cuatro de la tarde, justo antes de la hora del cierre, lo consigamos. ¡Por fin estamos avanzando!

—Lo malo es que dejamos el molino desprotegido —dijo Farquharson—. Lugg será su único apoyo, Hal. En fin, ¿Wright viene o se queda?

—¡Oh, por Dios! No se preocupen por nosotros —El chico protestó, con educación, pero también con firmeza—. Esta vez, estaremos preparados. Además, supongo que anoche conseguirían lo que andaban buscando o, en todo caso, se marcharían convencidos de que aquí no encontrarán nada.

Guffy, más inclinado a lo primero que a lo segundo, levantó la vista y descubrió que el chico estaba mirando con tristeza por la ventana. En sus ojos se distinguía un vago brillo de sospecha e incomodidad.

Como si respondiera a sus pensamientos, escucharon un zumbido y un crujido procedentes del exterior: el «coche» de Amanda, con cada milímetro de su superficie carmesí temblando, salió de la cochera y cruzó el camino. Amanda, tiesa y con una expresión de descaro en su cara, iba sentada al volante, con Despistado, hecho un ovillo y un poco asustado, a su lado.

Movido por un impulso súbito, Hal abrió de par en par la ventana y le gritó:

—¡Amanda! ¡Vuelve! ¡Tengo que hablar contigo!

Su hermana, con un aire de inocente indiferencia, les dijo adiós con la mano y desapareció.

—¿Adónde vas? —bramó él.

Muy débil, pero clara y triunfante, la voz de ella regresó con el viento.

—¡A gastarme trescientas libras, animalillo!

Capítulo XIV
Los eclesiásticos

—¿Alguna vez has robado algo, Farquharson? —preguntó Guffy mientras aparcaban en la plaza del mercado de Norwich para dejar a Eager-Wright y preguntar a un policía dónde quedaba el Brome House Museum.

—¡Cientos de cosas! —contestó Farquharson—. Y, además, ¿qué es un tamborcito de nada? Como vea más cosas que me gusten, lo mismo me las llevo también. Si conseguimos salirnos con la nuestra, deberíamos poner el punto de mira en el South Ken.[22] Tienen una maqueta grande de una pulga a la que le tengo echado el ojo desde hace bastante tiempo.

Abandonados a su suerte, sin embargo, sus ánimos se serenaron. Ninguno tenía especiales ganas de cumplir con su misión, y la perspectiva de tratar de engañar al avezado guardián de los tesoros de la ciudad les parecía extremadamente poco apetecible.

Pero, ya que la responsabilidad de Campion había recaído sobre sus hombros, Guffy estaba decidido a llegar hasta el final. El

22. El Victoria & Albert Museum, que, hasta 1899, se llamó South Kensington Museum.

único museo que recordaba haber visitado era precisamente el Victoria & Albert, y ya se veía expulsado ignominiosamente por funcionarios resplandecientes y entregado a la policía local para comparecer al día siguiente, acusado de robo en grado de tentativa, ante su viejo conocido sir Geoffrey Partington, magistrado del distrito.

Farquharson estaba sentado, callado y tranquilo, aparentemente preparado para tomárselo todo con filosofía.

Guffy giró hacia Maple Street y buscó el número 21. Para su sorpresa, el edificio resultó ser una casa corriente, lo que, desde su punto de vista, suponía un problema aún mayor que si se hubiera tratado de un enorme palacio de piedra impersonal. Ni siquiera era una casa particularmente grande, sino más bien un edificio patético y deslucido de estilo georgiano tardío, con una plaquita de latón en la puerta principal que anunciaba tímidamente a los curiosos que el «Museo y Gruta de Bromley» se encontraba su interior.

No había allí ningún apuesto conserje, ni ríos de gente, ni confusión que aprovechar para hacerse con el tesoro y marcharse distraídamente. Es más, la puerta estaba cerrada.

Guffy tiró de la cadena de una anticuada campana de hierro, y esperó, con el corazón palpitándole de una manera exagerada y, por tanto, ridícula. Tanta era su alarma que a punto estaba de dar media vuelta y huir cuando unos pasos pesados sobre las baldosas del interior los avisaron de que alguien iba a acudir a su llamada. Un instante después, se abrió la puerta, y los dos nerviosos bandidos se vieron frente a un espectáculo que solo se podía calificar de desastroso.

Un hombre que antaño había sido alto y corpulento, pero que ahora parecía encorvado y menguado, apareció ante ellos. Llevaba un traje azul brillante de sarga, que debían de haber confeccionado a medida en su época de esplendor. Una lánguida cara roja, unos ojos llorosos y un pelo de un rubio ceniciento completaban su poca edificante apariencia. Su sonrisa optimista les pilló por sorpresa.

—¿Vienen a ver la gruta? —preguntó—. No tardo ni medio minuto. Tengo que ir a echar una carta al correo, así que, si no quieren esperar, pueden pasar y visitarla por su cuenta. Les daré las entradas. Son tres peniques cada uno… Gracias.

Iba caminando hacia atrás mientras hablaba, gesticulando con las manos ante sí con un movimiento que resultaba curiosamente atractivo. De repente, se hallaron en un recibidor angosto y muy vulgar, adornado con unas cuantas vitrinas de pájaros disecados y unos cuantos paquetes de postales desvaídas que se exponían en una mesa decrépita. El desagradable tipo sacó un rollo de entradas de entre las postales y les cambió dos de ellas por seis peniques.

—Bueno, pues ahí lo tienen —dijo, señalando a una habitación que se encontraba su izquierda—. Crucen el museo, bajen las escaleras y atraviesen el jardín hasta llegar a la gruta. Yo voy a echar la carta, y en cuanto vuelva ejerzo de guía y les cuento la historia de la gruta.

Antes de que cualquiera de ellos pudiera decir algo, ya se había alejado y había desaparecido por un pequeño arco al final del recibidor. El ruido de una puerta al cerrarse hizo que Guffy recobrase el juicio.

—¡Increíblemente absurdo! —musitó—. No nos costaría nada coger lo que hemos venido a buscar y marcharnos sin más. ¡Diantres, nos ha dejado solos! Supongo que debe de estar aquí…

Entraron en la habitación principal del «museo» y se encontraron frente a una heterogénea colección de curiosidades. Allí había sellos, fósiles, más pájaros disecados, yescas y cerámica romana, un barco grande metido dentro de una botella y un ternero de dos cabezas momificado. Pero no había ni rastro del tambor de Malplaquet.

Se adentraron en el museo y descubrieron que había una segunda sala dedicada a la misma desasosegante confusión: una o dos piezas bastante vistosas de porcelana, y una enorme cantidad de objetos del mismo material sin valor alguno, un biciclo antiguo y una heteróclita colección de espadas y escopetas de caza se amontonaban unos sobre otros con la profusión de una chamarilería.

Un cartel les indicó el camino a la gruta, y a punto estaban de obedecer sus instrucciones cuando el hombre que les había permitido entrar regresó.

—Es francamente aburrido —observó desde la entrada—, ¿verdad? Las piezas son malas. Muy corrientes. Supongo que la gruta tampoco les habrá parecido gran cosa.

El timbre de su voz les reveló que el hombre trataba de contener las lágrimas. Y lo cierto es que, mientras les decía estas palabras, una ola de desesperada melancolía pareció bañar la habitación. Antes de que pudieran responder, prosiguió su lento discurso con una voz que sondeaba las mismas profundidades de la desgracia.

—Llevo en este lugar treinta años. Cuando murió el anciano Dr. Poultry y legó esta casa y la colección al pueblo, me nombraron Conservador. Y soy Conservador desde entonces. Cada año que pasa es más aburrido. En realidad, no sé ni por qué sigo aquí. Antes aún tenía alguna visita, pero ya no viene nadie. O casi nadie. Y no me extraña porque es una colección espantosa. Supongo que ustedes son turistas y no han encontrado nada mejor que hacer. Deben de tener una guía anticuada, además, porque las más recientes ni siquiera mencionan este sitio. No me quejo: comprendo que es una absoluta pérdida de tiempo. ¿Ya lo han visto todo? No se tarda mucho…

Andando de espaldas, salió de la habitación realizando el mismo gesto atrayente con sus largas manos húmedas. Los visitantes corrían auténtico peligro de salir de aquel lugar hipnotizados por su pesadumbre. Farquharson le hizo una señal a Guffy, que se tiró de cabeza como un auténtico héroe.

—¡Oh!, así que es usted el Conservador ¿eh? —dijo con una voz que, debido el esfuerzo que realizaba por parecer seguro de sí mismo, sonó inesperadamente severa—. Bueno, venimos de parte del…, eh…, vicario de Pontisbright. Soy uno de sus feligreses, ¿sabe?, y he…, este…, puesto mi coche a su disposición para…

El hombre lo miraba impasible, y él prosiguió a trompicones.

—Me temo que no logro explicarme —dijo algo enfadado consigo mismo—. Supongo que habrá tenido noticias de Duncannon… Recórcholis, buen hombre, ¡se trata del asunto del tambor!

El nerviosismo y la sensación de culpa estaban logrando que el discurso de Guffy se volviese irritable e incoherente.

La desvaída persona rubia del umbral les permitió entrever ciertos indicios de su inteligencia.

—¡Oh, el tambor! —exclamó—. Así que vienen ustedes de Pontisbright. Tendría que haberse devuelto, ya lo sé. Lleva aquí muchos años. Y no tiene nada especial. Ni siquiera lleva aparejada una historia. Es solo un tambor corriente y moliente. Y muy aburrido. No hace más que estorbar. Aun así, si lo desean, no encuentro ninguna razón para que no se lo lleven. La gente se comporta de un modo extraño en todo lo que tiene que ver con los bienes de la Iglesia. Supongo que tendrán sus motivos.

Guffy dejó escapar un suspiro de alivio. Al fin y al cabo, iba a resultar sencillo, a pesar de su lamentable presentación.

—¡Oh, bien! Nos complace enormemente saberlo —dijo—. No sabíamos si estaría dispuesto a desprenderse de él por las buenas. Después de todo, estuvo en nuestra iglesia durante tanto tiempo… Nosotros…, este…, la gente de Pontisbright creía que debía volver al sitio al que pertenece, ya sabe…

—Es natural, supongo —dijo el Conservador con aquella voz melancólica que comenzaba a resultarles insoportable—. Muy natural. Pero he de informarles de que se trata de un tambor de pésima calidad. No se lo tomen a mal, es solo que no tiene ningún interés. Ni siquiera está fechado ni firmado por Marlborough. No es más que un tambor corriente. Llévenselo a la iglesia, faltaría más. Perdonen que lo hayamos retenido tanto tiempo. Yo lo habría devuelto antes, pero somos un museo pobre. No contamos con presupuesto para portes.

Esa declaración, pese a lo descortés, era definitivamente alentadora. Guffy y Farquharson ya veían ante sí los laureles del triunfo.

—Oh, bueno, bueno… Entonces, perfecto —dijo Farquharson—. Ya que nos podemos llevar el tambor, no nos vamos a quejar ahora. Aunque debería añadir —prosiguió haciendo un brillante esfuerzo por improvisar— que la última reunión del consejo parroquial resultó un poco agitada. Veamos, pues… Imagino que aún nos queda resolver algún procedimiento formal, de tipo administrativo, y después podremos marcharnos.

—No existe tal procedimiento —dijo, monótonamente, la deplorable persona, ya a punto de echarse a llorar—. Lo tengo todo listo desde esta mañana. Y, francamente, me alegro de perder de vista ese tambor.

—¿Así que está todo preparado? —A Guffy se le desencajó la mandíbula—. ¡Oh, ya veo! —prosiguió, con esfuerzo—. Supongo que realizó los trámites pertinentes en cuanto recibió la nota del Sr. Glencannon.

—Nada de trámites. Solo necesitaba un recibo, y ya lo tengo. Naturalmente, no he entregado el tambor hasta tener dicho recibo en mi poder.

El tono de la voz monótona no se alteró en absoluto ante esas palabras trascendentales, así que transcurrieron unos segundos antes de que los dos visitantes cayeran en la cuenta de cuál era su significado.

Guffy se dejó caer pesadamente sobre una silla que providencialmente se encontraba justo detrás de él. Farquharson, sin embargo, mantuvo la templanza.

—Oh, ya se lo han llevado, ¿verdad? —dijo, tratando de que su voz sonase tranquila—. Ya veo que se ha producido algún ligero error. Seguro que mi amigo, el Sr. James, que tenía que traer el coche a Norwich, pensó que podía aprovechar el viaje para recoger el tambor y llevárselo al vicario.

El Conservador lo miró con una expresión definitivamente estúpida. A continuación, mostrando un inesperado despliegue de dientes desparejos, rompió a reír.

—Nunca se puede esperar nada de un vicario —dijo, y el destello de alegría murió al instante—. Yo siempre digo que lo único que trae consigo un vicario es un buen montón de señoronas. No hacen más que pinchar a la gente para que les haga favores, y luego van y resuelven las cosas ellos mismos.

Farquharson reprimió un sobresalto de sorpresa.

—¿Ha venido el propio vicario? —preguntó débilmente.

—No —dijo el Conservador—. No exactamente. Como está sordo como una tapia, él se ha quedado en el coche. Ha entrado su esposa. Sinceramente, no me ha parecido una mujer apropiada para ser la señora de un vicario. Sin ánimo de ofender. Pero los tiempos han cambiado tanto… Cuando yo era joven un vicario se casaba con una muchacha de su edad que supiera comportarse… —Se detuvo para mirarles, dubitativo—. No parezco muy caballeroso, ¿verdad? —se excusó—. Espero que no sean muy amigos de esa señora. En este trabajo, uno se vuelve un poco indiscreto. Pasar tanto tiempo solo socava el espíritu. ¡Qué aburrido es esto!

—¡Aburrido! —estalló Guffy, pero se controló, concediendo al sobresaltado Conservador una sonrisa distraída.

—Sí, aburrido —dijo el hombre rubio—. Espantosamente aburrido. En este museo nunca pasa nada en absoluto. Ni siquiera se han molestado en robarnos. Y no me extraña, porque no tenemos ningún objeto aquí que merezca la pena robar.

Farquharson vio en la mirada de Guffy que la sed de emociones fuertes del Conservador estaba a punto de ser saciada con un asesinato y se apresuró a intervenir.

—¿Así que no le ha caído bien la señora de nuestro vicario? —preguntó con una jovialidad forzada—. ¡Vaya, vaya! Sepa que no es usted el único al que no le gusta. Eh… ¿Cuál vino?

—¿Cómo? —preguntó el Conservador.

—¿La mayor o la joven? —trastabilló Farquharson—. Quiero decir: ¿la madre o la esposa?

—¡Ah, me parece que era la esposa! —dijo, apesadumbrada, la persona rubia, al tiempo que su única oportunidad de salir de la rutina se esfumaba ante sus ojos—. Llevaba el pelo teñido de rojo. No le pegaba nada con esa ropa anticuada. No había vuelto a ver una manga abullonada desde que me abandonó mi mujer. ¡Oh, qué indiscreción! Les ruego me disculpen. Pero es que estoy muy aburrido… No he mantenido una buena conversación desde hace muchísimo tiempo.

—¿Pelo teñido y mangas abullonadas? —preguntó Guffy, que, al parecer, ya había renunciado a interpretar su papel.

—Sería la madre —intervino Farquharson a la carrera—. O puede que viniera con su hermana.

—No, era la Sra. Campion —aclaró el Conservador—. La señora. de Albert Campion. Ha firmado el recibo y me ha dado dos peniques para el sello. No me ha pagado nada, pero parece que así lo establecen las leyes. En fin, lamento que hayan hecho el viaje en balde, pero ha sido agradable poder charlar un rato con ustedes. Me imagino que verán el tambor en la iglesia, cuando vuelvan, si la Sra. Campion lo ha devuelto a su hogar sin incidentes. Me ha contado que se acababan de comprar el coche, y el viejo vicario, que iba sentado a su lado, no tenía muy buen aspecto. Pero, claro, estos vicarios de campo nunca lo tienen. No disfrutan de la vida, así que se convierten en tipos estrechos de miras y tremendamente aburridos.

Su voz se alzó hasta transformarse en un aullido desdichado en la última palabra, y se sonó la nariz con un pañuelo no demasiado limpio.

—No se lo va a creer, pero el vicario —dijo Farquharson, en un intento desesperado de identificar a su antecesor— es todo un atleta, a su manera.

—Bueno, pues ¡quién lo diría! —dijo el Conservador—. Calvo como una bola de billar y sordo como una tapia, según su mujer.

En ese instante, la inspiración llegó a Guffy y a Farquharson. Durante un segundo, se quedaron mirando a su informante con los ojos vidriosos. Luego, Guffy se puso de pie. Agarró la mano húmeda y laxa del asombrado funcionario y la estrechó con firmeza, como quien ejecuta una tarea desagradable. Acto seguido, salió de la casa.

Farquharson echó un vistazo a su alrededor y luego se inclinó hacia el desconcertado vigilante del museo.

—El Sr. Walker está un poco frustrado —dijo—. Verá, el vicario le pidió especialmente que viniese. El consejo de la parroquia se ha tomado este asunto muy en serio.

—Me hago cargo —dijo el Conservador, con aire desconsolado—. Pero ¿no había dicho que se llamaba James?

—¿Quién? —preguntó Farquharson.

—Su amigo, el que acaba de salir dando un portazo y levantando una polvareda.

—Así es —admitió Farquharson, bastante envarado—. James Walker.

—¡Oh, ya veo! —El Conservador parecía haberse entristecido con la noticia—. Bueno, pues entonces adiós. Vuelvan cuando quieran y así les enseño la gruta. Pero no creo que les guste. ¡Es una pérdida de tiempo! Como les digo siempre a los albaceas: la cosa más aburrida del mundo.

Farquharson salió corriendo. Guffy ya lo estaba esperando con el motor en marcha. Pisó el embrague a fondo en cuanto su amigo entró en el coche. Cuando llegaron al final de la calle, volvió la cabeza.

—¡Amanda! —dijo, roncamente.

—¡Amanda! —repitió Farquharson—. Y, que Dios nos coja confesados, Despistado Williams…

Capítulo XV

El tambor tocado

El soleado aire de la tarde era cálido y agradable. Hal se inclinó sobre la puerta holandesa del molino y contempló, sin verla, la veloz carrera del agua clara del caz sobre las verdes piedras hacia el puente angosto que señalaba el final del territorio Fitton.

Tras él, la gigantesca turbina giraba despacio. Su suave crujido se escuchaba por debajo del quejido de la dinamo de Amanda.

Frente a él, sobre el patio empedrado, se elevaba una enorme pila de embalajes que había descargado hacía menos de media hora un camión que había llegado de Ipswich. Hal se había rebajado a acercarse y examinar las etiquetas: llevaban el nombre de una gran compañía eléctrica. Después, apesadumbrado, había regresado a su observatorio para esperar a Amanda.

Estaba reflexionando sobre la completa insubordinación de su hermana y planeando lo que le diría cuando regresara, y lo que respondería ella —algo que todos suelen hacer en este tipo de situaciones pero que siempre se demuestra inútil—, cuando divisó la rotunda figura del Dr. Galley que se acercaba caminando a grandes zancadas. Tras asegurarse de que el doctor no lo había visto a él, Hal, a quien no le apetecía conversar, dio uno o dos pasos atrás y se perdió en las sombras.

El Dr. Galley brincó hacia delante; su peculiar modo de caminar creaba la ilusión de que botaba. Hal le observaba en silencio.

Cuando llegó a la puerta delantera, en lugar de tirar de la cadena de la campana, echó un vistazo desconfiado a su alrededor y, sacando algo de un bolsillo interior, se puso de puntillas e introdujo el pequeño objeto en una grieta del yeso que se abría justo encima del dintel.

Hal dio un paso adelante, sorprendido por aquellas extravagancias, y fue en ese instante cuando el pequeño doctor, mirando por encima de su hombro, lo vio. Entonces, algo apresurado, enlazó las manos tras la espalda, hinchó el pecho y se dirigió hacia el molino con una artificial despreocupación.

—¡Hola, muchacho! —bramó en cuanto se encontró a la distancia apropiada—. Me alegro de verte. Venía a haceros una visita —prosiguió, mientras se acercaba para estrecharle la mano—. En realidad, quería hablar con vosotros. Perdona si suena misterioso, pero creo que he descubierto algo, y sé que sabrás disculparme si convierto mi explicación en una especie de teatrillo.

No bromeaba. Al contrario, hablaba con una profunda seriedad que Hal hallaba en cierto sentido ridícula.

—Me gustaría que vinieseis todos a mi casa mañana por la noche —prosiguió el doctor, permitiendo que se deslizase en su voz una nota de entusiasmo—. Y con «todos» me refiero a ti, a tus hermanas y a ese tal Randall, si aún sigue aquí. Parecía buena persona, ¿no crees, Hal?

El chico miró atentamente al anciano. El comportamiento del Dr. Galley siempre le había parecido extraño, pero, definitivamente, ese día se estaba pasando de la raya. Sus redondos ojos parecían más grandes aún, y había desaparecido el buen color de su cara regordeta.

—¿Qué piensas de ese Randall? —prosiguió el doctor, con tanta seriedad que situaba la pregunta muy lejos del alcance del interés casual—. Me refiero a si crees que es un hombre sincero, sobrio, decente, de vida recta…

—¡Oh, sí! Eso creo, señor —dijo Hal, a quien aquel giro en la conversación había tomado por sorpresa.

—¡Espléndido! —exclamó el doctor, con devoción—. Espléndido. ¡El hombre preciso! Bueno, me temo que no puedo adelantarte mucho más. Tengo que ir a ver a tus hermanas y a tu tía. Supongo que ella también debería venir mañana… ¡Será un gran día para vosotros, muchacho, un gran día! Os espero a todos en mi casa a las seis y media en punto. Es una hora poco convencional, pero, para mí, es el mejor momento. No me vais a fallar, ¿verdad? Lo lamentaríais…

—No me cabe la menor duda de que a todos les alegrará su invitación, señor —dijo Hal, dudando—. ¡Por supuesto! Muchas gracias. Lo único es que ahora mismo estamos muy atareados y…

—¡Oh, si no venís, lo lamentaréis toda la vida, Hal! —El hombrecillo se inclinó hacia delante mientras hablaba—. Mira, te puedo contar una cosa: andaba yo anoche hurgando en mi biblioteca cuando se cayó la tapa de un viejo volumen de Catulo dejando a la vista unos bolsillos ocultos en la encuadernación. —Bajó la voz misteriosamente—. En uno de esos bolsillos encontré un documento que estaba escrito y firmado por mi tío abuelo. Era el médico titular aquí en tiempos de lady Josephine, acuérdate. Y también descubrí otra cosa: una página arrancada del registro de la iglesia de aquella época. ¿Te das cuenta de lo que eso significa?

Hal no le quitaba la vista de encima.

—¿Quiere decir que ha encontrado pruebas del matrimonio de Mary Fitton y Hal Pontisbright?

El anciano alzó la mano.

—¡Shhh! Ni una palabra más hasta mañana por la noche. Lo he encontrado yo, y quiero disfrutar de los honores como corresponde. Vendréis, ¿verdad?

—¡Claro! Por supuesto. Oiga, es usted muy amable, Dr. Galley.

El anciano lo miró fijamente.

—Y todavía me queda una sorpresa en el tintero, muchacho —dijo solemnemente—. Pero no entréis a la casa si yo no he llegado aún. Si no te importa, se lo diré a tu tía y a tus hermanas a solas. No voy a descubrirles nada que no te haya contado a ti, no te preocupes. ¡Quiero que sea un momento único! Os veré a las seis y media, entonces… Mañana por la noche a las seis y media en punto. Oh…, y, Hal, perdona que lo mencione, pero es importantísimo. ¿Podríais…, eh…, poneros ropa recién lavada?

El chico lo miró estupefacto y el anciano prosiguió a toda prisa.

—Ya sé que suena de lo más extraño. Considéralo el capricho de un viejo… Ropa completamente limpia, todos.

Dicho esto, se marchó a toda prisa antes de que el chico tuviera tiempo de reaccionar. Hal lo miró alejarse, sin salir de su asombro. Se quedó contemplando al hombrecillo hasta que este desapareció en el interior de la casa y luego volvió a recostarse sobre la puerta holandesa. Su instinto debería haberle impulsado a seguir al doctor para tratar de obtener más información sobre aquel excitante asunto, pero Hal era un espíritu obstinado, y había decidido esperar a Amanda.

Sin embargo, las pistas que le había dado el Dr. Galley le hicieron olvidar a su hermana. Un mundo de posibilidades se abriría ante él si el doctor estaba en lo cierto. Con la página del registro de la iglesia en su poder, podrían probar el matrimonio de Mary Fitton y, por consiguiente, reivindicar la fortuna y los títulos de los Pontisbright.

Aquella inquietante idea fue seguida por el recuerdo del desastroso intento de su padre de pelear por sus derechos y de la penuria en la que había sumido a sus hijos. De poco servía la prueba sin dinero, pensó Hal con pesadumbre, y el asunto del dinero lo llevó de vuelta, naturalmente, a Amanda.

Sin embargo, olvidó por completo acercarse a la puerta para descubrir qué era lo que había escondido el Dr. Galley con tanto sigilo sobre el dintel. Su exasperación con Amanda acababa de despertar de nuevo cuando apareció ella, al volante de un Morris Cowley de segunda mano que corría a toda velocidad por el camino. Su inexperta conductora, sofocada pero triunfante, evitó el caz por unos centímetros y aparcó con un chirrido de frenos.

Después, saludó animadamente a Hal con la mano y se apeó del coche sin poder disimular su orgullo.

—¡Hola! —dijo—. ¿Han venido los niños de los Quinney a por su batería? Espero que no se te haya ocurrido dársela. Todavía le falta mucho. No me he puesto con ella hasta esta mañana. Ya sé que estás impresionado, pero no te quedes ahí como un pasmarote. Ábreme la puerta del garaje, a ver si cabe ahí dentro este autobús.

Hal sintió que aquello no era un buen comienzo para la tremenda reprimenda que Amanda merecía. Pero lo cierto es que estaba extremadamente interesado en el primer motor de gasolina propiedad de la familia Fitton, y le molestó descubrir que su deseo de examinarlo se estaba volviendo tan fuerte que eclipsaba todo lo demás. Salió del molino y anduvo hacia el coche con toda la dignidad que fue capaz de reunir.

—Aquí no se aprecia bien —dijo Amanda apresuradamente, antes de que llegase a menos de dos metros—. Ábreme el garaje y te lo enseño dentro. Despistado viene detrás con la berlina desde Sweethearting. La dejé allí. ¿Crees que cabrán los dos coches?

—Escucha, Amanda. —Hal trató de hablar con autoridad, sin quejarse—. Nos debes una explicación… Estás deshonrando a toda la familia con tu conducta… De hecho, nos estás poniendo en una posición bastante difícil. Y yo, por lo menos, no lo voy a consentir. Deja esa latita de sardinas maloliente y entra en casa inmediatamente. Vamos a ver qué es lo que tienes que decir… Afortunadamente, nuestros huéspedes han salido, así que no pasa nada si insistes en montar un escándalo…

—¡No vuelvas a llamarlo «latita de sardinas maloliente»! —protestó su hermana, conmovida en lo más hondo—. El escape huele un poco raro, pero el coche va perfecto. Y, ahora, o me abres la puerta de una vez o te paso por encima sin contemplaciones. ¡He venido a ochenta todo el camino!

Hal se plantó al lado del coche con un par de zancadas y apoyó la mano en uno de sus costados, como si fuera a inmovilizarlo por la fuerza en caso de que su hermana le obligara a hacerlo. Como se había temido, Amanda no se lo iba a poner fácil.

—Antes de que ese cacharro entre en nuestra cochera —dijo él, con firmeza—, quiero saber de dónde has sacado el dinero para comprarlo.

Y entonces reparó en el bulto que había en el asiento trasero.

En cuanto Amanda vio cómo cambiaba la expresión de su cara, dio un salto adelante, pero ya era demasiado tarde. Hal apartó la manta que lo tapaba y la clara luz del sol iluminó el tambor Pontisbright de Malplaquet.

La caja del instrumento era un poco más larga de lo normal y sus costados, de color azul oscuro, estaban adornados con un escudo borroso. Unas cuerdas blancas, desprovistas de la arcilla que las recubría desde hacía tiempo, colgaban caballerosamente del aro inferior.

Hal levantó la mirada y se cruzó con los ojos de su hermana. En aquellos momentos solo el tambor los separaba. Amanda, violenta, se había ruborizado hasta la raíz del cabello mientras Hal estaba lívido por la rabia y la vergüenza. Lentamente, se apeó del estribo y rodeó el coche hasta llegar al lado donde se encontraba la muchacha. Amanda no sabía qué pretendía, de manera que, cuando se colocó a sus espaldas y le agarró las muñecas por detrás, la pilló completamente desprevenida.

No obstante, empezó a protestar violentamente cuando él trató de arrastrarla hacia el molino. Hal, furioso, no estaba de humor para andarse con paños calientes.

—Estoy tan enfadado contigo, Amanda —dijo, hablando, como un niño, con los dientes apretados—, que, sencillamente, no

sé si voy a poder reprimir las ganas que tengo de darte una sobe-
rana paliza. Así que, de momento, te voy a encerrar en el granero
un rato, para que te calmes un poco, mientras decido qué hacer
contigo.

Amanda sabía cuándo estaba vencida. Sus anteriores altercados
con Hal le habían demostrado más allá de toda duda que él era
más fuerte. Era consciente de que lo único que le quedaba era conservar su dignidad. Así pues, le permitió, sin oponer resistencia, que
la condujera a la cámara revestida de hormigón de la planta baja del
molino, cuyas únicas salidas eran una pesada puerta de roble que se
cerraba por fuera y una ventana con barrotes en lo alto de la pared.

La satisfacción que sintió al cerrar la puerta de un portazo y
correr el cerrojo fue el más dulce bálsamo que la ultrajada sensibilidad de Hal había recibido en toda la tarde. Volvió corriendo al
coche, y, tras asegurarse de que nadie lo vigilaba, envolvió de nuevo
el tambor con la manta. Después, con el bulto bajo el brazo, entró
sigilosamente en la casa por la puerta lateral y subió las escaleras
hasta su dormitorio.

Dicha habitación, situada bajo el tejado, en el segundo piso, se
extendía por toda el ala este de la casa y su estrecha ventana ofrecía
una amplia perspectiva del patio y del camino. Una vez allí, Hal
colocó el tambor sobre la cama y se quedó mirándolo con una
sensación de entusiasmo que le oprimía el corazón.

Era un precioso juguete romántico, exquisitamente coloreado
y reforzado con suma delicadeza. El gancho aún brillaba y, con
comprensible vanidad, no pudo evitar prendérselo torpemente del
cinturón y echarse un vistazo ante el espejo. Le dio unos suaves
golpecitos con los nudillos y el sonido hueco que produjeron le
resultó bastante reconfortante. Aunque no sucedió nada fuera de
lo normal.

Asomó, entonces, la cabeza por la puerta y escuchó: Mary y tía
Hatt seguían en la sala con el Dr. Galley. A continuación, volvió silenciosamente a su habitación y rebuscó en el revoltijo de un cajón

de su tocador hasta que dio con una vieja regla de marfil. Armado con ella, avanzó hacia el tambor y lo golpeó vigorosamente.

El parche estaba suelto, y el sonido retumbó en la habitación.

Nada. A la vista de la conducta de Amanda, reflexionó, lo único que cabía hacer para recuperar la dignidad era entregarles a sus huéspedes el trofeo intacto en cuanto volviesen. Luego se acercó a la ventana y miró hacia abajo: Despistado Williams volvía con la vieja berlina. Hal le gritó:

—¡No entres al molino, Despistado! En cuanto hayas guardado ese trasto, mete detrás el coche nuevo de la Srta. Amanda. Después, ve a la cocina y espérame ahí.

Despistado se llevó la mano al sombrero sin mirar arriba y, obediente, se puso manos a la obra.

Hal siguió asomado a la ventana. Desde su atalaya vio cómo se marchaba el Dr. Galley y también como, unos diez minutos más tarde, tía Hatt, con una cestita llena de flores blancas en el brazo, salía de la casa. Por su aspecto formal, con su *tweed* y un robusto bastón de fresno asido firmemente en la enguantada mano, dedujo que se dirigía a la iglesia. Los viernes por la tarde, la Srta. Huntingforest tenía por costumbre ocuparse de los floreros del altar.

Desde su ventana, Hal disponía de una amplia panorámica de los alrededores. Alcanzaba a ver a Lugg, que estaba pescando plácidamente en la represa del molino. Solo Mary se encontraba en paradero desconocido, y él supuso que se hallaba en la cocina, preparando un té para Despistado.

De repente, un sonido suave proveniente del molino lo sobresaltó, y se volvió para mirar el desolado edificio blanco. Le extrañó comprobar que el tragaluz de la habitación donde guardaban el roble estaba cerrado, pues casi habría jurado que, un momento antes, le había parecido verlo abierto. A pesar de todo, convencido de que allí no había nadie que hubiera podido cerrar el ventanuco, alejó el asunto de su mente.

Aun continuaba vigilando cuando regresaron sus huéspedes. Vio sus caras desconsoladas cuando salieron del Lagonda. Se giró: el tambor seguía sobre la cama y, henchido de entusiasmo, bajó corriendo las escaleras y llegó al recibidor, donde los demás permanecían de pie en torno a la mesa.

Guffy tenía una carta en la mano. Había llegado con el segundo correo, y llevaba allí desde el mediodía. Levantó la vista del documento cuando llegó Hal.

—¿Dónde está Amanda? —preguntó, con severidad.

—Sí —intervino Farquharson—. Me temo que tenemos que hablar con ella.

—¡Lo sé! —se apresuró a decir Hal—. Oigan, siento terriblemente lo que ha pasado. Queda claro que ha perdido el juicio por completo. Pero no quiero que piensen que la defiendo. ¡De ningún modo! La he encerrado bajo llave en el granero y, dentro de un rato, ustedes mismos podrán ajustar cuentas con ella. Pero, antes de nada, tienen que subir conmigo. ¿Pueden creerlo? Lo… ¡Lo tengo!

—¿El tambor? —preguntó Guffy con entusiasmo mientras los demás se arremolinaban en torno a él.

Hal asintió.

—¡Lo tengo! Lo he dejado arriba, sobre mi cama. Oigan, le he dado un par de golpecitos, pero no ha pasado nada.

La mano de Guffy se cerró como un cepo sobre el hombro del chico.

—¡Estupendo! Acaba de llegar una carta del profesor Kirk, nuestro experto. —Puso el folio sobre la mesa—. Mire, aquí está. Este es el único párrafo que importa: «En mi opinión, la palabra tocar, cuando se refiere al tambor de Malplaquet, significa probablemente romper o rasgar. Sugiero que, cuando consiga su tesoro, lo traiga a Londres para que lo examine un profesional».

—¡Repámpanos, vamos a por él! —exclamó Eager-Wright—. ¿Dónde lo tiene, Hal?

El chico los precedió triunfalmente por la escalera principal hasta su habitación, que había dejado apenas cinco minutos antes.

—No he tomado la precaución de cerrar la puerta con llave —explicó— porque no existe tal llave. Y, de todas formas, tengo a todo el mundo controlado. Miren, ¡ahí está!

Señaló el cilindro azul y blanco, que seguía sobre la cama. Los jóvenes se precipitaron hacia delante, y Guffy fue el primero en emitir una exclamación que produjo en Hal un escalofrío de alarma.

—Oiga —dijo—, ¿cuándo ha ocurrido esto?

El chico contempló la escena que se abría frente a él con asombro y desamparo. Aunque el tambor de Malplaquet seguía donde lo había dejado, en su ausencia, las cuerdas que lo tensaban habían sido cortadas y el parche de abajo había desaparecido. El aro descartado descansaba sobre la colcha.

El chico, rojo como la grana, miró fijamente a sus amigos.

—¡Les juro que no estaba así cuando bajé, hace cinco minutos! —tartamudeó—. ¡Y no había nadie en esta parte de la casa! Tía Hatt ha salido, Despistado y Mary siguen en la cocina, Lugg se marchó a pescar… Amanda está en el granero, encerrada por fuera…

Se interrumpió, desalentado.

Del patio llegó el sonido penetrante y de mal agüero de una madera al romperse. Los jóvenes se arremolinaron en torno a la ventana y miraron hacia fuera. Allí estaba Amanda, con un martillo y un escoplo en la mano. Con la tranquilidad de quien emprende una tarea agradable pero ardua, había comenzado a abrir el mayor de los tres embalajes que se encontraban en el patio.

Capítulo XVI

Antes de la tormenta

Guffy Randall estaba tumbado contemplando la viga acanalada que recorría el techo de su dormitorio. Acababa de amanecer. A través de la ventana de su derecha, veía las copas de los olmos en la pradera, dorada por la luz de la mañana, pero los encantos de Pontisbright ya no ejercían ninguna atracción sobre él. Estaba absorto en su fracaso en lo concerniente a completar la faena que Campion había dejado inacabada. Ni siquiera en aquellos momentos era capaz de permanecer tranquilo cuando pensaba en el Paladín Hereditario. Su corazón, un tanto sentimental, se había partido en dos con la deserción de su viejo amigo. Su propia posición en aquel momento lo tenía preocupado y, sin embargo, mientras yacía apesadumbrado con la vista fija en el techo, no podía quitarse de encima la impresión de que algo andaba mal.

Se tumbó de costado. Para empezar, Amanda. ¿Para quién trabajaba? Y el extraño doctorcillo, con su turbia invitación y su loca conversación sobre astrología. Y el pueblo aterrorizado, y la desaparición de Pico de Viuda y la misteriosa incursión de la tarde anterior, que había acabado aún más misteriosamente si cabe…

Quería creer que había salido victorioso de aquel altercado. A fin de cuentas, las peleas cara a cara, cuando uno sabía contra qué luchaba, siempre se le habían dado bien. Pero incluso aquella aventura había resultado insatisfactoria. El único consuelo que le había proporcionado era el hecho de que, estuvieran donde estuviesen, las pruebas de Averna no se hallaban en manos de unos desconocidos.

Se sentó en la cama y se abrazó las rodillas. La desaparición del parche del tambor la tarde anterior había acabado por confirmar sus sospechas, especialmente cuando el registro exhaustivo de la casa y el molino no les condujo a nada.

Amanda, además, apenas había sido de ayuda. Su despreocupada explicación, según la cual había salido del granero al descubrir que el cerrojo de la puerta estaba abierto, añadida a su obsesión por su nuevo aparato de radio, habían resultado francamente exasperantes. Incluso Eager-Wright, pese a su magnífico carácter, encontraba ciertas dificultades para defender su conducta.

Al final llegaron a la conclusión de que el parche se había esfumado y de que, fuera lo que fuese lo que contenía el tambor, había pasado a manos enemigas. El fracaso había resultado obvio hasta que tía Hatt regresó de la iglesia con su extraordinaria historia sobre el campamento del páramo.

A la fría luz de la mañana, Guffy trató de rememorar dicha historia. Un grupo de excursionistas, la buena mujer estaba convencida de que llegaban casi a la veintena, había plantado sus tiendas de campaña en el páramo que se encontraba junto al pueblo. La Sra. Bull, que se había dedicado a distribuir los escabeles por la iglesia mientras tía Hatt se ocupaba de las flores, había confirmado que se trataba de los mismos estudiantes de Arqueología a los que su marido había negado el alojamiento el día anterior. Tía Hatt, suspicaz, había cruzado el páramo a pie con audacia y había registrado en su cabeza toda la información que su aguda mirada le proporcionó sobre los desconocidos.

Había vuelto con la conclusión de que se trataba de criminales, del primero al último. Todos le habían parecido sumamente sospechosos.

Guffy y Eager-Wright se acercaron hasta el pueblo por la noche, supuestamente para ir a tomar algo al Guantelete, pero no se habían cruzado con ninguno de los famosos arqueólogos. De hecho, la única señal de su presencia eran las tiendecitas blancas que se agrupaban como las velas de una goleta en el negro mar del páramo.

Guffy parecía inquieto. La sensación de inactividad, sumada a la impresión de que estaba a punto de estallar una tormenta, habían conseguido enervarle.

Finalmente, se puso en pie para asomarse a la ventana e inspeccionár el paisaje bajo la luz de la mañana. Eran apenas las cinco. Una niebla baja daba uniformidad a los contornos del valle, aunque apenas se distinguía el curso del estrecho río que se ensortijaba al atravesar las bajas praderas del lado meridional del páramo. Las altas zarzas y los sauces podados se acumulaban de tal modo en sus orillas que daban la impresión de oscurecer el agua que corría a sus pies.

El resto de los habitantes de la casa parecían seguir durmiendo, así que él, maldiciéndose por su impotencia, decidió regresar a la cama.

Si se hubiera quedado en la ventana unos segundos más, los sucesos del día se habrían precipitado considerablemente, porque, casi en el mismo instante en que se dejó caer, desconsolado, sobre el colchón, en el patio de abajo las puertas de la cochera se abrieron con cautela dejando paso al morro del nuevo Morris de Amanda.

Despistado Williams iba al volante, mientras Lugg, aunque era poco dado a los esfuerzos físicos, empujaba el coche hacia el patio. A continuación, Despistado se apeó y ambos desaparecieron en el molino para regresar unos minutos más tarde cargados con la mayor parte del nuevo equipo de radio de Amanda y una cuerda enrollada. Metieron todo con sumo cuidado en la parte trasera del coche y, después, dejaron que este descendiera, en silencio, camino abajo.

Unos minutos más tarde, cuando los dos conspiradores convinieron en que desde el lugar donde se encontraban ya no podrían oírlos, arrancaron el motor y se marcharon por una carretera secundaria que no se podía ver desde la casa.

Durante las horas posteriores a la salida de incógnito de Lugg y Despistado, la casa y el molino se mantuvieron en un perfecto silencio. Incluso el agua del caz fluía con mayor parsimonia y, tras las compuertas, el perezoso río crecía lentamente.

Como ocurre en muchos lugares de campo donde las juntas fluviales locales se muestran algo laxas, no había agua suficiente para que la rueda del molino se mantuviera en movimiento en todo momento, de manera que Amanda acostumbraba a subir las compuertas antes de ponerse a trabajar para conseguir así la fuerza suficiente para su propósito. Pero aquel día la chica tenía otros planes.

Mary bajó a las siete en punto. Cuando escuchó que la cocina cobraba vida, Guffy se levantó y se dirigió hacia el agradable repiqueteo de la porcelana y el chisporroteo del beicon, perdiéndose por segunda vez en aquel día un suceso que, como mínimo, podría haberle dado que pensar.

Acababa de pasar por delante de la ventana del rellano, cuando una figura desaliñada apenas reconocible como Amanda salió arrastrándose de debajo de unos arbustos del jardín y recorrió a la carrera los últimos pasos que la separaban de la puerta lateral. Entró sin ser vista en la casa y llegó a su dormitorio sin que nadie se diera cuenta. Su disfraz, que consistía en un bañador y unos pantalones de franela raídos que había tomado prestados del armario de Hal, estaba cubierto de liquen verde, y tenía el pelo revuelto y lleno de ramitas. Pero había un brillo de triunfo en sus ojos, y sus mejillas estaban rojas por la excitación.

Con la velocidad de una artista de variedades, se aseó, se cambió de ropa y bajó al trote, recatada y suave, al recibidor, donde se encontró con Guffy y con Hal. Indiferente al hecho de que tal vez los dos jóvenes no deseasen su compañía, se unió a ellos y miró por encima del hombro de su hermano la nota que este llevaba en la mano.

El chico le pidió permiso a Guffy con la mirada y, al encogerse este de hombros en señal de aquiescencia, le entregó el papel a su hermana.

—Ha aparecido esta mañana sobre la almohada de Lugg —le explicó—, que, por cierto, o no ha dormido en su cama o se ha molestado en hacerla antes de irse.

Amanda leyó el mensaje en voz alta.

—«A quien pueda interesar: me largo. Atentamente, Magersfontein Lugg». ¡Pobrecito mío! —dijo Amanda.

—¡Pobrecito mío! ¡Y un cuerno! —protestó Hal, desdeñosamente—. Marcharse así, justo cuando la cosa se empezaba a poner interesante… Escúchame, Amanda, pero aunque tu comportamiento en los últimos tiempos ha dejado mucho que desear, vamos a darte una última oportunidad. Hemos estado hablando con el cartero esta mañana y nos ha contado que esos presuntos excursionistas del páramo tienen cinco coches rápidos y alrededor de una docena de motocicletas que han guardado en ese cobertizo blanco de Sweethearting Road. Él mismo los ha visto con sus propios ojos.

Como Amanda no parecía particularmente impresionada, continuó:

—Hay más. Cuando Perry estaba repartiendo el correo no ha podido reprimir su curiosidad, así que se ha acercado con su bicicleta hasta el lugar donde han montado las tiendas… Él afirma que ha visto a un hombre sentado fuera de una de ellas limpiando un revólver. ¿Qué te parece? En Inglaterra, los arqueólogos no suelen llevar pistolas.

—¿Y quién dice que son arqueólogos? Ven a desayunar. Por cierto, tía Hatt me ha recordado que el viejo Galley quiere que todos nos pongamos ropa limpia para ir a su fiesta. Espero que le hayas hecho caso…

No fue hasta el mediodía, cuando el calor que prometía la niebla temprana se había convertido en una realidad sofocante que presagiaba truenos y relámpagos, cuando la segunda sorpresa de aquella asombrosa jornada cayó como una bomba sobre la gente del molino.

Guffy deambulaba por el comedor sumido en un estado de agonía e indecisión, luchando contra la premonición que le anunciaba que estaba a punto de ocurrir algo y la sobria reflexión de que apenas si quedaba algo por ocurrir, cuando llegó un coche con un policía cohibido y un inspector hosco pero didáctico.

Mary, que había pasado la mañana entregada a tareas domésticas con aquella dulce abstracción femenina que el Sr. Randall tanto admiraba, salió a recibirles. Unos minutos más tarde, con la cara pálida y la mirada inquieta, entró en el comedor como una exhalación.

—¡Es la policía de Ipswich! ¡Quieren llevarse a Farquharson y a Eager-Wright!

Los dos jóvenes, que estaban sentados sin hacer nada especial en el alféizar de la ventana, se pusieron en pie de un salto. Guffy, ansioso como una gallina por sus polluelos, salió a toda prisa al recibidor tras ellos. Hal ya se encontraba allí, insistiendo a los oficiales para que aceptasen la cerveza que tanto parecía necesitar el inspector, que no paraba de sudar, pero este no daba su brazo a torcer.

Amanda también había vuelto del molino y estaba apoyada en la jamba, observando la escena con una actitud tranquila e infantil.

—¿El Sr. Jonathan Eager-Wright? —preguntó el inspector, consultando su cuaderno, cuando el joven se le acercó.

Eager-Wright asintió.

—¿Puedo ayudarle en algo?

El funcionario lo miró con pesar.

—Sí, señor —respondió—. Hágase a un lado, si no le importa. Así. ¿El Sr. Richard Montgomery Farquharson? Ah, es usted, señor, ¿verdad? Bien, Jonathan Eager-Wright y Richard Montgomery Farquharson, quedan detenidos conjuntamente y por separado, acusados de tentativa de obtener mediante engaño piezas valiosas del Brome House Museum, de Norwich, el día 3 del mes en curso. Tengo que advertirles de que todo lo que digan a partir de este instante podrá ser utilizado como prueba en su contra. Y ahora, caballeros, debo pedirles que me acompañen. Aquí están las órdenes de arresto, por si desean verlas.

Guffy fue el primero en romper el helado silencio que siguió a aquel anuncio.

—¿De verdad? —estalló—. Oiga, inspector, esto es absolutamente ridículo. Para empezar, Eager-Wright ni siquiera se acercó al lugar y...

Pero de repente sus ojos se cruzaron con la mirada asustada de Farquharson y, presa del desconcierto, se detuvo.

—De todas formas, es absurdo —concluyó, sin convicción.

El inspector se guardó su cuaderno y suspiró.

—Si tiene algo que añadir, señor, en relación con el asunto que nos ocupa, como se suele decir, acompáñeme a comisaría y dígalo allí. Lo siento, pero tengo que llevarme ya a estos caballeros.

—Por supuesto que voy. —Guffy estaba carmesí por el sentimiento de culpabilidad—. Y voy a telefonear al comisario del condado, que da la casualidad de que es un buen amigo mío. Esto es execrable, agente, francamente execrable.

Y avanzó hacia el perchero para coger su sombrero como si fuera a enfrentarse a un enemigo. Amanda dio un salto.

—¡No nos deje! —susurró, con el suficiente efecto dramático para halagar al Sr. Randall—. No olvide que ya no nos queda ni siquiera el Sr. Lugg...

Guffy paró en seco. Farquharson, que había escuchado la petición, se apresuró a responder por él.

—Tiene toda la razón, Randall. No puedes dejar la casa así como así. No te preocupes, camarada. Volveremos a lo largo del día. Estos chicos solo buscan una explicación convincente. ¿Verdad que sí, inspector? —añadió, poniendo en marcha todo el poder de seducción de su perezosa y encantadora sonrisa.

—Desde luego, espero que pueda darla, señor —dijo el notable sin demasiado entusiasmo, mientras su ayudante, que se asemejaba a un duende, sonreía con una superioridad irritante.

Eager-Wright se sumó a la conversación.

—No pasa nada, Guffy —trató de tranquilizarle—. Si las cosas se ponen feas, llamaré a mi amigo. No te preocupes. Tú defiende la posición hasta que volvamos…, probablemente, hacia la hora del té. ¡Espero que no nos perdamos nada interesante!

—Vamos, chato —dijo el inspector, que se había cansado ya de la charla—. ¡Ya verá qué interesante!

El azorado grupo que se quedaba en la casa se paró en el umbral de la puerta de entrada y contempló la marcha del coche de policía. Eager-Wright y Farquharson iban apretados en el asiento trasero, con el rollizo inspector en medio.

Guffy se pasó una mano temblorosa por la frente. Una larga línea de terratenientes respetuosos de la ley le había legado un miedo subconsciente a la policía y a sus métodos muy superior al que ningún criminal empedernido sentiría jamás.

—Debería acercarme a un sitio desde el que pueda hacer algunas llamadas, a ver si estoy a tiempo de echarles una mano —dijo—. ¿Dónde está el teléfono más cercano?

—En Sweethearting —contestó al punto Amanda—. Aunque me parece que no debería dejar a Mary y a tía Hatt solas. Al fin y al cabo, Hal y yo no es que vayamos a ser de mucha utilidad en caso de que se produzca una pelea. Todavía ayer, cuando podíamos contar con Lugg y no había en los alrededores nadie sospechoso, pero, ahora, con toda esa gente que ha llegado al páramo…

Se detuvo. Mary la miró con el ceño fruncido.

—¡Bobadas! Nos apañaremos de maravilla —dijo—. ¡Amanda, te estás comportando de una forma ridícula!

Guffy se quedó pensativo. Su cara redonda y bonachona estaba ensombrecida por la preocupación.

—No, si Amanda tiene razón —reconoció, por fin—. Debo quedarme, por supuesto. Los chicos se las acabarán arreglando sin mí. Supongo que será solo cosa de una o dos llamadas para corroborar su identidad o de pagar una fianza. Pero esta situación me resulta infinitamente incómoda. He de reconocer que, en cierta forma, Farquharson y yo somos culpables. Pero me pregunto cómo habrán conseguido averiguar nuestros nombres.

Nadie aventuró una solución a ese problema, pero Mary husmeó con aire de sospecha.

—¡Mi bizcocho! —exclamó—. Está en el horno.

—Voy…, eh…, voy a ayudarla —se ofreció Guffy, siguiéndola en su precipitada huida a la cocina—. Puede que hasta relaje un poco el ambiente… —añadió.

Hal y Amanda se miraron. El muchacho tuvo la impresión de que, definitivamente, su hermana había cambiado de actitud. Las repentinas bajas en sus filas se habían traducido en un talante mucho más amistoso por su parte.

—Acompáñame al molino —le pidió Amanda—. Tengo que enseñarte una cosa.

La siguió, aunque todavía algo reacio.

—Yo no he olido a quemado —dijo—. ¿Y tú?

—No —contestó Amanda—. Solo a alcanfor. Venía de la ropa del policía, me parece. ¿No has notado algo raro en esos dos hombres?

—¿El qué? —preguntó él, con cautela.

—Pues que no eran policías de verdad, por supuesto —dijo su hermana.

—Que no eran… —Hal la miró fijamente, con la mandíbula desencajada—. Pero ¿por qué no has dicho nada? Podíamos haberles parado los pies. Por el amor de Dios, Amanda, ¿cómo no lo has mencionado antes?

—Porque —dijo ella, enigmáticamente— tenía mis razones. Acompáñame y te lo explicaré todo.

Capítulo XVII

La corona

—¿Qué te parece? —preguntó Amanda.

Su hermano, que estaba en cuclillas junto a los juncos que rodeaban la represa del molino, miró la barca astutamente escondida entre los arbustos antes de responder.

—No está nada mal —admitió—. ¿Quién la ha transformado?

—Despistado y yo. Todo esto forma parte de un plan. Pero me temo que vas a tener que fiarte de mí durante una o dos horas más.

—Ni siquiera me he fiado de ti durante un minuto todavía —observó él con sequedad, y la mirada aún fija en la barca.

Era una embarcación extraordinaria por muchos motivos. Habían reciclado la vieja batea que Amanda y Despistado solían emplear cuando se producían inundaciones, pero la habían camuflado con una estructura de ramas ligeras con hojas y tojo, de manera que nadie habría podido averiguar que se trataba de una barca. En su interior había espacio suficiente para cuatro o cinco personas apretadas, pero un observador casual no habría sospechado que se trataba de algo distinto de un arbusto flotante o una maraña de maleza que se había desprendido de la orilla.

Amanda señaló el túnel cubierto de hojas.

—Por la noche —dijo, suavemente—, desde la carretera, nadie podría distinguir este agujero, ¿a que no? En cuanto baje las compuertas, el agua nos impulsará hacia abajo a toda velocidad.

El chico se irguió y la miró dubitativo.

—Espero por tu bien que no hayas cometido ninguna tontería, Amanda —dijo.

—No, no, te prometo que no —le aseguró ella—. Te he traído aquí para enseñártela porque quizá tenga que pedirte que la lleves solo hasta Sweethearting. Sabrías, ¿no?

—Por supuesto —contestó él—. Creo que hasta mejor que tú.

—Eso pensaba —dijo Amanda, con una inesperada humildad.

Hal iba a seguir preguntando, pero algo le interrumpió. En ese momento, desde el otro lado del molino, les llegó, clara y bruscamente, el inconfundible chasquido de un revólver.

Los dos jóvenes se miraron, asustados, y, a continuación, el chico empezó a cruzar la pradera en dirección a la pasarela, con Amanda pisándole los talones. Cuando llegaron al patio, escucharon un disparo procedente del interior de la casa seguido de un grito de tía Hatt.

Entraron a toda prisa en el recibidor en el mismo segundo en que la buena mujer aparecía en lo alto de las escaleras. Solo estaba parcialmente vestida, y se había echado un blusón sobre los hombros.

Mary y Guffy salieron de la cocina un instante más tarde, y tía Hatt volvió a gritar.

—Oh, ¿estáis bien, verdad? —preguntó con alivio, mirando a la oscuridad del recibidor—. ¿Dónde se ha metido el ladrón? ¡Llevad cuidado, va armado!

—¿Qué ladrón, querida? —Mary dio un paso al frente—. ¿Qué ha pasado?

—Un ladrón ha entrado en mi dormitorio. Me ha robado el collar de granates —dijo tía Hatt con cierta aspereza—. No valía gran cosa, pero le tenía mucho cariño. Perteneció a mi madre. Acababa de colocar sobre la cama la ropa que me iba a poner para la fiesta en casa del doctor y había entrado en el vestidor para coger la falda negra, cuando he escuchado un ruido en el dormitorio, a mi espalda. Y entonces regresé a mi cuarto y me topé con un completo desconocido que andaba rebuscando en mi tocador. He visto cómo sacaba el collar de granates de mi caja de baratijas... Me lo mandaron ayer, pues lo había llevado a que le pusieran un cierre nuevo... Al collar, no a la caja, por supuesto.

—¿Y qué ha sido del hombre?

—Ha salido por la ventana a la cornisa que se encuentra sobre tejado de la cochera. —Tía Hatt estaba más indignada que asustada, y sus amables ojos grises relampagueaban llenos de cólera—. Y le he gritado —dijo—. Pero entonces ha tenido la desfachatez de apuntarme con un arma. Me he apartado de la ventana, supongo que un poco asustada, y lo siguiente que he oído ha sido un disparo. ¡Oh, escuchad! ¿Qué ha sido eso?

Sus últimas palabras concluyeron con un pequeño chillido de alarma, cuando un nuevo disparo hizo añicos el somnoliento silencio del molino. Antes de que alguien pudiese decir una palabra, se produjo otra detonación, y otra, y otra... El patio parecía un campo de batalla.

Guffy ya iba de camino al lugar de la acción, con Mary agarrándole del brazo para impedírselo, cuando en el umbral de la puerta apareció la sombra de un pistolero desconocido que trataba de protegerse. Aquel hombrecillo grueso con un rollo de grasa roja entre el cuello de la chaqueta y la gorra era un completo extraño. Estaba disparando a un atacante invisible.

Guffy consiguió zafarse de Mary y se abalanzó sobre el intruso, sujetándole los brazos contra los costados con un apretón de oso. El hombre soltó una violenta blasfemia y forcejeó para tratar de soltarse, pero entonces Hal dio un paso al frente y le quitó la pistola de la mano.

—Eh, suélteme, ¿quiere? —dijo el pistolero con una voz inesperadamente aguda—. No me retengan en la puerta. ¡Ahí fuera hay una lunática con una pistola!

—¡Agarradlo! —gritó Amanda—. ¡Agarradlo!

—¡Ese es el hombre! —Tía Hatt avanzó, amenazante, hacia el cautivo, ahora indefenso—. Ese es el hombre que se ha llevado mi collar de granates. Oblíguelo a devolvérmelo.

—¡Cuidado! —rugió el desconocido, doblándose bruscamente al escuchar el sonido de pisadas en las piedras de fuera—. ¡Aquí llega! Es una maníaca homicida, se lo digo yo.

El grupo retrocedió uno o dos pasos mientras en el umbral de la puerta aparecía una nueva sombra: era una figura delgada vestida con una larga falda oscura y una blusa muy corta. Un viejo sombrero de fieltro atado de forma poco favorecedora con lo que parecía ser un cordón tapaba su cabello. Llevaba una pistola en la mano. Se detuvo nada más poner un pie en la habitación y, mientras todos ahogaban un grito, dijo con una voz ligeramente pedante pero inconfundible:

—Ella, como la noche, camina en la belleza.[23] Ey, no sueltes a ese tipo. Un espíritu histérico, ¿verdad? Me ha hecho un agujero feísimo en mi gorro azul nuevo.

—¡Campion! —exclamó Guffy, ahogado por la emoción—. ¡Vaya, que me aspen!

—No lo veo necesario —dijo el recién llegado, con amabilidad—. Por cierto, antes de empezar con la charla, atemos a este tipo. Amanda: ¡la cuerda de tender!

Amanda era la única del grupo que no parecía aturdida por aquel inesperado giro en los acontecimientos. Obediente, se dirigió a la cocina trotando.

Diez minutos más tarde, el hombre que había robado el collar de granates de tía Hatt, tal vez de una manera innecesariamente

23. Primer verso del poema «*She Walks in Beauty*», de lord Byron.

dramática, descansaba sin incidentes bajo la mesa del comedor atado con esmero.

A continuación, el grupo volvió a trasladarse al fresco del recibidor. Guffy, alterado, se debatía entre el asombro y una abrumadora sensación de alivio. Un monárquico de la época de la restauración no habría estado más encantado ante el regreso de su príncipe y caudillo que aquel ingenuo pero noble de corazón Gran Visir de Averna al volver a ver al Paladín Hereditario.

El Sr. Campion se sentó en las escaleras, en un lugar donde permanecía en la sombra y no se lo podía ver desde la puerta. Los demás, curiosos y todavía un poco incrédulos, se arremolinaron a su alrededor.

—Señor, lleva usted mi ropa vieja.

Tía Hatt miraba la falda de Campion.

—Me la ha prestado la casera —dijo Campion, despreocupadamente, señalando a Amanda—. Cuando me presenté en su molino, hace unos días, le expliqué mi deseo de moverme por aquí sin llamar la atención y, con mucha amabilidad, ella tuvo a bien proporcionarme estas prendas para mi disfraz.

Guffy lo miraba con la boca abierta.

—¿Así que no llegaste a embarcarte en el *Marquisita*? —preguntó—. Ya me parecía a mí que aquella carta tenía algo raro…

El pálido joven, que, curiosamente, no parecía tan bobo sin las gafas, tuvo el detalle de mostrarse apesadumbrado.

—Admito que mi carta era un poco engañosa —dijo—. En realidad, todo el incidente resultó bastante entretenido. El encantador Sr. Parrott y yo acabamos llegando a un pequeño acuerdo.

Mientras hablaba, miraba fijamente a los ojos de Guffy, ansioso por explicarse y pedir perdón.

—Verás, me dolían las muelas… —prosiguió, emocional—, así que paramos en mi piso para coger una bufanda y un abrigo. Sin que lo supiera el pobre Parrott (con dos tes, como dice siempre, para dejar claro que no tiene nada que ver con la otra rama de la familia), mi amigo McCaffy me esperaba escondido en el vestidor, ataviado con mi segundo mejor traje azul. Verás, el bueno lo llevaba puesto yo. No sé si me sigues, pero ahora no tenemos tiempo para entrar en detalles. El desgraciado de McCaffy es un espíritu bello, dispuesto a hacer cualquier cosa que le pidas. Siempre está sin blanca, pobre tipo, y, de cuando en cuando, le proporciono algún trabajito. Este era uno de ellos. Verás, por desgracia para él, nos parecemos extraordinariamente, excepto en la parte inferior de la cara. Para sacar todo el partido a nuestras semejanzas, ha estudiado a fondo hasta mis gestos más repugnantes, de manera que, con solo taparse la boca y la barbilla, puede hacerse pasar por mí con mucha facilidad. En fin… —separó las manos—, durante la charla de trabajo que mantuve con Papá Savanake, o como lo llamen sus amigos, llamé a McCaffy, que estaba citado y esperaba sentado en la sala de espera de mis abogados, por si acaso la entrevista tomaba los derroteros que yo suponía. En cuanto recibió mi inteligente mensaje, se marchó a mi casa, le contó lo que consideró necesario al hombre que se encarga de ella y se metió en mi vestidor. El resto fue pueril, pero muy bonito: yo entré en dicho vestidor cubriéndome la canica que llevaba en la mejilla con un pañuelo y McCaffy salió con una bufanda que le tapaba la cara. El Sr. Parrott lo embarcó en un maravilloso crucero, sin nada más que el dinero para el pasaje de vuelta. Cuando examinó las órdenes selladas que me había entregado el magnate, descubrió que no contenían nada más. Yo hice tiempo hasta que oscureció, bajé en motocicleta a Sweethearting y atravesé los campos caminando para llegar hasta aquí. Eran tan temprano que no me crucé con un alma. A continuación, allané el molino y dejé lo demás en manos de Amanda, cuya encomiable interpretación le ha granjeado un lugar de honor en mi testamento. Por cierto, Amanda, cuando se acabe la diversión, recuérdeme que tengo que hacerle a McCaffy un giro para su pasaje a Río.

Guffy hizo un gesto de contrariedad.

—Así que has estado en el molino todo este tiempo… —dijo—. ¿Y por qué diablos decidiste esconderte ahí, dándonos el susto de nuestras vidas y matándonos de preocupación? No entiendo qué motivos tenías.

La bobalicona cara pálida del Sr. Campion se volvió pesarosa.

—Lo siento —dijo—. Pero ¿qué otra cosa podía hacer? Era necesario que todos actuarais como si os hubiera abandonado y para ello me veía obligado a manteneros en la más absoluta ignorancia. Verás, hay «espías por doquier». Este sitio está infestado de ellos.

Guffy seguía dudando. Su pausada mente revisaba los incidentes de los últimos días.

—¡Así que tú eres la explicación al extraño comportamiento de Amanda! —dedujo—. Las trescientas libras, la puesta en libertad de la Srta. Huntingforest después de la incursión, el coche nuevo… Me imagino que todo eso lo has orquestado tú.

El Sr. Campion contempló a su amigo con un semblante tan serio que Guffy se calló.

—El relato de mis asombrosas aventuras mientras permanecí escondido lo reservo para el banquete en el club —prosiguió Campion—. he de confesar además, que, mi aparición en esta coyuntura concreta ha sido completamente accidental. Si nuestro querido amiguito no se hubiera presentado aquí por sorpresa, habrías seguido ignorando mi duplicidad hasta esta noche. Así que, queridos colegas, seguid con lo vuestro. Todo depende de ello.

—*Todo*… —suspiró Guffy, con tristeza—. Pero *todo* ha acabado. Hemos fracasado estrepitosamente.

—¿Fracaso? —exclamó el Paladín Hereditario—. Mi pobre y querido imbécil amigo: si apretamos los tornillos de nuestro valor,[24] ganaremos…, triunfaremos…, tendremos éxito…, tocaremos la campanilla y recuperaremos el dinero. Lo más difícil vendrá en las próximas horas, y será tan complicado e irritante que preferiría

24. Cita de W. Shakespeare, *Macbeth*, acto I, escena 7.

que la Srta. Huntingforest y Mary se quedaran al margen, en la medida de lo posible. Pero, dado que el éxito de este circo depende de su complicidad, tendré que pedirles que asuman el riesgo.

—Supongo que, dadas las circunstancias, un riesgo más no tiene demasiada importancia —dijo la buena mujer, en tono grave.

Guffy parecía incómodo.

—Srta. Huntingforest, sepa que jamás me perdonaré las molestias y los disgustos que le hemos causado.

—Empezaron antes de que llegasen ustedes —dijo la señora, resignada.

—¡Cuenten conmigo! —dijo Mary con firmeza, y la anciana asintió.

El Sr. Campion se inclinó hacia delante. Con aquellos llamativos ropajes resultaba francamente cómico.

—De momento, las cosas no van mal —observó—. Si no fuera por los naturistas del páramo y la prueba que el caballero del comedor nos ha proporcionado, que demuestra que nuestros oponentes no son tan estúpidos como creía, el asunto sería casi un paseo. Tal como está el asunto, me temo que corremos ciertos riesgos, muchos más de los que hubiera imaginado nunca. Estos tipos están desesperados… Trabajan para un hombre que aún no conoce el fracaso.

—Cuando has dicho que «las cosas no van mal» —intervino Guffy—, ¿a qué te referías? No veo que hayamos avanzado ni un milímetro desde el comienzo.

—¿Ni siquiera con el estatuto de camino a White Hall?[25] ¡Es un paso tremendo! Oh, lo olvidaba… Vaya, vaya, espero que no te siente mal. Verás, cuando supe, por Amanda, de la carta de Glencannon, le pedí que se pasase por Norwich para recoger el tambor. No se me ocurrió que vosotros tres, héroes, emprenderíais la misma tarea… Si no, lo habría dejado en vuestras manos. Y cuando Amanda trajo el tambor no pude evitarlo. Vi que Hal lo sacaba del

25. Sede de la administración británica.

coche y, como al poco le descubrí asomado a la ventana de su habitación, supuse que lo había llevado allí. Me escabullí por la parte de atrás del molino, entré por la puerta lateral y me escondí en el rellano de arriba, de manera que, en cuanto Hal bajó a veros, me colé en la habitación y cogí lo que necesitaba.

—Pero ¿cómo supiste que el Estatuto se encontraba en su interior?

—No lo sabía, y de hecho no lo estaba —dijo el Paladín Hereditario—. Se hallaba justo donde esperaba que estuviera desde que leí los versos del roble: escrito sobre un pergamino, ¿te acuerdas? Bueno, en realidad, ese pergamino no es otra cosa que el parche de abajo del propio tambor. Un escondite bastante apañado, ¿no te parece? Lo encontré todo allí, claro. ¡Y era auténtico! Hasta llevaba el sello de Enrique IV… Lugg lo ha llevado a Sweethearting esta mañana, y, desde allí, Eager-Wright se encargará de trasladarlo a la ciudad.

Guffy, que había escuchado aquellas revelaciones con el deleite de un niño, se deprimió al oír aquello.

—¡Claro! —exclamó—. Aún no lo sabes… Ha pasado algo inoportuno con Wright y Farquharson.

—Sí —comenzó Mary, pero le fallaron las palabras cuando captó el brillo en los ojos de Amanda.

Guffy pareció escandalizado.

—Cielos, Campion, ¿eso también ha sido cosa tuya? Vas a tener que darnos una explicación.

—Era la única manera —dijo el Paladín Hereditario, nada avergonzado—. Piénsalo: este pueblo está infestado de alborotadores potenciales. Han entrado aquí al menos dos veces para averiguar si nosotros habíamos conseguido algo y, por descontado, nos lo habrían robado llegado el caso. Por suerte están convencidos, o lo estaban hasta hace unas horas, de que no tenemos nada. Pero no logran entender por qué seguimos aquí. Creen que han conseguido quitarme de en medio, que voy de camino a América del Sur, pero, al mismo tiempo, sospechan que vosotros habéis averiguado algo, porque, de otro modo, no se explican vuestra presencia aquí. Si Eager-Wright simplemente hubiese partido en dirección a la ciudad, ellos lo habrían parado, habrían registrado su coche y se habrían llevado lo que encontraran. El problema al que se enfrentaba vuestro viejo amigo Albert es evidente: tenía que sacarles de este sitio sin despertar ninguna sospecha, y la idea del arresto parecía la única que encajaba con la situación. Lugg lo ha arreglado por teléfono esta mañana desde Sweethearting. Por fortuna, para muchos de nuestros amigos no supone ningún problema hacerse con un par de uniformes. Espero que representaran bien su papel.

—¡Condenadamente bien! —exclamó Guffy, que todavía no daba crédito—. Y entiendo que si han logrado engañarnos a nosotros, habrán embaucado también a los tipos del páramo.

—¡Oh, eso espero…! Lugg se está ocupando de todo. Supongo que habrán entrado en el bar y habrán preguntado cómo llegar a la casa, dejando caer alguna pista obvia sobre unos jóvenes a los que buscaban por una infracción de tráfico. El caso es que han encontrado el camino hasta aquí y se han llevado su trofeo. Cuando lleguen a las afueras de Sweethearting, recogerán a Lugg y el Estatuto, y después Eager-Wright seguirá en coche hasta la ciudad. Farquharson esperará para ver cómo se desarrollan las cosas. Un plan bastante inteligente, ¿no te parece? Cuando reciba mi reino, si es que lo recibo, tal vez lo convierta en una de esas repúblicas modernas y me proclame dictador.

—Has dicho que las próximas horas son cruciales —dijo Guffy—. ¿Tenemos que entender que en algún momento de esta noche ocurrirá algo realmente sensacional?

—Bueno, sí, será bastante sensacional si sale bien… ¡Oh, sí, sin duda!

—Entonces, habrá que posponer lo del Dr. Galley —dijo Mary, rápidamente.

—¡Oh, no, por favor, no hagan eso! —Campion se volvió hacia ella con una expresión de gravedad—. Esa pequeña excursión es tremendamente importante. Y eso me lleva al asunto del Dr. Galley… Un problema bastante interesante. Aunque tengo la certeza de que no está asociado con nuestros atentos amigos, me he dado cuenta de que se trae algo entre manos, aunque no consigo imaginar de qué se trata. Cuando me enteré de lo de su pequeña fiesta, pensé que era de lo más inoportuna, pero ahora ya no estoy tan seguro. Esos espíritus puros que tan interesados están en vuestros movimientos no saldrán de su asombro cuando os vean salir obedientemente a tomar el té en esta etapa del proceso, por llamarlo de algún modo. Lo único que me atrevo a adelantaros, y os suplico que confiéis en el pequeño Albert, es que recibiréis una señal durante la visita al viejo Galley. No os preocupéis: llegado el momento sabréis distinguirla. Y después seguid a Amanda de vuelta aquí todo lo rápido que podáis y dejad lo demás en sus manos.

»Lamento todo este misterio —prosiguió, infeliz—, pero tenéis que haceros cargo de lo delicado del asunto. Si la cosa sale bien, esta noche tendremos en nuestro poder la tercera y última prueba, la más importante de todas ellas: el recibo de Metternich. Las otras dos son importantes, pero, sin ese tercer trofeo, me temo que el proceso no se admitiría a trámite en la Corte Internacional de La Haya. Y este es el punto en el que nos encontramos…

En sus ojos había una petición, a la que ellos respondieron sin vacilar.

—¡Cuente con nosotros! —dijo tía Hatt, con inesperado vigor—. Me alegro de que no haya que anular la visita a la casa del Dr. Galley —prosiguió, demostrando de nuevo su vena práctica, que nunca parecía abandonarla, por fantástica que se volviese la situación—. Su historia me ha picado la curiosidad. Puede que de verdad haya encontrado pruebas del matrimonio de Mary Fitton.

—Eso creo yo también —dijo Campion, que parecía estar al tanto de todo—. Amanda me contó la historia anoche, y no me resultó descabellada. Pero, sin embargo, está pasando algo extraño, algo que no alcanzo a entender.

Amanda, repentinamente asustada, se apresuró a cambiar de tema.

—Acaba de contarnos que tenemos ya dos pruebas —dijo—. Y cierto es que tenemos el Estatuto, pero ¿dónde está la Corona?

—¡La Corona! —exclamó el Sr. Campion, horrorizado—. Se me olvidaba.

Se puso en pie y corrió hacia el comedor, donde aún yacía su cautivo.

Después de unos minutos regresó, triunfante, con algo brillante en la palma de su mano. Los demás lo rodearon y tía Hatt emitió un gritito de asombro.

—¡Mi collar de granates!

Campion la miró socarronamente a través de sus gafas.

—No son granates —explicó—. Son rubíes muy antiguos cortados en forma de cuadrado.

—¿Rubíes? Vaya, entonces tal vez tengan algún valor…

El Sr. Campion sonrió.

—Lo tienen. Y mucho. Esta pieza que se encuentra ante ustedes, damas y caballeros, es la famosa Corona de Averna.

Sostuvo el collar en alto para que todos pudiesen verlo. Consistía en un tosca cadena de oro rojo antiguo, labrada para que pareciese una corona de flores, en la que había engarzadas, a intervalos irregulares, tres piedras de color rojo óxido entre los eslabones. Tres grandes ágatas blancas completaban el círculo. El orfebre que había arreglado el cierre del collar había elegido un modelo tan moderno que la corona se asemejaba a una gargantilla con un diseño algo inusual.

—¡Aquí está! —dijo Campion—. Tres gotas de sangre de una herida real, tres estrellas apagadas como huevo de paloma, unidas y entrelazadas por una cadena florida.

—¡Pero pertenecía a mi madre! —exclamó tía Hatt, asombrada—. Fue un regalo de mi padre. Me acuerdo de que, como en aquellos días no estaba de moda llevar joyas tan llamativas, ella lo guardó en un escritorio de nogal que había en el salón. Recuerdo perfectamente aquel escritorio. Tenía un panelito de taracea en forma de rombo en la tapa sobre la que se escribía. Cuando apretabas la parte de abajo del rombo, subía y se abría en dos, dejando a la vista un cajoncito secreto.

Al ver la expresión de sus caras se detuvo con brusquedad.

—¡El diamante! —exclamó Guffy—. «El diamante en dos debe partirse, si la corona quisiere ceñirse.» Ese escritorio formaría parte del mobiliario original de la casa. Debió de llevarlo a EE. UU. el propio Guy Huntingforest.

—Pero ¿cómo lo sabía usted? Y, ¿cómo lo han adivinado ellos? ¿Por qué no lo robaron cuando registraron la casa?

Tía Hatt, como era normal, seguía encontrando la historia difícil de creer.

—Si consideramos esas preguntas en orden inverso, este inteligente caballero tratará de explicarse —dijo Campion—. Para empezar, no lo robaron cuando registraron la casa porque en esos momentos no se encontraba aquí. Y, además, nadie sabía qué estaban buscando exactamente.

»En cuanto a la segunda pregunta: lo habrán averiguado, supongo, porque en los últimos dos días el hombre que dirige la operación ha considerado oportuno dejar este asunto en manos de gente con más cerebro. Por eso debemos ser tan cuidadosos con el espectáculo de esta noche. El caballero de la habitación de al lado es un ladrón profesional bastante eminente en lo suyo. Parece que ya sabía qué tenía que buscar exactamente. Los matones que les cayeron encima el pasado jueves iban a la caza de una corona más obvia, supongo… Algo del tamaño de una sombrerera.

—¿Y cómo lo adivinó usted? —preguntó Mary.

El Sr. Campion contempló la cadena que se balanceaba en su mano.

—Anoche —dijo—, una figura bastante patética, disfrazada con su ropa, se detuvo al otro lado de una ventana iluminada para contemplar a una familia que compartía la cena, exactamente igual que en las películas. Sé que si tuviese tiempo mi descripción de esta escena conseguiría arrancarles las lágrimas. En fin, el caso es que cuando mi mirada se paró en la sonriente y serena Srta. Huntingforest comprendí de inmediato que llevaba la Corona de Averna al cuello. Reprimiendo mis chillidos histéricos de goce y sorpresa, volví a las sombras, pues aún no quería darme a conocer. Y, además, me pareció evidente que la Corona estaría más segura ahí que en cualquier otro sitio.

—Todavía no entiendo cómo pudo adivinarlo solo con verla —dijo Amanda.

—¡Oh, a las mentes brillantes nos suelen suceder este tipo de cosas! —dijo el Sr. Campion, con solemnidad—. Por supuesto, al principio ni siquiera yo me lo acababa de creer, pero no podía sacarme la descripción de la joya de la cabeza. Aunque he de confesar que no habría puesto mi mano en el fuego, hasta que me di cuenta de otra cosa.

—¿Otra cosa? ¿El qué?

—Bueno —dijo el joven con parsimonia—, la cita del manuscrito sigue, ¿sabe?: «Pero cuando la lleve un Pontisbright, nadie la verá salvo a la luz de las estrellas». Anoche, la Srta. Huntingforest estaba sentada entre Hal y Mary… Y me percaté de que…

Entonces le hizo señas a Hal para que se acercase. Cuando, el obediente chico dio un paso adelante, Campion le colocó la diadema sobre la cabeza. El efecto fue extraordinario y, por supuesto, milagrosamente convincente. El llameante pelo de los Pontisbright se tragó el oro rojo y el brillo apagado de los rubíes, de manera que lo único que se distinguía de la corona fueron las tres ágatas, las «tres estrellas apagadas como huevo de paloma», cremosas y transparentes sobre la amplia frente del muchacho.

Capítulo XVIII
El doctor Galley,
inusitado practicante

—Amanda, puede considerarme un Aníbal —dijo Campion, que se había acurrucado junto a la escalera y se estaba ajustando la falda raída a los tobillos— o un Julio César, o incluso esa gran política, la agente de policía Webb, el hada madrina de Limehouse.[26] El plan que he trazado para esta velada es claro y conciso, justo lo que necesitamos, y creo que merece la pena seguirlo.

Estaban a solas en el recibidor. Los demás ya habían salido hacia la casa del Dr. Galley, pero Amanda se había quedado atrás para recibir las últimas instrucciones. La muchacha estaba de pie, apoyada en la pared, con la cara pálida por el entusiasmo y unos ojos muy abiertos que parecían estar repletos de preguntas.

—Todo está listo —dijo—. Hemos llevado la barca hasta el río y la hemos dejado completamente oculta en la zona donde

26. Posiblemente, Beatrice Webb (1858-1943), intelectual socialista británica cuya temprana defensa del estado del bienestar habría ayudado al suburbio londinense de Limehouse.

los árboles forman un túnel. Hal subirá a bordo a los demás y yo me ocuparé de las compuertas. El río está muy alto, así que bajará rápido… Deberíamos alcanzar una buena velocidad. Le he contado todo a Hal, y él ya sabe lo que tiene que hacer. Aun así, me gustaría repasarlo con usted una última vez, para asegurarme de que lo tengo todo claro: una vez lleguemos a Sweethearting, cogeremos el coche que nos estará esperando en el George y nos dirigiremos directamente a Great Kepesake, donde esperaremos a Despistado y a Lugg, que vendrán por el camino de los pantanos.

El Sr. Campion asintió.

—Estoy orgullosísimo de esa parte —dijo—. Si sus amigos del páramo los echan en falta, darán por sentado que se han marchado ustedes a Londres. Jamás se les ocurrirá buscar tierra adentro. No obstante, si fuera necesario ir más lejos, déjelo en manos de Guffy. Conoce el oeste de Suffolk como la palma de su mano. La mayor parte de esas tierras, tirando por lo bajo, pertenece a su padre.

Amanda se encogió de hombros.

—Estaremos bien —dijo con valentía—. No se preocupe por nosotros. Lo que quiero saber es qué va a ser de usted. No lo logrará sin mí. ¿Por qué no le deja la huida a Hal y permite que me quede para echarle un cable?

Los pálidos ojos del Sr. Campion sostuvieron gravemente la mirada de ella.

—Lo siento, señorita —dijo—. Imposible. Acháquelo a mi natural deseo de acaparar toda la gloria.

—Eso hago —dijo Amanda, con frialdad—. Y creo que ha abarcado usted más de lo que puede apretar. No se olvide de que la técnica soy yo, y creo que no se hace idea de la clase de ruido que esta…

—Señal —interrumpió el Sr. Campion, rápidamente.

—Señal —coincidió Amanda— va a hacer. La oirán desde Ipswich. Y toda esa recua le caerá encima como una tormenta de arena.

—Así es —coincidió él, alegre—. Pero he tomado mis medidas. Este chico tiene cabeza. Siempre he pensado que lo único que me impidió acabar secundaria fue el rencor.

—¿Y se puede saber qué medidas ha tomado? —preguntó Amanda, implacable.

Campion suspiró.

—Pensaba asociarme con usted en cuanto superase la edad escolar —dijo—, pero que me aspen si se me ocurre hacerlo. ¡Es usted demasiado curiosa! Debería mirarme con reverencia... Debería verme como la mano del destino, como una deidad que se mueve de manera misteriosa...

—¿Qué medidas ha tomado? —insistió Amanda.

Campion se encogió de hombros.

—A las siete menos diez en punto —dijo—, los dos funcionarios que arrestaron al Sr. Farquharson esta mañana lo devolverán al lugar de donde se lo llevaron obedientemente. El mundo entero llegará a la conclusión de que han descubierto que, al fin y a la postre, no era el hombre que buscaban. Volverán a traerlo y despertarán algunos comentarios, pero, espero, ninguna alarma. Una vez aquí, se quitarán los uniformes: el inspector cogerá nuestro Morris y el policía seguirá al volante de su coche alquilado; Farquharson se subirá al Lagonda. En cuanto se dé la señal, los tres automóviles saldrán pitando. Farquharson y el inspector, conduciendo a toda velocidad, tomarán la carretera del páramo que rodea el campamento. Dejarán atrás El Guantelete, y alcanzarán la calzada que bordea el lado Galley del bosque. Mientras tanto, el policía (le gustaría a usted, porque, va mucho a conducir a Brooklands)[27] enfilarán por la carretera de abajo, la que recorre el otro lado del bosque. Darán vueltas al área cerrada tan rápido y haciendo tanto ruido como puedan y, en cuanto la señal cese, desaparecerán ostentosamente por las tres carreteras que parten de este pueblo

---

27. Circuito de carreras cerca de Weybridge, Surrey, fundado en 1907.

encantador. Tras ellos, espero y confío, saldrán corriendo nuestros enemigos, dejando al pequeño Albert el tiempo suficiente para pasar el cepillo y largarse con la colecta. También debería cubrir su salida, o huida de Egipto o como lo quiera llamar.

—Está bien —asintió Amanda, tras una breve pausa—. Todo muy moderno.

—Eso mismo pienso yo —coincidió él, con humidad—. Ahora ya ve qué clase de hombre tiene ante usted.

—Yo también soy bastante presuntuosa —dijo Amanda—. Pero le deseo suerte. Me voy. Puede considerarme una Moisés guiando a su familia para salir de la jungla. Por cierto, ¿se ha fijado en Guffy y en Mary? Creo que como ella ha llevado una vida tan retirada y se ha visto privada de compañía de su misma edad…

—Sin la menor falta de respeto a mi amigo, el Sr. Randall —interrumpió el Sr. Campion, con mucho tino—, me temo que así es. Eh… La vida es muy hermosa, ¿no le parece?

—Desde el punto de vista de un espíritu aún no emparejado, eso no son más que paparruchas —respondió Amanda.

Campion se puso en pie.

—Tengo que cambiarme de ropa antes de ir a ocultarme en el bosque a esperar. ¡Váyase ya! No lo olvide: reténgalos allí hasta que suene la señal, cueste lo que cueste.

Pero ella, vacilante, no se movió de su sitio. Cuando Campion reparó en la expresión de su cara se acercó.

—Oiga —dijo, con gravedad—, ¿qué pasa con esa visita a Galley? Se ha mostrado usted tremendamente reacia desde el primer momento, y me da la sensación de que ahora, además, está muerta de miedo.

Ella negó con la cabeza, desafiante, y en sus ojos pardos apareció el brillo de su antigua actitud retadora.

—No le tengo miedo a nada, de verdad —dijo, pero él supo que sus palabras eran pura fanfarronería. Por primera vez, descubrió en su mirada un atisbo de ansiedad.

—¿Qué sabe de Galley? —preguntó.

Ella no se alejó, pero volvió la cabeza y miró, pensativa, al jardín que se extendía más allá de la puerta abierta.

—En realidad, es un personaje bastante inocuo —dijo de pronto con una voz anormalmente suave—. Supongo que nunca ha matado a nadie que no fuera a morir de todas formas, y creo firmemente que hace mucho bien. Sé que es un comportamiento pueril que no se basa en nada real, pero no puedo quitarme de encima la sensación de que esconde algo.

El Sr. Campion estaba muy serio.

—¿Consume alguna clase de droga? —preguntó—. Cuando le conocí no noté ningún indicio. ¿Qué le va?

—¡Oh, no! Nada de eso —contestó Amanda, rehuyendo todavía su mirada—. Nunca me he atrevido a decirlo en voz alta porque pensaba que podían expulsarlo de la profesión por ello, y sigo creyendo que, en cierta forma, hace mucho bien. Pero todas las cosas realmente raras con las que se han topado desde que están por aquí…, el signo del miedo y todo lo demás…, tienen mucho que ver con él y con sus costumbres de los últimos veinte años, más o menos. Es terrible, pero el doctor Galley está loco.

Él rio.

—Casi todo el mundo está un poco loco.

Ella volvió la cabeza bruscamente y lo miró a los ojos de una forma que asustó a Campion.

—Pero Galley es un verdadero demente —dijo—. Y creo que es una manera bastante benévola de calificarlo, teniendo en cuenta los hechos.

Algo en la tranquilidad con la que estaba exponiendo las cosas hacía que sus palabras, que sonaban sinceras, resultaran además bastante convincentes. Campion volvió a sentarse en las escaleras.

—Desembuche.

Amanda se movió, incómoda.

—Nunca se lo he contado a nadie —comenzó—. Es más, en su momento juré que jamás lo haría, pero ahora creo que es mejor que usted lo sepa. —Se detuvo para considerar una última vez su confesión, pero las palabras llegaron como un torrente—. Así fue como lo deduje: el Dr. Galley acababa de licenciarse cuando se instaló aquí, hará unos cuarenta años. No sé mucho al respecto, pero, por lo general, los médicos siguen formándose después de obtener su título, ¿no? Nada más llegar, el Dr. Galley no tenía con quien hablar, más que gente del campo… Creo que se aburría mortalmente, y tenía mucho tiempo libre. Y, claro, le dio por la lectura.

»En fin… —hablaba cada vez más bajo—, esa enorme biblioteca que heredó de su tío abuelo contiene algunos libros y manuscritos bastante raros…

Se detuvo, y miró, dubitativa, a Campion, pero al comprobar que él estaba siguiendo sus palabras con atención, prosiguió:

—No es más que una teoría —dijo—, y, claro, no sé casi nada al respecto. Pero, hace solo cincuenta años, no se sabía bien hasta dónde llegaba la medicina y hasta dónde la… superstición, ¿no?

Campion, pensativo, no le quitaba ojo de encima. Fruncía el ceño y su mirada parecía más lúgubre.

—Entiendo que está usted insinuando que el Dr. Galley practica algún tipo de medicina arcaica, como la herbología o algo similar —dijo.

—¡Oh, sí! —aceptó Amanda con un destello de su vieja alegría—. Siempre lo ha hecho. Pero yo me refiero a lo siguiente: desde que lo conozco, ha ido uno o dos pasos más allá. Verá, todo se reduce a que esa antigua medicina se podría considerar…

Se detuvo de nuevo.

—Una variante de la brujería —dijo el Sr. Campion, secamente.

La chica lo contempló con absoluta seriedad.

—Eso es. Suena tonto, ¿verdad?

El Sr. Campion permaneció en silencio unos instantes. En su dilatada experiencia de la vida, había presenciado fenómenos curiosos, formas extrañas de manía y casos asombrosos de retrogresión. Suffolk, uno de los condados más antiguos, podía considerarse en cierto modo un territorio salvaje. Los pequeños periódicos locales cuyos mismos nombres eran desconocidos para los grandes diarios de Londres publicaban de cuando en cuando extrañas historias de ignorancia y superstición que, en algunos casos, habían logrado abrirse camino hasta rústicos y minúsculos juzgados de lo penal. No le resultaba increíble, pues, que, en un condado en el que distritos enteros pasan años sin ver a un agente de policía local, ocurrieran cosas muy extrañas que nunca llegasen a convertirse en noticias de dominio público…

Cuanto más analizaba la revelación de Amanda, menos improbable, pero no menos extraordinaria, le parecía. El hecho de que el pequeño doctor no hubiese tenido que negociar con un antecesor, sino que hubiese colgado su placa sin invitación alguna, lo colocaría en su momento en la lista negra de los profesionales del distrito automáticamente. Además, sus pacientes debían de ser, en su mayoría, gente ignorante y confiada de campo, y muchos de ellos ni siquiera sabrían leer.

Campion sopesó la teoría que Amanda había elaborado con tanto ingenio y, al igual que ella, se imaginó a un joven impresionable condenado a la soledad rebuscando entre los viejos volúmenes de su enorme biblioteca y consumiendo con avidez cualquier cosa que tuviese que ver su disciplina, por remotamente que fuera. Podía comprender la tentación que supondría para él probar un antiguo remedio descubierto en un antiguo manual de medicina en un paciente que nada sospechaba, y su sorpresa ante una curación fortuita. Y veía a aquel hombre envejeciendo, volviéndose cada vez más intolerante, obsesionado con su peligroso pasatiempo.

Miró a Amanda.

—La primera noche que pasamos en el pueblo, Lugg vio…, o creyó ver, un cadáver tendido en el páramo —dijo—. ¿Tenía algo que ver con Galley?

Amanda respiró hondo.

—Tampoco crea que eso pasa a menudo —dijo—. De todas formas, no hizo daño alguno. El pueblo solo consintió porque Galley quería. Fred Cole murió de causas naturales, y además era una mala persona. Usted no lo entendería…

—En ciertos países sin civilizar —observó el Sr. Campion, con la mirada aún fija en el rostro de ella—, los nativos dejan yacer bajo la luz de la luna los cadáveres de la gente cuya vida no ha sido hermosa durante tres noches seguidas. Le dan así al espíritu maligno la posibilidad de escapar para que no quede encerrado en una tumba, donde podría volverse feroz y peligroso. Los más valientes vigilan el cuerpo, para ser testigos, dicen, de a qué hora escapa el espíritu y decidir luego qué medidas tomar en caso de que necesiten protegerse de él.

Amanda suspiró aliviada.

—Lo sabe todo al respecto. ¡Qué alegría! Eso me ahorra un montón de explicaciones. Sí, se trata justo de eso. No estoy segura de si el viejo Galley ya lo había hecho antes, pero lleva años hablando del tema. Supongo que Fred Cole fue el primero con una reputación lo suficientemente mala que cayó en sus manos, y Galley se sintió libre para realizar el experimento sin ofender a nadie. Bueno, pues eso es todo, así que podemos olvidarlo, ¿no?

Campion no había apartado la mirada de su rostro.

—Imagino que usted fue uno de los valientes vigilantes —dijo.

Amanda se sonrojó levemente.

—¡Fue un error! —estalló al fin—. Un error, y bastante horrible, por cierto. Pero, verá, Galley ha aleccionado a todo el pueblo…, y también a mí, en cierta forma, para creer (o, como poco, para saber mucho) en la brujería… Así que, cuando me llamó, no quise desobedecer.

El Sr. Campion permaneció muy serio.

—¿Le dijo el Dr. Galley que, según la superstición, para realizar ese rito de forma satisfactoria, uno de los vigilantes ha de ser un mago y el otro «una doncella hermosa, casta e indocta, a fin de que el espíritu la penetre, y, cuando enloquezca, pueda tenerla cerca y no se convierta un peligro para sus semejantes»?

Amanda lo miró fijamente.

—No —contestó—. No me lo dijo. Quizá no conocía esa parte —prosiguió, debatiéndose contra esa nueva perspectiva del carácter del Dr. Galley—. O puede que ni él mismo se tome el asunto tan en serio como parece…

—El optimismo y la lealtad serán su ruina, joven —dijo el Sr. Campion, adusto—. Para mi mente menos caritativa, esa historia demuestra una sola cosa: que el Dr. Galley tiene una manía, y que finalmente su enfermedad ha llegado a un punto en que sus amigos le importan menos que ese pasatiempo tan repugnante. Y esto es muy alarmante, Amanda.

Ella calló durante unos instantes. Parecía estar sopesando la situación seriamente, pues su parda mirada se había ensombrecido y en sus inquietas pupilas brillaba una luz de alarma.

—Esta fiestecita no me hizo gracia desde el primer momento —dijo al fin—. Verá, ayer encontré una ramita de verbena encima del dintel de la puerta principal después de que se marchara el Dr. Galley, y nos pidió expresamente que nos pusiéramos ropa limpia para la velada. Los demás lo achacaron a una mera excentricidad, pero yo me pregunto…

Campion se puso en pie de un salto.

—¡Voy con usted! —exclamó—. Debería haberme contado esto antes. En cuanto me cambie de ropa, saldremos hacia allí. Atajaremos atravesando el bosque.

—Pero ¿qué pasa con la señal? —preguntó Amanda.

—¡Al diablo la señal! —dijo Campion, inesperadamente—. ¿Se da cuenta de que hemos enviado a su pobre tía, al desafortunado de Guffy y a esos dos niños a los brazos de un lunático obsesionado con la demonología y la magia negra, una forma de locura que, a fin de cuentas, tuvo a toda Inglaterra prosternada hace trescientos años? ¡Y encima con dos pruebas de los ritos más típicos que solían realizar antes de un sacrificio colocadas con esmero ante nuestras narices!

Capítulo XIX
Propina

El Sr. Campion caminaba a grandes zancadas por la estrecha vereda que atravesaba el bosque que antaño había formado parte de las tierras de los Pontisbright. Amanda le pisaba los talones. A pesar de la prisa, andaban con cautela. Un silencio siniestro se cernía sobre el pueblo, y la tormenta que llevaba todo el día amenazando avanzaba ahora por el sur en forma de grandes nubarrones oscuros que auguraban dificultades. Hacía un calor insufrible, y el aire era sofocante.

En un determinado momento, cuando casi habían atravesado el pinar que crecía en el extremo oeste del espacio abierto donde se había alzado la casa, Campion se detuvo y silbó suavemente.

El sonido produjo un eco en algún lugar en lo alto de las ramas de un cedro que se encontraba justo a la derecha de la cavidad que contuvo los cimientos del Hall.

El Sr. Campion, satisfecho, siguió adelante, con Amanda correteando aún a la zaga.

Cuando llegaron al seto bajo que separaba el jardín del Dr. Galley de los terrenos del Hall, la tormenta se había acercado tanto que proyectaba una luz antinatural sobre las vívidas flores que se acumulaban en torno a la rectoría. Las flores del sol, Marte y

Júpiter, que crecían en el jardín delantero, parecían preferir los colores peculiarmente brillantes. Campion sabía que los hechiceros de la Antigüedad proclamaban su ascendente sobre el clima y la vida vegetal.

Cuando se volvió para mirar a Amanda, la palidez de su cara hizo que Campion cayera en la cuenta del cariz dramático que había tomado su misión.

—Estarán en la habitación larga de la parte de atrás —susurró ella. Él asintió.

—¿Hay una ventana desde la que podamos ver el interior?

—Me parece que sí. ¡Vamos!

Se deslizó delante de él por un camino que se abría entre dos grandes macizos de girasoles gigantes. La maltrecha casa blanca destacaba entre las turbulentas sombras. El aromático jardín despedía un olor tan fuerte que resultaba casi insoportable. Se había levantado viento en los últimos minutos y era como si todas aquellas plantas hubieran caído presas de la furia. Las flores y las hojas bailaban salvajemente a su alrededor.

Cuando estuvieron junto a la fachada de la casa, la muchacha le hizo señas a su compañero para que se mantuviese detrás de ella. Andando sigilosamente, pegados a la pared que se desmoronaba, llegaron a una ventana metida en un hueco y parcialmente oculta por unas pesadas cortinas.

Poniéndose de puntillas con cuidado, Amanda echó un vistazo al interior de la casa; Campion observaba por encima de su hombro. Veían la sala desde arriba, pues el suelo caía en una suave pendiente a partir de donde ellos se encontraban.

Amanda le dio un codazo a Campion. La ventana estaba entreabierta y no se atrevía a hablar. Él asintió sin apartar la mirada del grupito que se había reunido allí.

El estudio del Dr. Galley había sido desmantelado por completo. Los muebles se amontonaban contra las paredes y una cortina oscura colgaba ante el mirador de la pared más alejada.

Tía Hatt, cómoda y convencional con su traje de domingo y su sombrero, estaba sentada en una silla junto a la chimenea contemplando sus guantes. Guffy y Mary se encontraban en un sofá frente a ella, mientras Hal permanecía de pie bajo la ventana a través de la cual ellos les espiaban. Nadie hablaba y, desde su puesto de vigilancia, les dio la sensación de que los invitados parecían algo incómodos. Pasó algún tiempo antes de que Amanda localizase al Dr. Galley. Al fin lo vio: estaba inclinado sobre una mesilla en la que había una licorera y copas. Y entonces alcanzó a oír su voz saliendo de las sombras.

—Espero que Amanda no se retrase mucho más —dijo sin poder ocultar su enojo—. No podemos continuar sin ella. Su presencia es vital. Además, el tiempo corre.

—No creo que tarde —dijo tía Hatt tratando de reconfortarlo—. En realidad, si que podemos empezar sin ella, doctor. ¿No le gustaría contarnos algo más de su excitante descubrimiento?

El anciano la miró con una expresión extraña.

—¡Ah, sí! —dijo—. Mi descubrimiento… ¡Sí, sí, por supuesto! Pero ahora no tenemos tiempo para eso. La hora está en la cúspide.

Resultaba evidente para todos que estaba sometido a una presión tremenda. Y, cuando el doctor alzó la vista y Campion pudo vislumbrar sus ojos desde lejos a este le invadió la sensación de compasión mezclada con náusea que cualquier mente sana experimentaría ante una mirada como aquella.

—La hora está en la cúspide —repitió el doctor—. Tenemos que empezar sin ella. Mary, querida, ¿le importaría servir un vaso de vino para cada uno de ustedes? No se preocupe por mí; yo no voy a beber. Necesito mantener la mente muy, muy despejada.

Tía Hatt y Mary cruzaron una mirada, mientras el anciano arrastraba la mesa con los licores al centro de la estancia. Le temblaban tanto las manos que los cristales tintineaban y chocaban de manera alarmante. Campion y Amanda alcanzaron a distinguir el brillo apagado del vino en la licorera transparente.

Mary, al parecer, debía de estar aturdida por la siniestra atmósfera de la estancia, pues, a pesar de la petición del doctor, no se movió de su sitio. Tardó unos segundos en acercarse a la mesa.

El Sr. Campion frunció el ceño y Amanda notó que su cara, que normalmente no reflejaba emoción alguna, mostraba claras señales de alarma. Campion se palpó el bolsillo.

—¡Qué lástima! —susurró—. ¡Una botella tan bonita! Pero no podemos permitir que se beban eso.

Y antes de que la chica comprendiese lo que estaba ocurriendo, Campion ya había levantado su revólver y disparado a través de la estrecha franja que quedaba entre la parte inferior de la ventana y el alféizar. Apenas tuvo tiempo de ver la esbelta botella de cristal estallar en miles de átomos y su contenido carmesí derramarse por el suelo, cuando él la agarró de la mano y la arrastró precipitadamente por la hierba hasta un nuevo escondrijo, entre los girasoles.

Se quedaron agazapados, a la espera, pero aunque desde la habitación les llegaba el sonido de voces, nadie se asomó a la ventana, y ni siquiera escucharon ruido de puertas ni de pasos apresurados.

—Están a salvo… Al menos por el momento —dijo Campion, suspirando—. Me lo había imaginado… Aunque espero que solo se tratara de un brebaje para hacerlos dormir y no de algo peor.

Amanda parpadeó y permaneció en silencio unos instantes.

—Oiga —dijo al fin—, se está haciendo tarde. Tendría usted que ir a reunirse con Lugg y Despistado. Yo retendré ahí a los demás hasta la señal. No se preocupe por mí: me las arreglaré. Ahora ya no me queda ninguna duda de que el pobre Galley está como una regadera.

El Sr. Campion la miró, pensativo, y ella prosiguió.

—No sea usted testarudo. Si cometemos un mínimo error, entonces sí que nos encontraremos en apuros.

El Sr. Campion se sacó el revólver del bolsillo de la chaqueta.

—Al menos acepte esto —le pidió—, para que me quede tranquilo. Pero vaya con cuidado.

Amanda, que no quería perder más tiempo discutiendo, cogió la pistola que él le tendía.

—Vuelva al bosque —le dijo—. Cuando oiga la señal, los sacaré.

La muchacha se puso en pie sigilosamente, deslizó la pistola en el bolsillo de su chaqueta y se giró hacia la casa. Antes de comenzar a caminar se volvió de repente y le plantó un beso bastante poco romántico en la punta de la nariz.

—Eso, a manera de propina, por si no volvemos a vernos —dijo, frívolamente. Y echó a andar a toda prisa por el camino del jardín que conducía a la casa. La antinatural luz de la noche convertía el centelleante pelo de la valiente muchacha en una llama.

Capítulo XX

Para conocer a Astaroth

C uando la licorera que se encontraba sobre la mesita del centro de la estancia estalló en mil pedazos, la atmósfera en el estudio del doctor, que ya antes era bastante tensa, alcanzó un estado de extrema agitación. Tía Hatt gritó, Guffy se puso en pie de un salto y Hal, sobre cuya cabeza había pasado la bala, se acercó a la ventana.

Aun así, la sorpresa que les causó la reacción del Dr. Galley al extraño fenómeno les hizo olvidar su propia alarma. Este había levantado las manos y, con la mirada ardiente y la cara desencajada, gritaba:

—¡Golpea! ¡Manifiesta su voluntad!

Sin embargo, no trató de explicarles sus crípticas palabras, sino que, al descubrir que se había convertido en el centro de atención, se volvió y se dirigió a sus invitados con una voz completamente distinta de su reticente murmullo habitual. El cambio que se había producido en él resultaba extraordinario. Estaba muy tieso, como si le hubiera invadido una oleada de energía. Parecía poseído por una personalidad nueva y poderosa.

—¡Puesto que ha decidido actuar sin mi intervención, lo dejaremos en sus manos! —exclamó—. Permanezcan en sus sitios, por favor.

Tía Hatt quiso decir algo, pero él la calló con un gesto, y ella optó por quedarse sentada, mirándolo con una expresión de sincera perplejidad dibujada en su amable cara.

Guffy carraspeó. Todo aquello le resultaba incomprensible. El repentino regreso de Campion había agotado su capacidad para la sorpresa. Eso, sumado a la atmósfera de la habitación, en la que flotaba un humo acre similar al incienso pero menos agradable, estaba empezando a causarle cierto malestar. Se notaba mareado e inexplicablemente somnoliento.

En aquel preciso instante, la llegada de Amanda supuso un tercer aliciente para la reunión. La muchacha hizo su aparición en la estancia con una aparente despreocupación y la mano derecha apoyada despreocupadamente en el bolsillo de la chaqueta. Sonrió al doctor, que se volvió hacia ella con entusiasmo.

—Llega usted tarde —protestó él, malhumorado—. La hora ya no está en la cúspide. Es la hora de Casael… Ya lo sabe. Siéntese ahí.

Y señaló una silla que se encontraba a la derecha del mirador. Antes de tomar asiento, Amanda rozó involuntariamente los pliegues de la cortina que lo cubría y el asfixiante humo aromático que inundaba el cuarto se volvió todavía más denso.

—¡Las siete menos cuarto! —gimió el Dr. Galley—. Las siete menos cuarto y aún no hemos empezado…

Dicho esto, apartó la mesa del centro de la habitación y empezó a enrollar la alfombra. Puesto que su comportamiento solo se había vuelto realmente excéntrico tras el incidente de la licorera, y que tía Hatt, Guffy y Mary eran gente convencional y lenta de entenderas, todos seguían sentados mirándolo estúpidamente, demasiado atónitos para moverse.

El doctor envió de una patada la alfombra doblada al otro lado de la puerta; ellos, contemplando los tablones que habían quedado al descubierto, no se movieron de sus sitios. El suelo de roble se había ido ennegreciendo con los años y, sobre su apagada superficie, se distinguía un dibujo de lo más curioso. Consistía en un cuadrado de tres metros, con sendas líneas paralelas que formaban márgenes rectangulares en dos de sus lados. Dichos márgenes estaban rellenos de cruces y triángulos, mientras que un círculo recorría el interior, encontrándose en su camino con las líneas del contorno del polígono. Un segundo círculo concéntrico más pequeño, que a su vez contenía otro cuadrado, completaba la extraña imagen. En el espacio que quedaba entre el primer círculo y el segundo doctor había escrito tres veces el nombre «Casael», y, en los cuatro bordes del cuadrado interior, se podía leer claramente la palabra «Astaroth».

Aunque los invitados a aquella peculiar velada, a excepción de Amanda, tardaron en darse cuenta de lo que en realidad significaba aquella exhibición, tía Hatt se puso en pie.

—Aquí dentro no se puede ni respirar, doctor —dijo—. Me parece que voy a salir al jardín a tomar el aire.

El doctor se giró hacia ella.

—¡Siéntese! —ordenó con aspereza.

Y tía Hatt, sumisa, se sentó. Nunca llegó a comprender por qué obedeció, pero sí intuía que la curiosidad desempeñaba un papel importante en sus confusas emociones de aquel momento.

El Dr. Galley se inclinó por encima del respaldo del sofá y sacó una larga bata negra, que se puso inmediatamente. Y, a continuación, pisando con cuidado para evitar las líneas de tiza, se situó en el centro del cuadrado interior.

—Ha llegado el momento de darles una explicación —dijo.

Fuera había estallado la tormenta, y el gemido del viento, unido al sonido de la lluvia que caía a cántaros sobre las hojas, dotaba a la escena de la habitación de un aire fantástico, más convincente que si aquel día hubiese brillado el sol.

El violento estallido de un trueno sobre sus cabezas ahogó la voz del anciano durante un instante. Hasta el flemático Guffy se percató de su emoción. A veces las cosas que ocurren a nuestro alrededor resultan tan inexplicables, tan inesperadas, que someten a los sentidos anonadados del observador a una aceptación momentánea del curso de los acontecimientos. Cuando se hubo extinguido el trueno, la habitación quedó sumida en el más absoluto silencio. Los cinco invitados, con los ojos irritados y la respiración agitada, seguían en sus asientos sin apartar la vista de la figura de la bata negra.

—Muchas ciencias —comenzó el Dr. Galley— se han olvidado. Hubo un tiempo en que los hombres renunciaban de buena gana a la vida en pos de un gran poder que los chapuceros estudiantes modernos no alcanzarían siquiera soñar. Hace cuarenta años, decidí que emularía a aquellos hombres, y puede que hasta acabara superándoos en su propio terreno.

»Durante años —prosiguió apasionadamente—, con la única ayuda de los sobresalientes libros que recibí con esta casa, perseveré para convertirme en un maestro de esas ciencias ocultas que tan neciamente se han descuidado en nuestros días.

»He estudiado con diligencia —prosiguió, volviendo hacia ellos una mirada centelleante— y he obtenido mil y una pequeñas pruebas que demuestran que tenía razón. Podría hablarles de curas asombrosas que se han producido solo con la ayuda de los poderes del aire. Alguna gente del campo sabe a lo que me dedico, y me respeta por ello, al igual que sus antepasados, no hace tanto, respetaban al gran Dr. Dee, mago de la corte de la reina Isabel.

»Pero —continuó con creciente fervor. Sus nerviosas palabras parecían ejercer tal poder sobre su público que ya no habrían sido capaces de levantarse de sus asientos ni aunque hubiesen querido—, a pesar de que aquellas pequeñas victorias me daban la razón, cuando trataba de llevar a buen puerto un experimento de mayor calado siempre fracasaba. Al principio, les eché la culpa a los libros. También pensé que tal vez mi propia personalidad, debido a la formación médica "tradicional" que había recibido, se había vuelto demasiado materialista para permitirme alcanzar mis objetivos. Pero, por fin, hace siete noches, tuve éxito. ¡Lo conseguí! El mismo Astaroth apareció ante mis ojos.

»¡Esperen! —prosiguió, levantando las manos—. ¡Esperen! Se lo explicaré todo. Quiero compartir con ustedes el triunfo que me han granjeado mis estudios. Hace siete noches, en la hora de Methratton, vine a esta misma habitación y me coloqué dentro de mi círculo, conjurándolo para que apareciese. Llevaba tres días en ayunas. Previamente había esparcido por toda la estancia cilantro, sortilegio y beleño negro, y también había realizado otros ritos preparatorios previos que no creo que les gustara demasiado conocer.

»Y, cuando pronuncié las palabras de mi conjuro, apareció.

»No se presentó con su apariencia habitual, sino en cuerpo de hombre. Había venido a mí pero yo sabía que mis hechizos no tenían fuerza suficiente para retenerlo. Temeroso de que me hiciera algún daño, le ofrecí convertirme en su siervo. Él se quedó en mi casa y se escondió, y yo lo obedecí. Solo le fallé en una cosa. Pensaba que me había dejado, pero, después… —Se volvió hacia ellos y su cara se iluminó, pero después su expresión se tornó tan aterradora que Amanda aferró la pistola de su bolsillo con tal fuerza que el acero se le hundió en la carne—. Después… —prosiguió—, me fue entregado, y yo me convertí en su amo. Lo encontré en el páramo, tan abatido que el espíritu no podía abandonar el cuerpo. Volví a traerlo aquí, y desde entonces ha sido mi prisionero. Pero tengo miedo. El cuerpo está muriendo y, aunque he alimentado su espíritu con las cosas que me indican los libros: humo de ámbar gris, olíbano, benjuí rojo, almáciga y azafrán, no logro que se recupere.

Se detuvo para dejar que los demás digiriesen sus palabras y, a continuación, prosiguió con la misma horrífica seriedad que hasta entonces.

—Si el cuerpo en que reposa muriese, buscaría una nueva morada. Puede que ya hayan entendido el motivo por el que los he traído aquí. Está escrito que Astaroth, Príncipe de los Acusadores, ese gran grupo de espíritus de fuego, puede ser aplacado con la sangre de dos doncellas y dos jóvenes tomados en el día señalado en la hora de Casael.

»Había echado —continuó, con un relámpago de astucia recorriéndole la cara— un poco de morfina en el vino para poder someterlos sin que opusiesen resistencia… Pero, ya ven, él conocía su poder y desdeña las drogas modernas…

»Ahora, ha llegado el momento. ¡Astaroth, muéstrate!

Levantó una mano y se giró hacia el mirador tapado por la cortina. Temblaba, le brillaban los ojos y una fina línea de espuma se escapaba entre sus labios.

La tormenta contribuía al impresionante efecto que producía la terrorífica escena. Un relámpago, seguido de un trueno lejano que pareció poner énfasis a sus palabras, iluminó la habitación.

—¡Oiga! —exclamó de repente Guffy, poniéndose de pie torpemente—. Tiene que poner fin a esta payasada de una vez, Galley. Es una locura, ¿sabe?

—¡Oh, mirad! ¡Mirad! —La voz de tía Hatt, que interrumpió el ronco estallido de Guffy, sonaba muy extraña—. Detrás de esa cortina hay algo… ¡Se está moviendo!

No hacía falta más para producir un auténtico pavor en el público del Dr. Galley. Todas las miradas se fijaron en la pesada cortina, que no dejaba de moverse. Hasta sus oídos llegó un extraño sonido inarticulado, entre jadeo y gruñido, que les pareció cualquier cosa menos humano.

—¡Viene! —gritó el Dr. Galley, temblando de excitación—. ¡Astaroth, muéstrate! ¡Por los maestros de los demonios que pueblan el aire superior, por Pitón, por Belial, por Asmodeo y por Merizim, sal! Por los Falsos Dioses, te conjuro. ¡Te ordeno, por los Prestidigitadores, por las Furias y por las potencias de Ariel, que se mezclan con los truenos y los relámpagos, corrompiendo el aire, trayendo la pestilencia y otros males, que te presentes ante nosotros! Oh, Astaroth, ven aprisa, no tardes. Hazte visible ante nuestros ojos. En esta hora de Casael, de quien eres cautivo, yo te ordeno permanecer ante el círculo y no salir de sus límites antes de que yo te dé licencia para ello.

Mientras la salmodia del doctor se apagaba, las cortinas se hincharon y se abrieron, revelando un espectáculo terrorífico: entre el humo que emanaba de las hierbas que ardían, pudieron distinguir la silueta de un hombre tan demacrado que casi parecía un esqueleto. Una tela carmesí cubría su cuerpo desnudo y unos dibujos cabalísticos adornaban su piel. Tenía la cara desencajada y los ojos inyectados en sangre. Solo lo reconocieron por su cabello: un pico de pelo inconfundible que casi alcanzaba el puente de la nariz.

El doctor seguía en el centro de su círculo, salmodiando como un maníaco. Su voz se alzó en un frenesí con el que suplicaba al recién llegado que ejerciese su antiguo derecho y que bebiera hasta la saciedad la sangre que se había dispuesto para él.

Los demás, que se habían quedado aturdidos momentáneamente, consiguieron reponerse lo suficiente para ponerse en pie. Cuando el bulto carmesí vio a Guffy, soltó un grito ahogado y avanzó tambaleándose hacia él.

—¡Por el amor de Dios! —exclamaron sus agrietados labios—, ¡sáqueme de aquí! ¡Se ha vuelto completamente loco…! ¡Me está torturando!

Pero el esfuerzo que requirió pronunciar estas palabras agotó sus últimas fuerzas y el hombre se derrumbó a sus pies, junto al círculo donde permanecía el trastornado doctor.

Guffy apartó al Dr. Galley de un empellón y se arrodilló junto al bulto rojo. Cuando levantó la mirada, su cara estaba lívida.

—¡Está muerto! —exclamó—Debemos largarnos de aquí. Dr. Galley, me temo que va a tener que hablar de esto con la policía.

Su voz queda, en la que todavía se percibía un ligero temblor, quedó ahogada por un nuevo trueno. La tormenta habría arreciado y el airado rugido de la lluvia sobre las ventanas se había convertido en la banda sonora perfecta para la extraordinaria escena de la habitación.

El Dr. Galley permanecía ajeno a todo y a todos, salvo a su diablo cautivo, Astaroth, en quien tenía todas sus patéticas esperanzas puestas. Seguía de pie, con una expresión de perplejidad y sorpresa que volvía aún más terribles sus pupilas dilatadas y sus labios temblorosos.

—¡Si el cuerpo ha muerto —gritó de pronto—, he salido de mi círculo! Ya no estoy protegido. El espíritu ha entrado en mí. Astaroth me ha poseído. Siento su poder en mi sangre. Siento su poder en mi mano. Estoy poseído…

Guffy se abalanzó sobre el maníaco justo a tiempo: el doctor había sacado un largo cuchillo afilado de entre los pliegues de su bata. El hombrecillo parecía realmente poseído por una fuerza sobrehumana, y Hal y Amanda tuvieron que acudir en ayuda de Guffy.

Entonces, justo en el momento en que el mago que había sido el Dr. Galley se transformaba en un maníaco homicida que chillaba y echaba espumarajos por la boca, y cuando fuera la tormenta habría llegado a su cénit, un reloj dio las siete en algún lugar de la casa. Al instante, un sonido que ninguno de ellos olvidaría jamás creció y reverberó a lo largo del valle haciéndoles estremecer.

Era como si una campana de proporciones gigantescas estuviera repicando para congregar a la humanidad. Resultaba imposible averiguar de dónde provenía tamaño estruendo, pues aquel airado mar de ruido parecía estar atacándoles por todos los flancos.

Y, de repente, paró. En la calma que siguió, distinguieron un zumbido estridente que claramente respondía a la llamada. Un minuto más tarde, el clamor de la gran campana volvió a inundarlo todo. Amanda, que como sabía lo que estaba ocurriendo no se había inmutado ante los terroríficos ruidos, recordó su misión.

—Guffy —susurró—, encierre a Galley en la primera habitación que encuentre. Los demás, tenéis que regresar a toda prisa, por el sendero del bosque. ¡Vamos! Ahora no puedo explicároslo; casi no queda tiempo.

La autoridad que le confería el tono con el que hablaba, añadida a que sus órdenes se correspondían con los deseos de los presentes, logró que todos la obedecieran sin rechistar. Hal rodeó con su brazo los hombros de tía Hatt y cogió a Mary de la mano.

—¡Vamos! —exclamó—. Iremos a la barca directamente, Amanda. Tú síguenos con Guffy. Te ocuparás de las compuertas, ¿verdad?

Ella asintió y, en un impulso súbito, le metió la pistola de Campion en el bolsillo.

—Llévate esto —dijo—. Puedo dejarlo todo en tus manos, ¿verdad?

Él la miró a los ojos y asintió.

Cuando consiguieron encerrar, sin incidencias, al Dr. Galley en su propio comedor, Amanda y Guffy se detuvieron un instante en el oscuro pasillo.

—Por aquí —susurró ella—. Tenemos que volver al molino antes de que deje de sonar la campana.

La lluvia había amainado un poco, pero el cielo seguía oscuro. Aún chispeaba cuando salieron al enmarañado jardín, agradecidos de poder dejar atrás al fin la casa del médico. El cuerpo de Astaroth yacía, con la cara aplastada contra las tablas bastamente decoradas, en el mismo lugar donde había caído.

A pesar de su fuerza, la tormenta no había conseguido refrescar el ambiente. Una oleada de aire caliente y perfumado, cargado de humedad, salió a su encuentro en cuanto se adentraron en el camino que discurría entre los girasoles. El tremendo estruendo de la gran campana, que ahora parecía aún más alto que antes y que de vez en cuando era interrumpido por violentos sonidos ensordecedores, les acompañaba. Guffy, aturdido por aquella terrible avalancha auditiva, no salía de su confusión.

De pronto, el murmullo agudo que hacía las veces de respuesta tranquilizó el valle de nuevo. Guffy se detuvo y Amanda, con una mirada de intensa satisfacción, se volvió hacia él.

—¡Funciona! —exclamó, triunfante—. ¡Funciona!

—No entiendo —dijo él—. ¿Qué demonios es lo que funciona?

—Oh, claro…, usted no lo sabe todavía. Eso que escucha es la gran campana de St. Breed, el convento de los Pirineos. Campion lo arregló para que nos permitieran retransmitirla en una frecuencia privada. Para eso eran los aparatos de radio. Despistado ha colocado los altavoces en lo alto del cedro, tan arriba como ha podido, para que queden más o menos a la altura a la que se encontraba la campana de la vieja torre. Esos horribles crujidos que se oyen de vez en cuando se deben a las interferencias. Esta tormenta no ayuda demasiado. Pero lo que cuenta son las vibraciones agudas. ¿No recuerda lo que ponía en el roble? ¿No lo comprende aún? ¡Hay una respuesta!

Acto seguido, le tiró del brazo y lo obligó a seguir avanzando entre la broza. Mientras cruzaban el angosto sendero del bosque, un coche, que sin duda alguna solo podía estar conducido por una persona que no estuviera en sus cabales, giró con un rugido para rodear las viejas tierras de los Pontisbright.

Los ojos de Amanda brillaban. «El sistema» había empezado a funcionar.

Capítulo XXI

La verdad en el pozo

En el mismo instante en que el Dr. Galley invocaba a Astaroth para que se presentase ante ellos, el Sr. Campion estaba agazapado en el claro de una zarzamora que se encontraba justo debajo de un cedro hablando con Lugg. El hombretón, al que los auriculares daban un aire más triste que de costumbre, le explicaba su punto de vista con la sinceridad de la que siempre hacía gala.

—Nos estamos metiendo en un buen lío —dijo, contemplando un acumulador de casi dos metros cuadrados, mientras la tormenta y los relámpagos jugueteaban a su alrededor y al de su parafernalia—. ¡Un lío tremendo! —repitió—. Esa es mi opinión sobre este plan tuyo: me parece rematadamente horrible.

—No necesito su opinión para nada —dijo su patrón, también con total sinceridad—. ¿Despistado está listo?

El Sr. Lugg levantó la mano.

—¡Allá vamos! —dijo—. Con estas interferencias, parece un truco de vodevil.

Tiró de una cuerda que colgaba junto al tronco del cedro y recibió en respuesta otro tirón de Despistado, que había subido a supervisar los altavoces.

—Bueno, al menos todavía no le ha alcanzado un rayo —dijo—. ¿Empezamos?

Campion asintió, y su ayudante se inclinó sobre el amplificador.

—¡Allá va! —exclamó—. Ocho veces más ruidosa que la de verdad. ¡Me encantan las campanas!

En ese instante, de algún lugar por encima de sus cabezas, surgió el sonido que produciría una tremenda conmoción en el grupito que se encontraba en el estudio del Dr. Galley. Ese ruido sería recordado por los habitantes de Suffolk durante muchos años. Ni siquiera Campion estaba preparado para el formidable alboroto que armó la retransmisión amplificada de la campana de St. Breed, hermana de la gigantesca campana de Pontisbright. Sí había imaginado, en cambio, el efecto que produciría en las supersticiosas gentes del pueblo y, más importante aún, en el campamento del páramo. Las fuerzas enemigas que se habían congregado allí iban a pasar a la acción.

Se permitió una mirada ansiosa a través de las hojas hacia la casa blanca del Dr. Galley. Si aquel grupito sufría cualquier tipo de daño, pensó, jamás se lo perdonaría.

Pero, tras aquellas consideraciones que pasaban a toda velocidad por su cabeza, quedaba una gran esperanza. Cuando el ensordecedor estruendo parase, él conocería por fin la respuesta a una pregunta que llevaba rondándole desde que leyó el poema del roble.

Todo el mundo sabe que ciertos sonidos pueden llegar a provocar murmullos de respuesta en recipientes u objetos huecos. El penetrante ladrido de un perro, por ejemplo, puede hacer entrechocar una fila de tazas en un aparador. Ciertas notas de un piano son capaces de provocar vibraciones en bandejas de metal. Campion tenía la esperanza de que un fenómeno semejante pudiese dar sentido a las notables instrucciones grabadas tan laboriosamente bajo el reloj de sol.

Y, entonces, la gran campana paró. El corazón le dio un vuelco, cuando, de algún lugar en las profundidades del bosque, llegó el murmullo de respuesta que tanto anhelaba oír: un zumbido claro, alto, dulce e inconfundible lo llamaba.

Se volvió hacia Lugg.

—No olvide que lo van a retransmitir cinco veces. Después de la cuarta, ayude a Despistado a bajar y, en cuanto acabe la quinta, rompan un par de válvulas y lárguense de aquí a toda velocidad.

—¿Y qué pasa si los chicos de Su Señoría nos descubren antes? —preguntó el Sr. Lugg, no sin razón.

—Entonces tendrán que pelear. Pero no los descubrirán. Primero seguirán la segunda nota. No son tontos. Adiós. Hasta mañana.

—Eso espero —dijo el Sr. Lugg, pero esa esperanza nunca llegó a oídos de su señor, pues, con su lacia figura inclinada contra la tormenta, el Sr. Campion ya había desaparecido entre el follaje.

Aunque había pasado la mayor parte de las tres noches anteriores familiarizándose con los descuidados caminos y los linderos arruinados del otrora magnífico jardín, encontró la tarea que se había impuesto tan difícil como había previsto.

Un nuevo y devastador repique de la campana de St. Breed hizo que se parase en seco. La tormenta estaba en su punto álgido y las interferencias rasgaban el tañer de la campana como truenos en miniatura. Reconoció el sonido del motor del Lagonda. Farquharson estaba cumpliendo.

Del páramo llegaban también otros ruidos, solo vagamente discernibles a través del estrépito.

Entonces la retransmisión volvió a detenerse y él se abrió paso hacia el punto de donde provenía la dulce respuesta musical. No le quedaba mucho tiempo. La gran campana solo tocaría tres veces más. Y él debía encontrar la fuente de la respuesta antes de la vibración final.

Mientras avanzaba, se dio cuenta, con alivio, de que estaba más cerca de lo que había supuesto. El sonido lo guio a través del antiguo jardín hasta un camino angosto que se dirigía hacia unos montículos de hierba desiguales que se alzaban donde antaño debían de encontrarse los establos. Salir a campo abierto podía suponer correr un riesgo innecesario, pero, imprudentemente, siguió adelante.

Acababa de llegar a un grupo de laureles, cuando los altavoces del cedro volvieron a llamar con su retador bramido a la campana hermana. De nuevo llegó la contestación, reclamándolo más allá, a través de las hojas empapadas por la lluvia. El Sr. Campion comenzó a preocuparse: solo le quedaban dos oportunidades más.

Siguió adelante. Estaba llegando al campo que flanqueaba el camino que quedaba en la parte posterior de la iglesia, el que separaba el hogar del Dr. Galley del páramo. Como en el caso de muchas praderas que en el pasado fueron parques, en su centro se alzaba un hermoso grupo de olmos que formaban un anillo alrededor de una pequeña depresión en la hierba. En cuanto Campion los vio, su corazón dejó de latir. Cruzó el seto arrastrándose y permaneció allí, esperando, hasta que terminó la cuarta llamada. Y, entonces, recibió su respuesta.

Sí, no cabía duda: el eco provenía de los olmos.

No había seto entre la pradera y el camino, y la señorial verja del parque había desaparecido hacía mucho. Ya habían pasado dos coches. No tenía tiempo que perder.

Cruzó a toda velocidad el páramo abierto, confiando en que la lluvia y la incierta luz lo esconderían. Cuando alcanzó los árboles, el zumbido ya se había apagado. Se quedó de pie allí, pegado contra el tronco de un olmo, mientras la gran voz retumbante de la hermana gemela de la campana de Pontisbright asustaba a la campiña y despertaba viejos ecos olvidados por última vez.

Campion esperó, y fue recompensado. De algún lugar entre los árboles, casi a sus pies, subió a su encuentro la clara voz de la respuesta.

No tardó mucho en descubrir la vieja boca medio derruida de un pozo, las piedras cubiertas de musgo entre la corta hierba... Echó un vistazo a su alrededor y, en ese mismo momento, un elegante coche negro, seguido de tres motocicletas, tomó la curva y siguió en dirección a la pradera.

Era imposible que ellos lo viesen desde allí, pero parecía inevitable que lo descubriesen tarde o temprano. Si daban con él, también encontrarían el escondite. Las cortas ramas del olmo lo estaban llamando a gritos. Así que agarró una y se dio impulso hacia arriba, sumergiéndose en la relativa seguridad del follaje.

Continuó trepando hasta alcanzar una posición desde la que seguía divisando el vago contorno de la boca del pozo que se encontraba unos seis metros más abajo.

Estaba contorsionándose, tratando de vislumbrar a los ocupantes del coche, cuando hasta él llegó un sonido que reconoció inmediatamente como el rugido de la rueda del molino. Así que Amanda había llegado a las compuertas.

Se volvió hacia la zona del valle de la que provenían los ruidos y se dio cuenta de que, aunque no alcanzaba a ver el molino desde donde estaba, sí distinguía el frío resplandor del río entre los frondosos árboles.

Lo escrutó con ansiedad, y le pareció que una sombra se deslizaba rápidamente corriente abajo. Podía pasar por un montón de maleza o de pacas de paja flotando en un pantano.

Pero, de repente, su atención volvió a ser reclamada por el sonido de unas voces justo a sus pies. La visibilidad a través de las ramas del árbol era cada vez peor, pero, cuando una figura con un abrigo oscuro se apoyó en el tronco del mismo árbol en el que él se ocultaba, un escalofrío de sorpresa recorrió su espalda.

Aquellos colosales hombros eran inconfundibles. Se trataba del mismísimo Savanake.

De la boca del pozo seguía brotando un murmullo. Era demasiado alto para que no lo notasen. De hecho, cuando una voz que le reveló la presencia del Sr. Parrott dijo: «Está por aquí… ¡Atención», solo la certeza de que no podía esperar otra cosa consiguió mitigar la desesperación de Campion. Cada vez había menos luz. Ya no distinguía siquiera la boca del pozo y solo unos pequeños puntos plateados que surgían entre las praderas grises le mostraban el curso del río.

—Sí —dijo de pronto la voz de Savanake—. Está aquí. Por supuesto, algo así debería habernos resultado obvio desde la primera vez que oímos hablar del amplificador, pero no caí en la cuenta hasta que escuché la campana —rio—. Es irónico que se hayan tomado tantas molestias y al final nos hayan dejado a nosotros el hallazgo. Tenemos que darnos prisa.

—Dos coches han dejado el molino, señor. —Campion vio la oscura silueta de uno de los motociclistas—. El primero giró hacia Sweethearting. El otro tomó la carretera de abajo.

—Está bien —cortó rápidamente Parrott—. Nuestra gente los está siguiendo. Se escapan con la corona. Probablemente, han entendido por fin que esto les supera. Antes de la mañana, nosotros habremos conseguido todo lo que tienen en su poder.

—¿Por qué perder más tiempo? —preguntó Savanake, impaciente—. Puede que la clave se encuentre justo a nuestros pies. Esto está oscuro como la boca de un lobo, ¿no?

Desde el punto de vista del Sr. Campion, aquellas figuras que no paraban de moverse casi se habían fundido con la oscuridad. Si no hubiese sido por las rojas puntas de sus cigarrillos y sus voces, no habría sido capaz de situarlas.

—Está demasiado oscuro para ver nada —refunfuñó Parrott—. Y si encendemos las linternas, nos verán. ¿Importa?

—Me da igual cómo lo hagan. ¡Pero encuéntrenlo ya! Aquí, Everett.

Campion oyó cómo se abría la puerta del coche y una figura caminaba a trompicones en la penumbra.

—Sí, señor.

Supuso que quien hablaba era el chófer de Savanake.

—Acerque el coche y alumbre esta hondonada con las luces largas. ¿Entendido?

—Sí, señor.

Casi inmediatamente, Campion escuchó el suave ronroneo del motor de un Rolls y dos grandes rayos de luz iluminaron la corta hierba.

—Oiga, Sr. Savanake... —La voz del Sr. Parrott sonó nerviosa y quejumbrosa—. Se nos van a echar encima.

—¿A quién diablos le importa? Estamos armados, ¿no? Además, se han largado en esos tres coches, y nuestros chicos van tras ellos. Y los del pueblo no se presentarán aquí hasta dentro de varios días. Lo más probable es que se queden encerrados en sus casas rezando sus oraciones hasta que se les pase el miedo. Prosiga, Everett.

Lentamente, el gran coche se deslizó hasta un lugar desde donde los enormes faros delanteros iluminaban cada brizna de hierba de la hondonada con sorprendente viveza.

Al final, la boca del pozo surgió de la oscuridad y las últimas esperanzas de Campion se esfumaron cuando Parrott se inclinó hacia delante.

—Menuda suerte, ¿verdad? —preguntó, con voz chillona por el entusiasmo.

Todos se agruparon en torno al pozo, salvo el chófer, que aunque se había apeado, permaneció al lado de su coche. Los motoristas sacaron una palanca y un pico para retirar la losa de piedra. Después de tanto tiempo, las hierbas, el musgo y la tierra blanda la habían fijado al suelo con tal fuerza que resultaba muy complicado levantarla.

Campion observaba. Su posición era desesperada. Ni siquiera tenía un revólver. Permaneció agazapado mirándolos con ansiedad y, aunque la ancha espalda de Savanake le tapaba la escena casi todo el tiempo, sí oyó el gruñido de satisfacción que emitió cuando la losa cedió bajo el pico. La muchedumbre se hizo a un lado para permitir que la retiraran con cierta comodidad.

Ahora que todos estaban absortos, demasiado exaltados por su descubrimiento para prestar atención a nada más, era el momento perfecto para bajar. Campion descendió con cautela, palpando el tronco del árbol antes de dar cada paso.

Por fin llegó a una rama que crecía a menos de tres metros del suelo; bajo él, inclinado hacia delante y estirando el cuello para tratar de divisar la boca del pozo, se encontraba el chófer. El haz de luz de los faros del automóvil iluminaba sus anchos hombros.

El Sr. Campion buscó a tientas la única arma con la que contaba: una piedra enrollada en un pañuelo. Había echado mano de ese rudimentario salvavidas cuando salió del jardín del Dr. Galley para ir a encontrarse con Lugg.

—¡Ahí está! ¡Ahí está! —exclamó Parrott—. Otra campana colgada de una viga.

—Olvídese de eso. —Hasta la voz de Savanake sonaba nerviosa—. Lo que buscamos es, probablemente, una caja de hierro o un cilindro. Busquen un hueco entre los ladrillos. Y no se caigan. No tenemos con que sacarles. Vaya, ¿qué es eso?

Se produjo un ligero movimiento en el grupo, seguido de una ola de exclamaciones ahogadas. El conductor dio otro paso adelante, y, en ese mismo instante, el Sr. Campion se dejó caer.

El interior del pozo estaba oscuro. El liquen recubría sus paredes redondeadas. Desde sus profundidades, subía el desagradable olor de la putrefacción que se había acumulado a lo largo de los siglos. Pero los hombres excitados que se congregaban alrededor del borde estaban tan concentrados en encontrar el misterioso objeto que no eran conscientes de nada más.

El propio Savanake se había arrodillado sobre las piedras y tiraba de algo que se había encajado en el musgo, justo encima del asa de la campana. En cierto momento, la mano le resbaló y su brazo retrocedió golpeando el hierro con el codo. Un débil quejido resonó en la oscuridad de la noche.

—¡Tenga, sáquelo! —dijo bruscamente, poniéndose en pie y restregándose el brazo con energía.

Un hombre ocupó su lugar con entusiasmo. Después se escuchó el sonido de un hierro chocando contra unas piedras y alguien lanzó una maldición.

—Cuidado, señor… Pesa mucho.

Arrastraron una caja cuadrada de hierro encima de la losa.

—Está cerrada con llave, claro.

—¿La abro con el pico, señor?

—No, no. ¿No hay por ahí una llave?

Exploraron la boca del pozo una vez más, pero en balde. Savanake tomó una decisión.

—Me la llevo tal como está —dijo—. Ustedes tres, dejando todo igual que lo encontramos. Pueden utilizar las linternas. Por lo visto, nadie nos va a molestar. Y, luego, regresen a la ciudad. Preséntese al Sr. Parrott mañana. Vamos, Parrott. Usted y yo nos marchamos.

Levantó la caja por la anilla de hierro de la tapa y, dando grandes zancadas, llegó hasta el coche. A pesar de su peso, la transportaba con relativa facilidad, como si fuera un juguete.

—Volvemos, Everett —anunció, mientras subía al Rolls, con su asistente apresurándose tras él.

El hombre del abrigo se llevó la mano a la visera respetuosamente y después condujo el gran coche marcha atrás a toda velocidad. A continuación, con una sacudida mucho más fuerte de lo que habría cabido esperar en alguien acostumbrado a conducir, se incorporó al camino.

Por la estrecha carretera de pedernal, pasado El Guantelete, Campion conducía el automóvil como una exhalación. El gigante que ocupaba el asiento trasero era implacable y tenía un arma; además, no estaba solo. Pero llevaba en sus manos el objeto que

Albert Campion más deseaba en aquellos momentos. Finalmente, con un frenético zumbido de ruedas, el gran coche tomó la curva y bajó el angosto camino sin salida en cuyo extremo se alzaba el molino.

Capítulo XXII

La represa del molino

El coche aceleró iluminando el molino y la silenciosa casa con sus enormes faros delanteros. Bajo aquella luz, la escena parecía dotada de una extraña irrealidad. El rugido del agua y el constante ronroneo de la turbina eran los únicos indicios vida.

Desarmado, salvo por su improvisada honda, Campion siguió conduciendo como un salvaje hasta llegar a menos de medio metro del caz. Una vez allí, detuvo el coche en seco.

—¿Se ha perdido, Everett? —La voz de Savanake sonó alentadoramente despreocupada.

Tras responder con una frase que resultó inaudible para sus interlocutores, Campion se bajó del coche de un salto y levantó el capó. Después, se inclinó sobre el inmaculado motor durante unos instantes, confiando en que la sombra del capó ocultase su cara.

Inmediatamente, tal como había previsto, la puerta del automóvil se abrió y unos pasos avanzaron en su dirección. El improvisado chófer agarró con fuerza su pañuelo, que aún envolvía la pesada piedra.

El recién llegado resultó ser el servicial y trémulo Sr. Parrott.

—¡Oiga, Everett, esta conducta es imperdonable! Y en un momento así… Se va usted a meter en un buen lío. El Sr. Savanake está muy enfadado.

Campion alzó la cabeza y miró al recién llegado. La expresión de la carita pomposa del Sr. Parrott cuando reconoció al hombre que creía haber subido sin incidentes a bordo del *Marquisita* fue de un extraordinario asombro.

Campion no dio ocasión a que su sorpresa disminuyese. Además de descubrir que a veces suceden cosas que uno jamás creería posibles, el Sr. Parrott recibió también un golpe en el cráneo que lo hizo caer como un fardo.

Pero, mientras Parrott caía, una voz en la que se distinguía un inconfundible tono de satisfacción dijo con aspereza:

—¡Manos arriba, Campion! Ha llegado el momento de ajustar cuentas.

El Sr. Campion, al que la gorra y el abrigo de chófer —que le quedaba grande— le proporcionaba un aspecto más lánguido y pálido que de costumbre, no tuvo más remedio que obedecer. Sabía que su adversario no se andaría con remilgos, así que levantó las manos por encima de la cabeza y esperó.

Savanake se le acercó. Las luces laterales del coche iluminaron el resplandeciente cañón del revólver que le apuntaba. En la mano izquierda, llevaba la caja de hierro, como si le costara soltarla aunque fuese durante un breve instante.

Campion notó la boca de la pistola en sus costillas. Su captor miró al caz.

—Eso no me gusta nada —dijo de pronto con un tono aún suave y coloquial—. Va usted a caminar por delante de mí, Campion, hasta la represa del molino. El arma no dejará de apuntarle pero comprenderá que, por motivos evidentes, no quiero que lo encuentren con una bala de mi pistola en su cuerpo. Sepa que ante el menor paso en falso, triquiñuela o traspiés, apretaré el gatillo.

¿Queda claro? Esta vez, voy a encargarme yo personalmente de usted, para evitar que se cometan errores.

El Sr. Campion no contestó, pero su silencio era de lo más elocuente. Parecían tan alejados de cualquier posible interrupción que podrían haber estado en el fin del mundo. Parrott yacía en el mismo lugar donde había caído.

La gran puerta lateral del molino estaba abierta, como siempre, y, a través de ella, un débil resplandor mostraba dónde se encontraba la segunda puerta, también abierta, que constituía la salida principal a las esclusas y a la pasarela que rodeaba el río.

El Sr. Campion entró despacio en el molino. En el umbral, el incremento de la presión de la boca del revólver contra sus costillas logró que se detuviera.

—¿Por qué me ha traído aquí, Campion? —preguntó la misma voz, siniestramente suave—. Me conoce lo bastante para no hacerse el tonto.

—Es el único camino que conduce a la represa —respondió el Sr. Campion, quejoso—. La pasarela de la parte de atrás del molino, debajo de la reja, está tan podrida que los molineros han tenido que colocar una barrera en el camino, y, salvo que quiera que crucemos el río a nado, no existe otra manera de llegar allí. No me importa demasiado que me dispare, pero no voy a permitir de ningún modo que me intimide.

—Siga —dijo el hombre a sus espaldas—. Lléveme a la represa. He oído hablar de su inteligencia últimamente, pero no alcanzo a entender cómo se ha embarcado en una misión como esta sin llevar un arma.

—La idea de verme colgado de la horca no me llama demasiado la atención —confesó el Sr. Campion en la oscuridad—. Pero supongo que a usted eso no le preocupa.

Tras atravesar el molino, salieron al camino de madera podrida que, rodeando el rotor de la dinamo, llegaba hasta lo más alto de las compuertas de la represa. A su derecha, el río corría en silencio a través de la reja que se encontraba bajo la pasarela, que estaba tan necesitada de reparaciones que Amanda había colocado un par de vallas atravesadas en el camino: una en la esquina junto a la puerta por la que acababan de pasar, y otra más lejos, en la orilla opuesta.

Una vez pasada la caseta que albergaba el rotor de la dinamo, llegaron a un estrecho puente que dejaba el río a su derecha y los escarpados paramentos de la represa a la izquierda. Allí había más luz, y el agua que los rodeaba parecía siniestra y nada atractiva.

Algo más abajo en el mismo camino se encontraban las esclusas, cerradas para conseguir que el río corriera con más fuerza cuando pasaba a través del molino.

—Esto viene que ni pintado… —dijo Savanake en voz baja—. Dese la vuelta.

La encorvada figura que caminaba delante de él se dio la vuelta obedientemente. Incluso bajo aquella débil luz, Savanake se dio cuenta de que la expresión del rostro de Campion era aún amable y estúpida a un tiempo. Se miraban en silencio, conscientes de lo apartado que estaba aquel lugar. Ambos hombres permanecían mortalmente serios, pero, mientras Savanake dejaba entrever cierta tensión, el Sr. Campion seguía pareciendo tan simple e inútil como siempre.

—Un momento —murmuró—. ¿No preferiría que le devolviera el abrigo? Pertenece a su chófer, ya sabe. La policía tiene muy buen ojo para este tipo de detalles. En las cosas obvias no hay quien les gane.

—Las manos por encima de la cabeza —advirtió el otro hombre, aunque quedaba claro que la idea le había complacido, pues dejó la preciosa caja de hierro sobre el suelo y, con la mano izquierda, agarró firmemente el cuello del abrigo—. Extienda los brazos hacia atrás.

Le quitó la prenda a su prisionero y la dejó caer, pero no volvió a coger la caja de hierro.

—Siento mucho verme obligado a acabar con usted de este modo —se lamentó—. Y quizá parezca una bobada por mi parte, pero me gustaría explicarle que no he elegido esta forma de deshacerme de usted como venganza por la insignificante triquiñuela que empleó con el archiidiota de Parrott. No tengo más que una razón para desear que desaparezca, y eso basta: es usted el único hombre que sabe lo que contiene esta preciada caja. Ninguno de mis asistentes tiene la menor idea ni de lo que andaba buscando ni de la historia que explica por qué lo buscaba con tanto ahínco. Verá, dadas las circunstancias, este procedimiento es la única opción inteligente que me ha dejado.

El Sr. Campion se encogió de hombros.

—No sé de dónde se ha sacado la impresión de que en mis últimos momentos me reconfortaría saber que, a pesar de todo, es usted un hombre inteligente —dijo—. Pero, en fin, ¿qué método es ese que piensa emplear? Odio ser vulgar pero, dadas las circunstancias, eso me interesa bastante más ahora. ¿O quizá prefiere mantenerlo en secreto?

Savanake soltó una carcajada. Campion, cobró conciencia de repente de la enorme fortaleza de aquel hombre, mucho más alto que él.

—No hay ningún misterio —contestó—. Encontrarán su cuerpo flotando en la represa. Su cadáver presentará alguna magulladura, naturalmente, pero darán por hecho que sufrió un accidente. No habrá bala, no habrá pistas ridículas para que las sigan unos policías iletrados. ¿Cómo cree usted que voy a matarlo, pequeña alimaña? ¡Pues con mis propias manos!

Hubo un deje de satisfacción en su voz; una brutalidad salvaje acechaba tras el suave tono que aún empleaba.

El Sr. Campion se quedó pensativo.

—Ya veo —dijo despacio—. Pero ha pasado por alto una cosa. Sin embargo, no creo que sea el momento de preocuparme por sus asuntos. Debería pensar en mi propia eternidad. Aun así, quizá merezca la pena que lo mencione. La caja de hierro… —dijo mirándola—. ¿Qué contiene exactamente?

Y, con un rápido movimiento del pie, empujó el preciado trofeo y lo hizo caer a la represa.

El chapoteo que levantó al hundirse en el agua se escuchó por encima del ruido sordo de la turbina.

Savanake, sorprendido con la guardia baja durante un segundo, maldijo violentamente y se agachó de forma instintiva sobre el agua oscura. En ese preciso instante, Campion saltó sobre él.

Agarrando al hombretón por los hombros, tomó impulso, quitándole la pistola de una patada. Esta cayó al camino, pero no llegó a resbalar al agua. Cualquier adversario normal se habría tambaleado o habría caído ante semejante ataque, pero Savanake no era una persona con una fuerza normal. La tremenda fortaleza que escondía su enorme cuerpo le mantuvo firme a pesar de la inesperada acometida. Una mano poderosa se cerró sobre el tobillo de Campion como un cepo y, con un tirón de sus gigantescos hombros, Savanake obligó al joven a separar los brazos. Campion resbaló hacia abajo y rodeó las rodillas de su enemigo, embistiéndole en el estómago salvajemente.

Savanake gruñó, y cayó hacia delante, pero no soltó el tobillo del joven ni siquiera cuando ambos comenzaron a hundirse en las frías aguas oscuras de la represa.

Cuando Campion subió a la superficie, unos segundos más tarde, su primera sensación fue de alivio. Estaba libre. La paralizante presión que rodeaba su tobillo había desaparecido. Y se dirigió a la orilla con cautela, nadando y buceando bajo el agua. La ropa lo arrastraba hacia el fondo y el frío que se había levantado tras la tormenta comenzaba a entumecer sus huesos.

Llegó hasta el hueco en el paramento de ladrillo de la represa que albergaba la esclusa. Cuando las compuertas principales permanecían cerradas y el molino estaba inactivo, se dejaba salir el agua de la represa por medio de esas puertas. En esos casos, en el hueco, o «aliviadero», el agua caía desde lo alto y la corriente alcanzaba unas velocidades de vértigo. Pero en aquellos momentos, por fortuna, el hilo de agua que escapaba entre las compuertas apenas mojaba las piedras.

Campion alargó una mano para agarrar una de las grapas de hierro de los ladrillos. Sus dedos se cerraron en torno a ella, agradecidos, y a punto estaba de subir, cuando sucedió algo inesperado. Otra mano, inconfundible por su tamaño y su fuerza, salió de la oscuridad de la pequeña caverna y rodeó su garganta. La voz de Savanake dijo claramente:

—¡Ahora!

Comprendiendo el peligro un segundo demasiado tarde, Campion aferró la muñeca y descargó sobre ella todo su peso para volver a arrastrar a su enemigo hacia el agua. La cara de su adversario se encontraba tan cerca de la suya que podía ver sus ojos, brillantes y peligrosos. Supuso que Savanake estaría tumbado boca abajo, agarrando con una mano la grapa de hierro del suelo de ladrillo del aliviadero, mientras con la otra asía a su víctima.

Los esfuerzos de Campion fueron en balde. Él mismo notaba que eran inútiles.

Savanake rio. Sus palabras llegaron hasta Campion a través de la niebla que se cernía sobre él. Poco a poco, comprendió su significado.

—«Hallado ahogado».

La presión que la mano ejercía sobre su garganta aumentó, forzándole a bajar hasta que el agua le cubrió la cabeza. Peleó, pero la fuerza era implacable. El hombre lo estaba ahogando deliberadamente, tratando de inmovilizarlo bajo el agua hasta que la vida lo abandonase.

Campion lo comprendió con una especie de sobresalto de sorpresa. Así que eso era el fin. El final. ¡Qué pena!

Hizo un último intento desesperado de soltarse, pero la mano que lo sujetaba y el agua helada que lo paralizaba se habían vuelto una. Había dejado de sentir que las venas de su cabeza estaban a punto de estallar. Se sintió tranquilo, casi hasta somnoliento.

A continuación, notó un cambio repentino: subía a toda prisa hasta lo que parecía una altura increíble. El aire se abría paso hacia sus pulmones, asfixiándolo. Una forma oscura pasó a su lado a toda velocidad sobre el agua cubierta de espuma. La corriente lo arrastraba al centro de la represa. Y en el mismo instante en que recobró la consciencia, antes de que las negras sombras volviesen a cernirse sobre él, el Sr. Campion se dio cuenta de lo que había sucedido.

Una tercera persona había abierto las compuertas, y la súbita masa de agua que atravesaba el hueco a toda velocidad había arrastrado de nuevo a Savanake y a su víctima a la represa.

Trató de levantarse, pero la antigua sensación de paz regresó y se dejó arrastrar flotando hasta el túnel de árboles que crecían en ambas orillas del río.

Brett Savanake trepó fuera del agua por el lado más alejado de las compuertas, donde la pendiente de la orilla era más pronunciada. No tenía una idea clara de lo que había causado la repentina corriente de agua que había vuelto a arrastrarlo a la represa. Suponía que debía de haber tocado algo involuntariamente o tirado de una palanca por accidente o alterado de alguna otra forma un mecanismo rudimentario.

Era típico de él no volver a pensar en Campion. El episodio de Campion había concluido, y sería mejor olvidarlo. Volvió al lugar donde se había quedado su pistola, justo donde el joven le había propinado una patada a la caja de hierro.

Cuando se detuvo para buscarla, un sonido débil que salía de la sombra de la caseta del rotor de la dinamo lo interrumpió. Se quedó en pie, escuchando. Pero, como no pasó nada más que despertase sus sospechas, continuó con la tarea que se había impuesto.

Pegada contra la pared, oculta entre las sombras de la caseta, Amanda temblaba sin apenas atreverse a respirar. Había sido testigo del desarrollo de los acontecimientos, desde la ventana del primer piso del molino al principio, y después desde su escondite actual. Conocía demasiado bien a Campion para interferir y solo se había decidido a echar una mano abriendo las compuertas cuando la situación le pareció lo suficientemente desesperada para justificar su asistencia. En ese momento, por primera vez en su vida, el miedo estuvo al borde de paralizarla.

¿Dónde estaba Campion? Escuchó, con el corazón latiendo tan alto y tan fuerte que le dolía el costado. Apenas podía ver a Savanake desde su posición actual, pero sí alcanzó a distinguir que este se quitaba la chaqueta y las botas, y volvía a zambullirse en la represa.

Trató de detectar un sonido que le indicara dónde se encontraba Campion, pero no escuchó más ruido que el de la rueda y el chapoteo del hombre que acababa de sumergirse en el agua.

El revólver seguía en el camino, junto al abrigo del chófer. Al principio no había reparado en él, pero cuando al fin lo vio decidió salir arrastrándose sobre el suelo para cogerlo. Justo entonces oyó que Savanake volvía a emerger y ella regresó a la relativa seguridad de las sombras. Desde allí lo vio subir por el camino donde había dejado su chaqueta.

La tormenta había amainado por completo y las estrellas brillaban en el cielo despejado. Bajo aquella tenue luz alcanzó a ver que el hombre llevaba una caja de hierro cogida por una anilla que sobresalía en la tapa.

En cuanto la vio, supo con certeza lo que estaba ocurriendo allí, y su valor, que por un momento la había abandonado, regresó para ayudarla a cumplir con su misión.

Savanake, sentado, estaba calzándose las botas a menos de diez pasos de donde ella se encontraba. Si hubiera prestado atención la habría escuchado respirar, pero parecía absorto en la tarea de vestirse tan rápido como pudiera. Había dejado la caja de hierro desprotegida a su lado.

Amanda se agachó y cogió un canto del suelo. Cuando pensó que había llegado el momento oportuno, lo tiró al otro lado de la represa con todas sus fuerzas. La piedra golpeó un árbol de la ribera opuesta y el nítido sonido, seguido por el suave plop que hizo al rebotar y caer al agua, consiguió que el hombre se pusiera en pie, forzando la vista para tratar de distinguir la menor señal de movimiento en la orilla más alejada.

Amanda corrió sigilosamente hacia delante, se hizo con la caja y huyó por la pasarela en dirección al molino. Oyó la exclamación de sorpresa del hombre y, un instante después, una bala desgarró la hombrera de su vestido.

No obstante, consiguió llegar al molino y, una vez dentro, cerró la puerta tras de sí. El pesado pestillo de hierro estaba atascado. Mientras trataba de correrlo, escuchó un bramido seguido por el crujir de la madera haciéndose astillas. Un dolor lacerante atravesó su pecho. La caja resbaló con estrépito de su mano a la piedra y, cuando se agachó para recogerla, una extraña sensación de vértigo la hizo caer de rodillas.

Un nuevo disparo atravesó la puerta. Amanda trató de apartarse de la línea de fuego. Sentía en la boca el sabor de la sangre y su cuerpo se iba entumeciendo poco a poco. Consiguió ponerse de pie, pero volvió a derrumbarse sobre una figura que había aparecido por la puerta más alejada del molino y que ahora la sostenía en sus empapados brazos.

—¡Amanda! —La voz de Campion revelaba su tensión—. ¡Por el amor de Dios, no se meta en esto, tontita! —Y, a continuación, en un tono diferente—: Amanda, oiga, Amanda, ¿está herida?

Y, al final, puesto que ella no le respondía, sino que dejó caer todo su peso sobre él, soltó un leve grito y la apoyó suavemente contra la pared.

Savanake había dejado de disparar y parecía estar arremetiendo con todas sus fuerzas contra la puerta. Campion avanzó con cautela, manteniéndose tan apartado de la línea de fuego como pudo, pero, antes de que alcanzara el pestillo, el martilleo cesó. Entonces, por encima del ruido de la turbina, escuchó que alguien arañaba la madera.

En general, Campion no era temerario. Su adversario llevaba un arma, y, menos de quince minutos antes, había estado a punto de asesinarlo. Más aún, la caja de hierro se encontraba en un lugar seguro temporalmente. Pero, por algo que no habría querido explicar aunque hubiese podido, y que tenía que ver con Amanda, salió tras Savanake con intención de matarlo.

Descorrió el pestillo con suma cautela y abrió la puerta tres o cuatro centímetros. Al principio, creyó que el hombre se había esfumado, pero, cuando lo vio, el corazón le dio un vuelco.

En su ansiedad por llegar a la parte delantera del molino antes de que la chica pudiese alcanzar el coche, Savanake había franqueado la barrera, haciendo caso omiso de la advertencia. Por supuesto, cayó casi inmediatamente a uno de los agujeros que se abrían en los tablones que salvaban el río. En aquel momento, estaba hundido hasta los hombros e intentaba por todos los medios aferrarse a las tablas podridas, que se rompían entre sus manos, mientras el río tiraba de su cuerpo con fuerza.

Campion se dio cuenta del terrible peligro que corría. Las planchas que Savanake había atravesado en su caída se encontraban encima de la parrilla de hierro que impedía que los restos que flotan en el río llegasen a la rueda del molino. El indefenso cuerpo del hombre estaba sumergido en la parte interior de esa reja y la gran turbina retumbaba y crujía a escasos metros de él.

A pesar de que un momento antes Campion había albergado la firme intención de matar a su enemigo, no le habría deseado a nadie una muerte así. Ni siquiera a él.

—¡Aguante! —le gritó—. Voy para allá.

La cara pálida, en cuya frente se marcaban las venas como huellas de latigazos, se levantó hacia la suya durante un instante. En sus ojos brilló el agradecimiento, unido a la perplejidad y a una ola de terror supersticioso. A continuación, cuando Campion ya se encontraba junto a la barrera, la mano derecha de Savanake reptó hacia delante y cogió el revólver, que seguía en el mismo sitio, en el borde del agujero. Una sonrisa súbita iluminó su rostro desencajado, pero, aunque sus labios se movieron, no salió de ellos sonido alguno.

Con un esfuerzo sobrehumano, el hombre levantó el brazo y disparó. La bala pasó, inofensiva, por encima de la cabeza de Campion, pero el movimiento había sido demasiado para Savanake. Cuando levantó el brazo, el río le arrastró bajo las tablas.

El constante ronroneo de la rueda, tan monótono, tan incansable, pareció detenerse un momento, y un temblor mínimo pero horripilante sacudió el gran edificio blanco. Después, nada más.

Todo quedó en silencio, salvo por el constante zumbido de la paleta de diez metros.

Capítulo XXIII
Especial de última hora

Arrodillándose en la oscuridad junto al silencioso bulto que era Amanda, el Sr. Campion escuchó con ansiedad. Al principio, solo alcanzó a distinguir el constante zumbido de la turbina y el parloteo del agua en el caz. El pueblo parecía sumido en el silencio. Así que se levantó, dispuesto a cargar con la chica en brazos. Además de irritado por su propia debilidad, la inquietud que le producía el estado de ella había llegado a socavar el poco ánimo que le quedaba.

Ya tenía en sus brazos a la chica y la caja de hierro, y se dirigía hacia la casa, cuando un rayo de luz barrió la fachada del molino y sus más oscuros temores se hicieron realidad.

El sonido de un motor de coche que no reconoció llegó traqueteando sobre la grava y aparcó junto al Rolls.

Sin soltar a Amanda, Campion se apoyó en la pared. La oscuridad los ocultaba, pero si alguien decidía acercarse a la puerta abierta e iluminar la estancia con una linterna les descubrirían al instante. Contuvo la respiración y aguzó los oídos para captar cada sonido. Cada vez estaba más inquieto.

Los recién llegados, fueran quienes fuesen, parecían dar por supuesto que el molino estaba vacío. Uno de ellos hablaba en voz alta, aunque Campion todavía no podía distinguir sus palabras. Los oyó sacudir la puerta delantera de la casa y luego andar ruidosamente hacia la parte de atrás.

Campion avanzó tambaleándose. Tenía que encontrar un lugar donde ambos pudieran esconderse de inmediato. Aunque Savanake estuviera muerto, sus lugartenientes seguían vivitos y coleando.

Acababa de llegar al centro del cuarto cuando escuchó unas firmes pisadas ensordecedoras sobre las piedras de fuera. Un momento después, alguien golpeó el panel de la puerta con la empuñadura de un bastón y una voz, mayor, amable y vagamente pomposa, preguntó con energía:

—¿Hay alguien por aquí?

El Sr. Campion se quedó helado. Sintió cómo se le erizaba el cabello. Morir era una cosa, pero perder el juicio repentinamente podía ser bastante peor.

—¿Hay alguien? —repitió la voz en tono quejumbroso, mientras el nítido haz de luz de una potente linterna acuchillaba la oscuridad.

Cuando el resplandor se detuvo en la cara de Campion, este, parpadeando, se quedó quieto en el sitio donde se encontraba sin soltar a la muchacha.

Desde la puerta le llegó el sonido de un gruñido sorprendido pero satisfecho. Poco después una voz asombrada dijo:

—Campion, muchacho, ¿en qué diablos anda metido ahora? ¿Está herida la señorita? Me alegro de haber aparecido.

Las rodillas del Sr. Campion apenas lo sostenían.

—¡Coronel Featherstone! —exclamó—. Cielos, señor, ¿cómo ha llegado aquí?

—Órdenes confidenciales de la superioridad, muchacho. —Su tono tenía un deje de complacencia—. Estoy destinado en Colchester, ¿sabe? Hace ya una hora que llegó a mis oídos este asunto, y aquí me tiene. El joven Stukely-Wivenhoe anda por ahí batiendo la casa con un par de hombres. Escuche, escuche: se mueven como una manada de búfalos. Uno de mis subalternos, acompañado por un sargento y tres camiones, está de camino. Han tenido un pequeño percance con un coche cargado de granujas en plena carretera, pero llegarán de un momento a otro. Como me di cuenta enseguida de que no necesitaban mi ayuda, continué solo. Me he topado con un tipo tendido junto a un Rolls-Royce. Parece fuera de combate. Campion, a esta chica le han disparado. ¡Tiene sangre en el corpiño!

El Sr. Campion se quedó en pie, balanceándose, sin pronunciar palabra. La sensación de paz que había experimentado bajo el agua estaba regresando, y solo el peso del cuerpo de Amanda lo obligaba a aferrarse a la consciencia.

De repente, algo ocurrió fuera y la enorme forma oscura del coronel Featherstone se asomó al exterior.

—¡Oiga, muchacho! —dijo—. ¡No me había fijado, maldita sea! Si está usted para el arrastre… Páseme a esa mujercita. Así, bien… ¡Wivenhoe!

La última palabra fue vociferada con la famosa voz que era a la vez orgullo y desesperación de todos los sargentos mayores de la brigada.

Al instante, oyeron un ruido de botas marchando sobre las piedras de fuera y el Sr. Campion recayó en una especie de estado comatoso. No recuperó la conciencia hasta que se encontró en el recibidor de la casa del molino. Solo entonces abrió los ojos para ver cómo el viejo Featherstone, asistido por el esbelto y apuesto Wivenhoe y dos soldados rasos de cara impasible pero entusiasmada, tumbaban a Amanda sobre el sillón del salón.

El coronel Featherstone, exhalando amabilidad, dignidad y también el cansancio producido por un esfuerzo desacostumbrado, preguntó:

—¿Tienen médico en el pueblo, Campion?

El joven levantó la mirada bruscamente.

—No, ahora no —contestó, recobrando la compostura—. Alguien debería acercarse a Sweethearting para traer aquí a su doctor cuanto antes.

Y mientras el coronel despachaba a su chófer con órdenes sucintas y concisas de regresar con un médico competente a la mayor brevedad posible, Campion entró en el salón.

Wivenhoe y el resto de los hombres salieron para comprobar el estado del desafortunado Sr. Parrott.

Amanda seguía inconsciente, pero Campion tenía suficiente experiencia con las heridas de revólver para conservar la esperanza de que el peligro resultara considerablemente menor de lo que había temido en un principio.

Al fin se decidió a dejarla y volvió al recibidor. El coronel y el comandante de la compañía, el capitán Stukely-Wivenhoe, lo esperaban. Ambos hombres eran curiosos por naturaleza. La atmósfera de misterio y entusiasmo que se cernía sobre aquel lugar como una nube les resultaba inconfundible.

Campion echó un vistazo a sus uniformes caqui, sintiendo que una ola de agradecimiento y tranquilidad recorría todo su cuerpo. La cara rosa y el voluminoso bigote blanco del viejo Featherstone representaban para él los emblemas de la paz y la seguridad. Por una vez en su vida, el Sr. Campion dio gracias por esa garantía.

Las diligencias fueron interrumpidas por el regreso del ordenanza que se había llevado al Sr. Parrott al comedor. El hombre estaba claramente alarmado, y Featherstone le hizo una señal para que hablase.

—Disculpe, señor, pero en la otra habitación hemos encontrado a un hombre debajo de una mesa.

—¿Escondido?

El viejo Featherstone se incorporó con interés.

—Todo lo contrario, señor: atado y amordazado.

—¡Ah, sí, claro! —exclamó el Sr. Campion—. ¡Claro! Se me había olvidado por completo.

Los ojillos azules del coronel, inquisitivos, se detuvieron un momento sobre el joven, antes de que su dueño carraspeara ruidosamente y se volviera hacia su subordinado.

—No pasa nada, Bates. Suba a ver si puede dar con una bata y un par de pantalones secos para el Sr. Campion. No puede andar así por aquí, Campion —prosiguió, mientras el hombre salía—. ¡Podría pillar un buen resfriado! Nunca se sabe.

El joven sonrió débilmente. La imperturbabilidad del viejo Featherstone siempre lo había cautivado.

—Oiga, señor —dijo—, ¿no preferiría que le diese una explicación?

—Todo a su debido tiempo, muchacho… Todo a su debido tiempo. Antes de nada, ¿necesita que hagamos algo? Hemos venido hasta aquí fundamentalmente para echar una mano y, en segundo lugar, para trasladar…, eh…, no sé qué a Whitehall. Las órdenes fueron un poco precipitadas, ya sabe… El joven Oxley llegará con los hombres de un momento a otro.

Campion reflexionó.

—Alguien tendría que acercarse a Great Kepesake para recoger a la Srta. Huntingforest, a la mayor de las Fitton, a su hermano y a Randall —aventuró.

—¿Guffy Randall? —preguntó el capitán con interés—. Precisamente ayer almorcé con su padre. ¡Vaya! Bueno, ¿me pongo en camino, señor?

—Sí. —El viejo Featherstone asomó la cabeza por la puerta—. Oigo el camión. Llévese el Rolls-Royce, Wivenhoe, y tráigalos a todos de vuelta aquí sanos y salvos. ¿Algo que objetar, Campion? ¿Su coche?

—No, señor, pero me parece una idea excelente, si me permite que lo diga. Ese coche pasará por cualquier sitio sin levantar sospechas. De cualquier modo, Wivenhoe, no estaría de más que fuese acompañado…

—¡Cierto! Me llevaré a uno de los hombres del camión.

El viejo Featherstone se quedó mirando cómo salía y, a continuación, se giró hacia Campion, que estaba peleándose con la ropa seca que le había llevado el ordenanza.

El Sr. Campion repasó los acontecimientos de las últimas horas. Habían colocado la caja de hierro sobre la mesa, y él le puso una mano encima con aire distraído.

—En el río, debajo del molino, encontrarán un cuerpo —dijo lentamente—. Es probable que esté un poco deteriorado, pues ha pasado por la turbina. Y el tipo que está atado en el comedor es para la policía…

—Ah, bueno, entonces de momento lo dejaremos ahí. —El viejo Featherstone pareció aliviado—. Solo hemos venido para proteger a su grupo y trasladar los dos…, eh…, objetos que ha hallado al cuartel. En confianza, no entiendo nada de lo que ocurre, Campion, pero, hasta donde alcanzo a comprender, alguien… Se ha mencionado el nombre del joven Eager-Wright, que llegó a la ciudad llevando no sé qué que ha revolucionado a todo el departamento… Y me han llamado por teléfono.

El gesto de asentimiento de Campion fue interrumpido por la llegada del camión y la inesperada aparición de Farquharson, seguido por el subalterno Oxley. El joven oficial informó rápidamente a Featherstone.

—Hemos encontrado el automóvil de Farquharson volcado en la carretera de Sweethearting, señor. Lo estaban atacando los ocupantes de un segundo coche, que iban armados y han disparado sobre nosotros. Han alcanzado a uno de los nuestros en el hombro. El Sr. Farquharson nos ha pedido ayuda y, como su historia demostraba que estaba…, bueno…, metido en este asunto, señor, me he permitido traerlo aquí.

—Bien hecho. Heterodoxo, pero bien hecho. ¿Dónde están los granujas que les han disparado?

La cara rosa del viejo Featherstone resplandecía.

—En la parte de atrás del segundo camión, señor.

—¡Espléndido! Supongo que tendremos que entregarle a las autoridades civiles. ¡Una lástima! Buen trabajo, en todo caso. Ahora, Oxley, mande al sargento con un grupo a buscar un cuerpo en el río. El cadáver de un hombre. El pobre tipo ha pasado por la rueda del molino. ¡Tráiganlo!

—¡Sí, señor!

El joven saludó y se marchó. Farquharson, pálido y maltrecho, pero henchido de entusiasmo, dio un paso al frente.

El viejo Featherstone le dio la mano.

—Cuando nos conocimos el año pasado jamás supuse que lo encontraría metido en tamaño embrollo, muchacho. Qué aburrido fue aquello de los Bletchley, ¿verdad? Que Dios me perdone, ¡sí que lo fue! Bueno, ¿ha habido pelea?

—Eso es, señor. Oxley le ha resumido bien la historia.

—Supongo que os dieron alcance… —dijo Campion.

—Sí, al final. Pero se lo pusimos difícil. ¿Qué ha pasado? ¿Lo has conseguido?

—Amanda.

—¿Amanda? ¿Dónde está?

—En el salón. Me parece que es la que ha salido peor parada.

—¡Dios mío!

Farquharson se dejó caer bruscamente sobre el borde de la mesa.

El doctor de Sweethearting llegó en el mismo momento en que el grupo de reconocimiento comandado por Oxley les informaba de que el páramo se había quedado desierto y que el cobertizo que los invasores habían empleado como garaje estaba vacío.

Farquharson y Campion esperaron en el pasillo a que el médico saliese del salón. Ambos guardaban silencio, pero, mientras Farquharson parecía de verdad preocupado, la cara de Campion permanecía impasible.

Por fin, salió el médico, un joven de complexión robusta y eminentemente práctico. En cuanto vio la expresión de su cara, Farquharson se relajó.

—¿Está bien?

El médico lo miró con cierta suspicacia. No estaba acostumbrado a atender heridas de revólver pero sabía que presagiaban un día en el juzgado prestando testimonio.

—No sé si «bien» es la palabra —dijo con brusquedad—. No corre peligro, si es a eso a lo que se refiere. ¿Arriba hay alguna cama a la que podamos llevarla? Comprendan que tendrán que dar alguna explicación…

El Sr. Campion, cuyo aspecto no había mejorado con el enorme par de pantalones de franela y la alegre bata, propiedad de Guffy Randall, asintió gravemente al médico.

—No pasa nada —dijo—. No se preocupe. Farquharson, ¿te ocupas tú de esto? Yo tengo que ir a ver a Featherstone.

Cuando Farquharson bajó las escaleras un rato después, había dejado a Amanda, consciente y relativamente cómoda, tendida sobre una cama. El médico se quedaría con ella hasta que Mary y tía Hatt llegasen, no porque estuviese en absoluto preocupado por su estado, sino porque sentía una gran curiosidad y además era consciente de que puede que más tarde la policía le exigiera un informe detallado de los hechos.

Al llegar al pasillo, Farquharson se encontró a un soldado de servicio haciendo guardia ante la puerta del salón.

—¡Aquí tiene, señor! —dijo—. Recuerdos del coronel. ¿Le importaría unirse a la conferencia?

Farquharson franqueó la puerta a toda prisa para encontrarse una escena típicamente featherstoniana en el interior de la estancia. Habían apartado los muebles, salvo una mesita rectangular que permanecía colocada en el centro de la habitación. Tras ella, estaba sentado el anciano con Wivenhoe a su izquierda y, sorprendentemente, una ansiosa pero aún bien dispuesta tía Hatt a su derecha. Mary ocupaba un asiento detrás de su tía, mientras Campion, Guffy y Hal se encontraban en un banco largo y estrecho paralelo a la mesa del coronel.

Campion acababa de terminar su discurso cuando Farquharson entró, y tía Hatt, que estaba demasiado preocupada por Amanda para permitir que la etiqueta militar la mantuviese en silencio, se puso en pie de un salto.

—¿Qué tal está? ¿Puedo subir ya a verla?

El coronel Featherstone parecía levemente contrariado, pero no lo abandonaron las buenas maneras. Levantándose con pesadez, anduvo con dificultad hasta la puerta y la abrió para dejar que la buena mujer saliera.

—Felicite de mi parte a esa valiente mujercita, señora —dijo.

Cuando tía Hatt, agitada, abandonó la sala, él volvió a su silla, completamente convencido de que se había comportado de la forma más sencilla y natural del mundo.

—¡Ah, Farquharson, muchacho! —suspiró—. Siéntese, por favor. Campion acaba de contarnos una historia asombrosa. Con su permiso, querida... —hizo un gesto a Mary—, condenadamente asombrosa. Bueno, Campion, abramos de una vez por todas esa caja de hierro, ¿no le parece? Llegados a este punto, no queremos cometer un error.

Una vez que la caja de hierro estuvo sobre la mesa, donde ya se encontraba la Corona de Averna, el capitán Wivenhoe y Campion se pusieron manos a la obra para tratar de abrirla con un pincho de acero de la navaja del capitán. El largo período que había permanecido oculta en la húmeda boca del pozo había afectado al metal, pero, al final, la cerradura estalló con un crujido similar a un disparo. A pesar de que el coronel intentó mantener el orden en la sala, no pudo evitar que todos se arremolinaran en torno a la mesa.

La caja contenía un paquetito envuelto en hule, el cual, al ser desdoblado, descubrió una recia bolsa de lino, un poco amarillenta y húmeda por el paso del tiempo. Dentro de esta, a su vez, encontraron una hoja de papel basto y un pergamino enrollado, con el sello de lacre roto.

El coronel Featherstone sacó un par de gafas, y sus dedos pequeños y gruesos jugaron torpemente con los papeles.

—Esto parece importante, Campion —dijo—. Pero que me aspen si entiendo lo que significa. ¡Échele usted un vistazo!

Campion cogió la hoja de papel y leyó en voz alta las palabras desvaídas y marrones:

> Bien guardó su secreto la campana,
> Si Pontisbright has sido.
> Mas que el mal te persiga hasta la muerte,
> Si eres desconocido.

—¡Caramba! —exclamó el viejo Featherstone y, volviéndose hacia Hal, añadió—: Tome, joven: mire esto, por favor.

Le pasó el pergamino al chico, que lo abrió con mucho cuidado. Una enorme colección de sellos se desplegó ante sus ojos, junto con una fina y extensa diatriba en latín, demasiado legal y arcaica para que pudieran comprenderla. La palabra «Avernium» se repetía una y otra vez en el texto, y, al pie de la página, se encontraba la firma, demasiado conocida para ponerla en cuestión, de Metternich seguida de la fecha: 1815.

—¡Eso es! —Guffy y Campion se miraron y una sensación de euforia se adueñó de la habitación.

Featherstone volvió a guardar los documentos en la bolsa de lino y metió también la corona.

—Bueno, Campion, muchacho —dijo—. Ya me encargo yo de esto, ¿no? Me atrevería a decir que, después de todo lo que ha pasado, seguro que se alegra de traspasar la responsabilidad. No se preocupe. Esta bolsa no saldrá de mi guerrera más que para ir a parar a las manos del propio ministro. Van a recibir grandes honores por esto, chicos, y, en mi opinión, los merecen.

Se quedaron mirándole, mientras él se abotonaba cuidadosamente su chaqueta.

—¡Listo! —dijo con una satisfacción indisimulada—. Me consideraré a mí mismo un correo del rey, ¿no les parece? Tenemos que andarnos con suma precaución. No debemos correr riesgos. Me llevaré conmigo a Bates y a una sección al mando de un cabo en un camión a modo de escolta. Wivenhoe, esta buena gente queda a su cuidado hasta que pueda dejar todo en manos de las autoridades civiles. Bueno, adiós, Campion. Enhorabuena…, mi más sincera enhorabuena.

Lo siguieron hasta la puerta, y contemplaron cómo se instalaba, sin incidentes, en el asiento trasero del coche. Bates y el conductor se sentaron delante, y el camión los siguió pesadamente. Había algo en cierto modo absurdo, magnífico pero también romántico en aquella gallarda salida, y, aunque Brett Savanake no hubiese yacido aplastado bajo las dulces aguas del Bright, el Sr. Campion pensó que no se habría preocupado por la seguridad de las preciosas pruebas.

El capitán Wivenhoe resultó ser tan capaz, aunque no tan pintoresco, como su oficial superior.

—Oiga, Randall —dijo mientras volvían juntos al salón—, ambos conocemos muy bien al comisario del condado. El bueno de Tenderton es un gran tipo, comprensivo e inteligente. Yo me inclino por explicarle el asunto de principio a fin, o casi. Según tengo entendido, aún nos queda encarrilar todo este follón, y eso es competencia suya. Han encontrado el cuerpo, por cierto. La rueda del molino le aplastó la cabeza contra el caz.

Guffy se volvió hacia Campion.

—¿Hablamos nosotros con el comisario? —preguntó.

El Sr. Campion asintió.

—De acuerdo —dijo—. Si podéis arreglarlo entre los dos me parece bien. El buen doctor también necesitará que lo tranquilicen, y hay que tener en cuenta otros detalles.

—¡Cielos, sí! —Guffy parpadeó mientras hablaba—. El Dr. Galley. Me había olvidado por completo de él.

Todos escucharon horrorizados un breve resumen de su terrible experiencia de la tarde. Su dificultad para expresarse y sus sobrentendidos le conferían una seriedad mucho más aterradora que si se lo hubiese referido con una narración más elaborada.

Después, el Sr. Campion se quedó callado, pero, cuando Wivenhoe salió para mandar a uno de sus hombres con una nota para el comisario del condado, dijo:

—Esa niña, Amanda..., ¡qué valor el suyo! Se quedó atrás, después de todo.

Guffy lanzó una mirada al otro lado de la habitación, donde Mary estaba hablando con Hal, dándoles la espalda.

—Son unas mujeres maravillosas, todas ellas —dijo, y su redonda cara solemne se iluminó—. Y yo soy un hombre feliz, Campion —anunció, con seriedad—. Muy feliz, la verdad. A Mary le gustan tanto el campo, las fincas y esa clase de cosas como a mí. Es una suerte, ¿verdad? Solo me preocupa una cosa... Nos hemos prometido esta tarde —confesó—, y, en ese momento, te aseguro que no tenía la menor idea de que esa revelación del Dr. Galley se haría pública. Verás, tal como está la cosa, considerando las circunstancias, el primer ministro se verá obligado a interesarse personalmente por la reclamación de la familia, y, con el apoyo de la hoja del registro, me parece que la conclusión se puede dar por segura. Eso quiere decir que voy a casarme con Mary justo cuando su hermano reciba el condado y el patrimonio. Bastante inoportuno, ¿no?

Campion se pasó la mano por el pelo trigueño.

—Mi querido charlatán —dijo—, permíteme asegurarte, en primer lugar, que la idea de que alguien de tu familia se case por dinero o por la posición es una de esas cosas tan absurdas que ni siquiera podrían echar raíces en la mente fetal del más rastrero de los columnistas de la prensa rosa. Y, después, permíteme que te pregunte, cortés y amablemente, como a un hombre enloquecido por el amor o la bebida, ¿de qué demonios estás hablando? ¿Qué página de qué registro?

Guffy parpadeó.

—¡Claro! —exclamó—. Claro, tú no lo sabes… Oh, bueno, la cosa es como sigue: cuando fuimos a ver al pobre Galley, el tipo sacó un sobre que supuestamente contenía, según nos contó, una página del diario de su tío y una hoja del registro parroquial. Estaba a punto de enseñárnoslas cuando el reloj dio la media y el sonido pareció desencadenar su…, este…, paroxismo. Bueno, por supuesto, con el alboroto posterior me olvidé por completo de eso pero, al parecer, tía Hatt…, esa mujer tiene agallas, Campion…, las cogió sin más antes de salir. Cuando desembarcamos y entramos en el George, en Great Kepesake, las sacó. Ahora están en manos de Hal. Y no cabe duda de que esos papeles son auténticos.

El chico se acercó y abrió el escritorio de palo de rosa de la esquina.

—Los he puesto aquí, en un lugar seguro—dijo.

Campion cogió el sobre, y todos se reunieron alrededor de la mesa para examinar su contenido.

Había dos hojas de un diario, dos pequeñas cuartillas descoloridas escritas con una letra desigual y enmarañada. La primera entrada llevaba fecha del 30 de junio de 1854.

Me he levantado temprano. La vaca sigue enferma. A la Sra. Parritch se le ha caído la ensaladera buena y se ha partido, así que he tenido que despedirla. Esta tarde, el joven Hal, del Hall, ha venido a visitarme, muy gallardo con su uniforme de soldado. Me ha dado veinte (20) guineas para que oficie su matrimonio con Mary Fitton, de Sweethearting, sin que se enterase su madre. Me ha puesto en un brete, pero, dado que él es el heredero y que yo aún soy joven, y viviré aquí muchos años más, he aliviado mi conciencia y he accedido. Lo he casado a las siete de esta tarde con la muchacha, con la Sra. Parritch y el criado del padre de ella, Branch, como testigos. La señorita parecía pachucha. Dudo que viva para verlo regresar.

Campion dejó la página. Aquel vistazo íntimo a la vida de otra persona, desaparecida tanto tiempo ha, trastornó levemente incluso después de los confusos acontecimientos de aquel día.

La segunda entrada resultaba aún más reveladora.

5 de enero, 1855. He accedido a los deseos de Su Señoría. Me remuerde la conciencia, pero no veo otra solución a mi dilema. He oído que la pérdida de su hombre ha colocado a la pobre señorita a las puertas de la muerte, así que bien puede ser que acabe dando lo mismo. Su Señoría está muy resentida. Una mujer dura. Me hallo indefenso en sus manos. He sacado una página del registro, y resulta que con ello también dejo a Elizabeth Martin y Thos. Cowper sin casar a ojos de los hombres, que no de Dios. He rezado fervorosamente para me sean perdonados mis pecados. N. B. He escondido la hoja del registro en la tapa del Catulo, en un ejemplar con encuadernación de cuero.

—Eso es, ¿ven? —dijo Mary—. Como le dio miedo que leyeran su diario, arrancó estas páginas y las escondió junto con la hoja del registro.

Campion extendió la última hoja. Era una página del Registro Eclesiástico. Las firmas estaban descoloridas, pero aún se podían distinguir nítidamente: «Hal Huntingforest. Mary Fitton. 30 de junio, 1856». Y, bajo la confirmación del matrimonio que tanto había perturbado al complaciente vicario: «Eliza Martin. Thomas Cowper. 18 de sept., 1854».

—¿Qué le parece, Campion? —La joven voz de Hal sonaba impaciente—. ¿Nos serviría como prueba? Recuerde que no tenemos dinero, ya lo sabe.

Campion levantó la mirada de los documentos y sonrió.

—No importa —dijo—. Creo que, considerando el conjunto, podremos sacarlo adelante sin la menor dificultad. En cuanto al dinero, el Paladín Hereditario de Averna debería recibir un buen montante. Como Aspirante, yo, Albert, abdico a favor de vos, Hal, etc.

Hal estrechó su mano con seriedad y Mary entrelazó su brazo con el de Guffy.

Eager-Wright asomó la cabeza por la puerta.

—Eh, Campion —dijo—, ¡medio minuto! El sargento y una patrulla acaban de traer a esos dos idiotas de campeonato: Despistado y Lugg. Han venido andando desde Kepesake. Ven y responde de ellos, por favor.

El Sr. Campion salió corriendo al rescate de su secuaz. Lugg, lúgubre y compadeciéndose de sí mismo, se había sentado en la entrada del molino, con Despistado a su lado, mientras sus captores, divertidos y tolerantes, permanecían de pie a su alrededor.

—¡El ejército! —exclamó el Sr. Lugg lanzando una mirada torva a su patrono, con la voz rebosando desdén—. ¡El puñetero ejército! No se puede llevar a cabo ni un solo trabajito tranquilo sin que se presente el dichoso ejército. Y venga: «Sí, señor sargento», «No, señor sargento», todo el santo rato. Me pone enfermo. Sí, señor —añadió a toda prisa, ante la expresión del rostro del Sr. Campion—. ¡Sí, señor! Presente para informar, señor. Sin novedad, señor.

Tras darle las explicaciones pertinentes al sargento, el Sr. Campion se volvió. Estaba increíblemente cansado. Le ardía la cabeza, y tenía la boca seca. Así que la aventura había acabado, y la victoria era completa. Subió las escaleras lentamente.

Cuando pasó ante la habitación de Amanda, tía Hatt salió. Sonreía.

—Creo que se encuentra mejor —le confió—. Ha vuelto a su ser por completo, pero aún está un poco débil. Pase a verla un segundo. Se muere por oír que todo ha salido bien.

Campion entró en el alegre cuartito. Amanda, pálida y un poco demacrada, pero viva, le sonrió desde la cama.

—¡Hola, Orfeo! —saludó—. ¿Viene a informar a la liga? Cuénteme lo peor.

—No hay peor —dijo él, sentándose al pie de la cama—. Este sensacional negocio se ha cerrado con éxito, como decimos en la sala de juntas. El tesoro, en manos de una representación pequeña pero magnífica del Ejército británico, va camino de la ciudad. El conde desaparecido está a punto de regresar a Dod.[28] Ambos seguimos con vida, gracias a usted, y yo estoy medio dormido.

—Bien —suspiró Amanda. Un espasmo de dolor recorrió su cara, y sus pardos ojos se abrieron alarmados y sorprendidos a un tiempo—. Me duele cuando me muevo —le explicó—. Pero estaré como nueva en un par de días. Tengo una salud de hierro, una gran dentadura, nunca ronco y mi familia dice que mi carácter es excepcional.

Campion la miraba, y ella alzó una mano con cierta dificultad, y la apoyó en su brazo.

—No se asuste —dijo—. No le estoy proponiendo matrimonio. Pero pensaba que tal vez más adelante podría considerar convertirme en su socia en el negocio. Verá, cuando Hal herede, Despistado y yo lo pasaremos mal. No quiero ir a una escuela de etiqueta, ¿sabe?

—¡Por Dios, no! —dijo Campion, espantado ante la perspectiva.

—Eso es todo —dijo Amanda—. Métaselo en la cabeza. Nada de educación superior para mí. Oiga, ¿piensa alguna vez en Biddy Pagett? Ya sabe… Biddy Lobbett.

El Sr. Campion, desaliñado y con aquella ropa que tan mal le sentaba, respondió a su franca mirada interrogativa con uno de sus infrecuentes destellos de sinceridad sin tapujos.

—Sí —contestó.

Amanda suspiró.

—Eso me temía. Mire —prosiguió—… Yo no estaré lista hasta dentro de unos seis años. Pero, para entonces… Bueno, me gustaría colocarle a usted al principio de mi lista.

28. v. n. i.

El joven extendió la mano con súbito entusiasmo.

—¿Quiere apostar?

El Sr. Campion siguió sentado en el mismo lugar, con la mirada perdida en la pared opuesta del cuarto, durante un largo rato. Parecía profundamente emocionado, un lujo que muy rara vez se permitía. Cuando por fin se puso en pie, se quedó quieto en el sitio, contemplando con enorme ternura a aquella personita que se había abierto paso violentamente en una de las aventuras más horripilantes que había vivido jamás y que con un instinto infalible había reabierto viejas heridas y reanimado viejos fuegos que él creía apagados.

—¿Cómo cambiarás en seis años, espectacular criaturita? —preguntó con calma.

Ella no se movió. Tenía los ojos cerrados. Sus labios estaban entreabiertos y respiraba regular y uniformemente. Amanda se había quedado dormida.

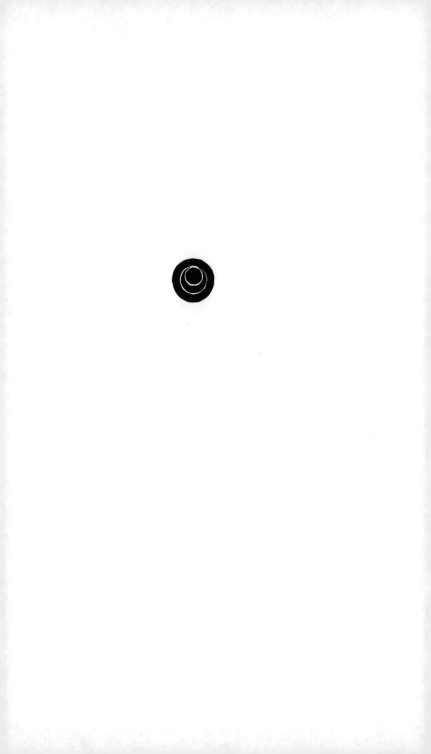

ÍNDICE

∾